**LES ENVIRONS
DE MADRID**
p. 118-141

CENTRE DE L'ESPAGNE

Sigüenza

Segovia

Guadalajara

San Martin

MADRID

Torrijos

Aranjuez

Toledo

Autour de La Castellana

EN DEHORS DU CENTRE
p. 106-115

Madrid des Bourbons

LE MADRID DES BOURBONS
p. 62-89
Plans de l'atlas des rues 7 et 8

GUIDES 👁 VOIR

MADRID

GUIDES ✪ VOIR

MADRID

Hachette Tourisme
43, quai de Grenelle, 75905 Paris Cedex 15

Direction
Cécile Boyer-Runge

Responsable de pôle éditorial
Amélie Baghdiguian

Responsable de collection
Catherine Laussucq

Édition
Aurélie Pregliasco

Traduit et adapté de l'anglais par
Dominique Brotot

Mise en pages (PAO)
Maogani

Ce guide Voir a été établi par
Adam Hopkins, Mark Little et Edward Owen

Publié pour la première fois en Grande-Bretagne
en 1999, sous le titre :
Eyewitness Travel Guides : Madrid
© Dorling Kindersley Limited, London 2004
© Hachette Livre (Hachette Tourisme)
2004 pour la traduction et l'édition française
Cartographie © Dorling Kindersley 2006

Imprimé et relié en Chine par South China Printing

Dépôt légal : 60482, janvier 2006
ISBN : 2-01-243903-9
ISSN : 1246-8134
Collection 32 – Édition 02
N° de codification : 24-3903-2

Aussi soigneusement qu'il ait été établi, ce guide
n'est pas à l'abri des changements de dernière heure.
Faites-nous part de vos remarques, informez-nous
de vos découvertes personnelles : nous accordons
la plus grande attention au courrier de nos lecteurs.

Sommaire

Dôme de l'Edificio Metrópolis et
sa Victoire ailée *(p. 74)*

Présentation de Madrid

Madrid dans son environnement
10

Histoire de Madrid *12*

Madrid d'un coup d'œil
22

Madrid au jour le jour *34*

Castizos participant aux Fiestas
de San Isidro *(p. 34)*

San Esteban, église du XIIIe siècle de Ségovie *(p. 128)*

Restaurant de l'hôtel Reina Victoria *(p. 47)*

Spécialités madrilènes

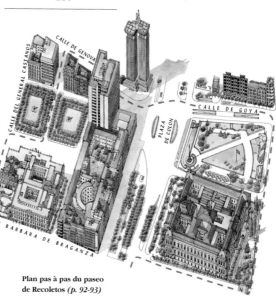

Plan pas à pas du paseo de Recoletos *(p. 92-93)*

LA CASA

LA CASA

Gambas a la
Plancha
ración 5 6 pts.

VINO
'EL ABUELO'
Chato 1 4 5 pts.

Gambas al Ajillo
ración 6 9 5 pts.

Langostinos Plancha
ración 7 5 0 pts.

PRÉSENTATION DE MADRID

L'Espagne dans son environnement

À l'extrême sud-ouest de l'Union européenne, dont elle est le deuxième pays par la superficie, l'Espagne occupe la majeure partie de la péninsule Ibérique et comprend les archipels des Baléares en Méditerranée et des Canaries en Atlantique, ainsi que deux petits territoires en Afrique du Nord. Sa capitale, Madrid, se trouve au centre géographique du pays et à 650 m d'altitude.

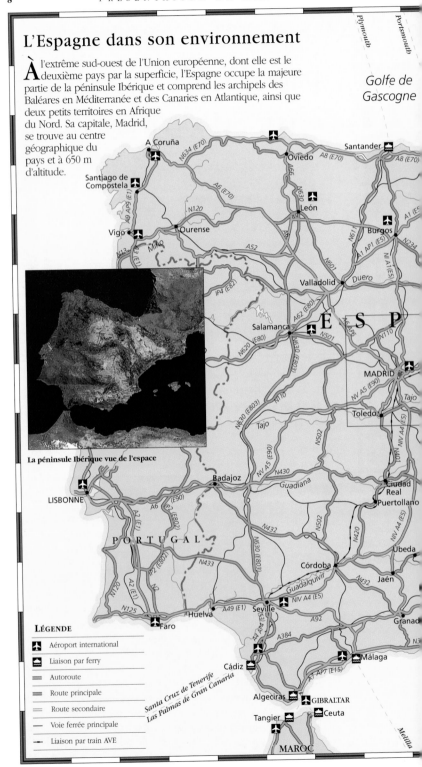

La péninsule Ibérique vue de l'espace

LÉGENDE

✈	Aéroport international
⛴	Liaison par ferry
▬	Autoroute
▬	Route principale
═	Route secondaire
─	Voie ferrée principale
•–•	Liaison par train AVE

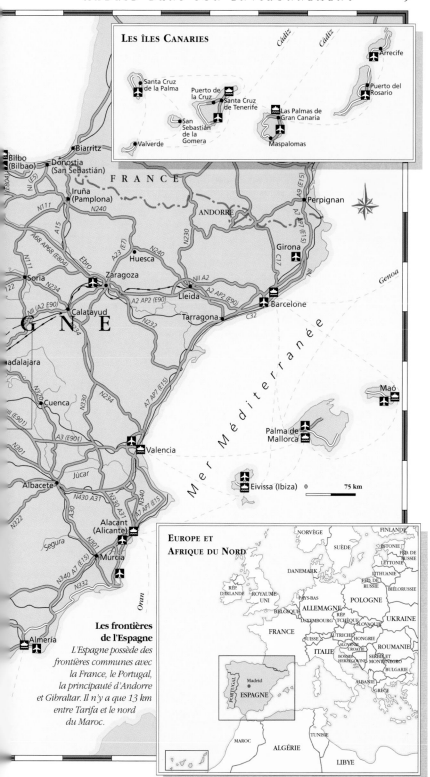

LES ÎLES CANARIES

Santa Cruz de la Palma
Puerto de la Cruz
Santa Cruz de Tenerife
San Sebastián de la Gomera
Valverde
Maspalomas
Las Palmas de Gran Canaria
Arrecife
Puerto del Rosario

Cádiz *Cádiz*

Biarritz
Bilbo (Bilbao)
Donostia (San Sebastián)

FRANCE

Iruña (Pamplona)
Perpignan
ANDORRE
Girona
Huesca
Zaragoza
Soria
Lleida
Barcelone
Calatayud
Tarragona

Genoa

Ebro

N111
A15
AG8 AP68 (E804)
N234
N111
NII (A2 E90)
A23 (E7)
N240
N240
N230
A9 (E15)
AP7 (E15)
C17
NII A2
A2 AP2 (E90)
A2 AP2 (E90)
C32

GNE

adalajara
Cuenca
Valencia
Maó
Palma de Mallorca
Albacete
Eivissa (Ibiza)
Alacant (Alicante)
Murcia
Almería

Mer Méditerranée

Júcar
Segura
Oran

N320
N330
N234
A3 (E901)
N301
NIII (E901)
N430 A31
N340 A31
N340 A7 (E15)
N301
N332
A30
N322
A7 AP7 (E15)

0   75 km

Les frontières de l'Espagne

L'Espagne possède des frontières communes avec la France, le Portugal, la principauté d'Andorre et Gibraltar. Il n'y a que 13 km entre Tarifa et le nord du Maroc.

EUROPE ET AFRIQUE DU NORD

NORVÈGE
FINLANDE
SUÈDE
ESTONIE
FÉD. DE RUSSIE
LETTONIE
DANEMARK
LITUANIE
FÉD. DE RUSSIE
BIÉLORUSSIE
RÉP. D'IRLANDE
ROYAUME-UNI
PAYS-BAS
POLOGNE
BELGIQUE
ALLEMAGNE
LUXEMBOURG
RÉP. TCHÈQUE
UKRAINE
FRANCE
SLOVAQUIE
AUTRICHE
HONGRIE
SUISSE
SLOVÉNIE
ROUMANIE
ITALIE
CROATIE
BOSNIE-HERZÉGOVINE
SERBIE ET MONTÉNÉGRO
BULGARIE
PORTUGAL
ESPAGNE
Madrid
ALBANIE
GRÈCE
MAROC
TUNISIE
ALGÉRIE
LIBYE

Madrid dans son environnement

A vec plus de trois millions d'habitants, Madrid est la ville la plus peuplée d'Espagne. Sa province, la Comunidad de Madrid, entourée par les provinces de Guadalajara, Cuenca, Tolède, Ávila et Ségovie, occupe le cœur du plateau central ibérique : la *meseta*.

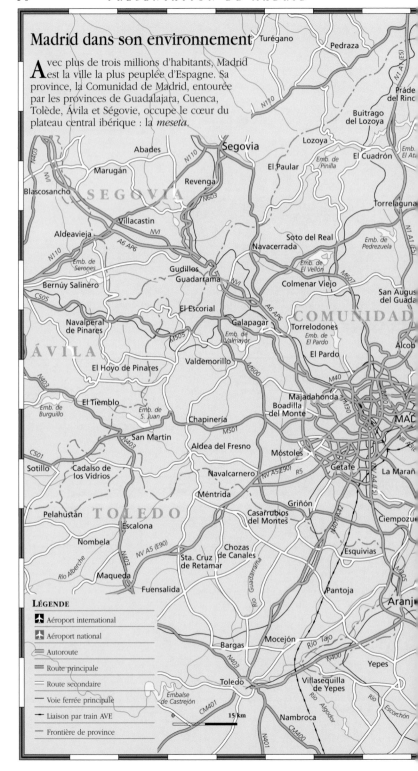

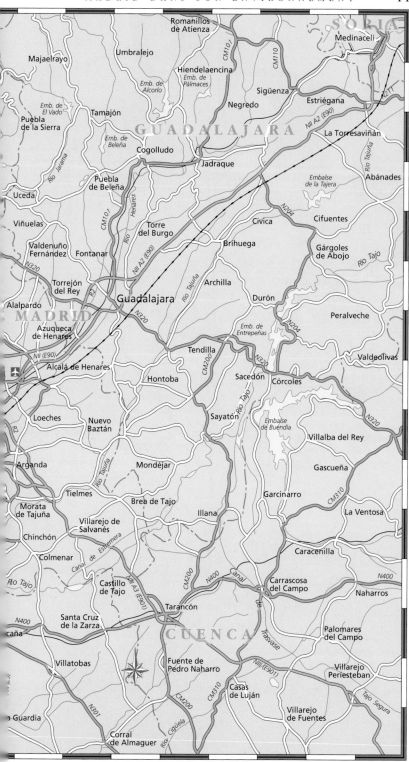

HISTOIRE DE MADRID

Si des vestiges archéologiques indiquent que l'homme habita la région dès l'âge de la pierre, l'histoire de Madrid ne commence qu'en 852 avec la construction par les Maures d'une forteresse sur le río Manzanares. La petite communauté qui se développa autour est devenue la capitale d'un pays qui compte des cités bien plus anciennes, telle Cadix fondée plus de deux mille ans plus tôt.

Au début du VIIIᵉ siècle, une armée d'Arabes et de Berbères, venue d'Afrique du Nord, débarque à Gibraltar et conquiert en quelques années la majeure partie de la péninsule Ibérique. Ces « Maures » établissent un émirat indépendant à Cordoue et, en 852, pendant le règne de Mohammed Iᵉʳ, bâtissent sur le site de l'actuel palais royal de Madrid une forteresse (alcazar) protégeant l'approche par le nord de la ville la plus importante de la région, Tolède, dont les Wisigoths ont fait une capitale au VIᵉ siècle. Une petite communauté appelée Mayrit, nom qui évoluera en Magerit puis Madrid, grandit autour de la forteresse.

Casque de guerrier maure

LA CONQUÊTE CHRÉTIENNE
Timidement au début, puis avec une détermination grandissante, les chrétiens du nord entreprennent depuis la Navarre, la Castille et l'Aragon la Reconquête des territoires contrôlés par les musulmans. Au XIᵉ siècle, le royaume de Castille qui s'étend jusqu'à la chaîne montagneuse de la Cordillera, visible de Mayrit, s'affirme comme la principale puissance chrétienne. Les Castillans

conduits par Alphonse VI investissent la forteresse en 1083 car elle se dresse sur le chemin de Tolède, ville qu'ils prendront deux ans plus tard. Selon une légende, ils n'auraient assiégé Mayrit que parce qu'ils avaient confondu ses remparts avec ceux de Tolède.

La ville retombe ensuite dans une torpeur rurale, malgré les privilèges que lui accordent les souverains espagnols. Ceux-ci encouragent aussi la fondation de monastères, et la communauté, qui reste peu peuplée, possède bientôt treize églises. En 1170 meurt saint Isidore (San Isidro Labrador), un laboureur qui deviendra le patron de la ville. On sait peu de choses de lui, hormis le fait qu'il fonda une *cofradía* (confrérie religieuse) et aurait accompli des miracles.

C'est une querelle survenue au XIIIᵉ siècle à propos des droits de chasse sur les terrains appartenant à l'Église qui donne à Madrid son symbole : un ours (emblème de l'Église) humant un arbousier. Le règlement de la dispute accorde aux Madrilènes des droits sur tout ce qui se trouve au-dessus du sol, c'est-à-dire le gibier.

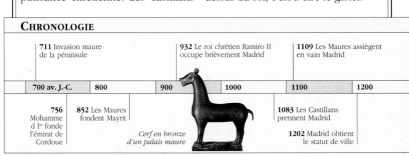

CHRONOLOGIE

| **711** Invasion maure de la péninsule | **932** Le roi chrétien Ramiro II occupe brièvement Madrid | **1109** Les Maures assiègent en vain Madrid |

| 700 av. J.-C. | 800 | 900 | 1000 | 1100 | 1200 |

756 Mohammed Iᵉʳ fonde l'émirat de Cordoue — **852** Les Maures fondent Mayrit — *Cerf en bronze d'un palais maure* — **1083** Les Castillans prennent Madrid — **1202** Madrid obtient le statut de ville

◁ **Décor mural en céramique représentant saint Isidore aux champs**

Christophe Colomb débarquant aux Amériques à la fin du XVᵉ siècle

TERRAIN DE CHASSE ROYAL

Madrid a la réputation d'être un paradis pour la chasse, et la région attire l'attention des membres de la famille royale de Castille. Au XVᵉ siècle, la ville séduit en particulier Henri IV l'Impuissant, réputé pour sa laideur, son incompétence politique et sa perversion morale. Il a pour épouse Jeanne de Portugal, dont la fille, qui se prénomme aussi Jeanne, a reçu le surnom de la Beltraneja, d'après le nom de l'amant de la reine, Beltrán de la Cueva, parce que personne ne pense que le roi en est le père. Henri IV la désavoue d'ailleurs au profit de sa demi-sœur Isabelle, ce qui déclenche une guerre dynastique à sa mort pendant l'année 1474.

La noblesse madrilène apporte son soutien à la Beltraneja. Isabelle et son mari, Ferdinand d'Aragon, les « Rois Catholiques », assiègent la cité, la prenant avec la complicité de partisans qu'ils ont à l'intérieur. Leur règne a une influence majeure sur l'histoire espagnole car ils instaurent l'Inquisition, achèvent la

Ferdinand d'Aragon, le Roi Catholique

Reconquête en prenant Grenade et financent le voyage d'exploration qui conduit Christophe Colomb jusqu'au Nouveau Monde.

À la mort d'Isabelle en 1504, sa fille Jeanne la Folle, épouse de Philippe le Beau, l'archiduc d'Autriche, se révèle incapable de gouverner le royaume de Castille et c'est Ferdinand qui assume la régence jusqu'au couronnement en 1516 de Charles Iᵉʳ (le futur empereur germanique Charles Quint), le premier des Habsbourg à la tête de l'Espagne. Élevé aux Pays-Bas, celui-ci ne connaît pas le pays à son arrivée en 1517, et le début de son règne est houleux, marqué par

Charles Iᵉʳ (1516-1556)

plusieurs révoltes. Il exerce le pouvoir pendant quarante ans, mais n'en passe que seize dans la péninsule, menant de nombreuses guerres en Europe, en particulier contre la France, et en Afrique du Nord. Il prend néanmoins le temps d'embellir suffisamment Madrid pour que les grandes familles nobles commencent à y construire des palais. C'est là qu'il retient prisonnier son rival François Iᵉʳ après la bataille de Pavie (1525). En abdiquant en 1556 pour se retirer dans le couvent de Yuste, il laisse la couronne à celui qui va donner à la cité son véritable essor.

CHRONOLOGIE

1309 Première réunion des Cortes (parlement) à Madrid

1361 Pogroms dans le quartier juif de Madrid

1498 Interdiction de laisser les porcs en liberté dans les rues

1492 Chute de Grenade ; Christophe Colomb atteint l'Amérique ; expulsion des juifs

1300   1350   1400   1450   150

1339 Alphonse XI réunit les Cortes à Madrid

1434 Madrid subit neuf semaines de pluie, de grêle et d'inondation

1474 Les partisans d'Isabelle assiègent Madrid

1478 Instauration de l'Inquisition

Membre de la confrérie de la Mort

LE MADRID DES HABSBOURG

Les maîtres du royaume de Castille ont jusqu'à présent parcouru en permanence leur territoire, suivis de leur cour. Le successeur de Charles Ier, son fils Philippe II, décide de donner à l'État une capitale permanente. Il choisit Madrid en 1561. Située au centre géographique de la péninsule, elle offre l'avantage d'être restée suffisamment modeste pour échapper aux réseaux de loyautés et d'intrigues en vigueur dans des villes plus importantes telles que Tolède. Sa population croît en quarante ans de 20 000 habitants à 85 000. Les artisans, cuisiniers, poètes, soldats, voleurs ou parasites qui y affluent alors fournissent au roman picaresque ses personnages truculents.

Contrairement à son père, Philippe II se consacre principalement à l'Espagne qu'il réussit à maintenir au rang de première puissance mondiale, malgré des revers comme la destruction de l'Invincible Armada envoyée contre l'Angleterre. Très croyant, il renforce les pouvoirs de l'Inquisition et fait construire l'austère Escorial. Le pays entre en déclin pendant les règnes de ses successeurs mais connaît en même temps un Siècle d'or artistique et culturel financé par ce que les guerres incessantes laissent des richesses du Nouveau Monde. C'est l'époque où brillent Cervantes, Lope de Vega, Velázquez, Zurbarán et Murillo *(p. 26-27)*. Madrid, dont la population ne cesse de croître, se transforme, avec des réalisations comme la Plaza Mayor *(p. 44)* aménagée sous Philippe III qui, en expulsant les Morisques (Maures christianisés), porte un coup très dur à l'agriculture de la péninsule, ou le palais del Buen Retiro construit par Philippe IV, qui marie sa fille Marie-Thérèse au roi de France Louis XIV.

Philippe V, le premier Bourbon

LE MADRID DES BOURBONS

En 1700, Charles II, le fils de Philippe IV, meurt sans laisser d'héritiers, et il désigne comme successeur Philippe d'Anjou, petit-fils de Louis XIV et de Marie-Thérèse. Inquiets d'une alliance entre la France et l'Espagne, l'Angleterre, l'Autriche et la Hollande, bientôt rejointes par le Portugal, déclenchent la guerre de Succession d'Espagne en soutenant les prétentions de l'archiduc Charles d'Autriche. Au terme de quatorze ans de conflit, Philippe d'Anjou l'emporte et devient le premier roi Bourbon d'Espagne sous le nom de Philippe V. Il perd cependant Gibraltar et le royaume de Naples.

Course de taureaux sur la Plaza Mayor au XVIIIe siècle

Les Bourbons se montrent d'habiles administrateurs, et leurs conseillers français et italiens introduisent des réformes qui ouvrent la voie à une modernisation du pays. Après l'incendie de l'alcazar en 1734, Philippe V ordonne la construction d'un palais inspiré de celui de Versailles où il a grandi. Il meurt avant son achèvement, et l'édifice a pour premier occupant Charles III qui donnera à Madrid, dont la population atteint alors 150 000 habitants, une splendeur jusque-là inégalée. Son zèle urbanistique est tel qu'il reste encore aujourd'hui considéré comme le meilleur « maire » que la ville ait jamais eu.

Charles III

Avec la construction de nombreux bâtiments, le centre de la capitale se déplace de la Plaza Mayor au paseo del Prado.

Les Madrilènes n'apprécient toutefois pas toutes les initiatives des conseillers étrangers des Bourbons, d'autant que l'Église encourage les sentiments xénophobes à leur égard. Un incident resté célèbre survient en 1766 quand le marquis de Esquilache interdit le chapeau à large bord et la longue cape traditionnels car ils permettent de dissimuler des armes. Les habitants de la ville croient qu'on veut leur imposer une mode étrangère et provoquent de graves émeutes. Le pouvoir chasse d'Espagne les jésuites qu'il soupçonne de soutenir ces troubles. Charles IV monte sur le trône en 1788. Sous l'influence d'une épouse autoritaire, Marie-Louise de Parme, et de son favori, Manuel Godoy, il amorce le déclin de la monarchie.

MADRID EN ARMES

Rêvant de se tailler un fief au Portugal, Godoy permet en 1807 à Napoléon de traverser l'Espagne avec son armée afin d'attaquer ce pays. L'empereur français profite toutefois de la situation pour occuper finalement toute la péninsule et placer son frère Joseph Bonaparte sur le trône espagnol. Une insurrection populaire éclate à Madrid devant le Palacio Real le 2 mai 1808. La répression féroce exercée par les troupes françaises le lendemain marque le début de la guerre d'Indépendance. Tout le pays se soulève. Des Anglais débarquent au Portugal. Napoléon est obligé d'intervenir en novembre avec sa Grande Armée pour reprendre Madrid et repousser les Britanniques. Les actions de guérilla menées par les

La répression exercée par les Français inspira à Goya *Le 3 Mai 1808* (18

Espagnols continuent toutefois, et le duc de Wellington revient en 1810 avec une armée à laquelle se joignent les insurgés. En 1813, Ferdinand VII, le fils de Charles IV, retrouve son trône, mais il dirige désormais un empire ébranlé où les colonies du Nouveau Monde ont profité des nombreux troubles en Europe pour commencer à s'émanciper.

LIBÉRAUX
CONTRE CONSERVATEURS

Un siècle de contact étroit avec la France a laissé sa marque en Espagne. Les idées issues de la Révolution ont trouvé un terrain fertile parmi les classes éduquées, et les Cortes réunis à Cadix en 1812 rédigent une Constitution libérale. Ferdinand VII la rejette et règne en monarque absolu jusqu'en 1820 alors que le coup d'État du général Rafael de Riego l'oblige à respecter la Constitution... Jusqu'en 1823 le roi réussit à retrouver un pouvoir sans partage. Cette opposition entre forces conservatrices et progressistes va peser sur l'histoire du pays pendant un siècle et demi.

À la mort de Ferdinand VII, les libéraux se rangent derrière Isabelle II, héritière désignée âgée de trois ans, et la régente Marie-Christine de Bourbon. Les absolutistes soutiennent les prétentions du frère de Ferdinand, don Carlos. Les guerres carlistes que cette opposition déclenche font 140 000 victimes. Malgré les circonstances, Madrid se transforme peu à peu en une capitale moderne où s'affirment les classes moyennes. La démolition des anciens remparts permet l'*Ensanche* (« l'agrandissement »), et d'élégants quartiers résidentiels

Isabelle II

remplacent des faubourgs populaires surpeuplés.

En 1868, les libéraux s'allient à une partie des forces armées pour imposer l'abdication d'Isabelle II accusée de corruption. Une assemblée élue au suffrage universel promulgue une nouvelle Constitution et le fils du roi d'Italie, Amédée de Savoie, coiffe la couronne en 1871. Mal accueilli par les Madrilènes, il ne parvient pas à apaiser les querelles qui déchirent le pays ; il renonce au trône au bout de deux ans. Les Cortes instaurent la Première République. En seulement onze mois, quatre présidents se succèdent à sa tête et elle subit deux coups d'État. Le général Martínez Campos réussit le deuxième, rétablit la monarchie et confie le pouvoir au fils d'Isabelle II : Alphonse XII.

Après l'adoption d'une nouvelle Constitution en 1876, l'Espagne retrouve enfin le calme pendant son règne et pendant la régence exercée jusqu'en 1902 par sa femme, Marie-Christine de Habsbourg-Lorraine. Madrid connaît alors une période de prospérité et de croissance qui culmine avec le percement de la Gran Vía *(p.48)*, inaugurée en 1908.

LA BATAILLE DE MADRID

La Constitution de 1876 instaure une monarchie parlementaire, mais Alphonse XIII se croit tenu de se mêler des affaires politiques... 33 gouvernements se succèdent entre 1902 et 1923. La montée du mouvement anarchiste dans le sud et les ambitions autonomistes de la Catalogne créent de nouvelles tensions, et le général Miguel Primo de Rivera organise en 1923 un coup d'État soutenu par le roi.

Alphonse XII

1840 Coup d'État du général Espartero	1868 Le général Prim dépose Isabelle II ; la peseta devient la monnaie espagnole	1876 Nouvelle Constitution	1885 Mort d'Alphonse XII	1906 Ouverture de l'hôtel Ritz	1908 La Gran Vía est entreprise
1850	**1870**		**1890**	**1910**	
1850 Inauguration du Parlement et du Teatro Real *(p. 58)*	1873 Première République		1897 Un anarchiste italien tue le Premier ministre Cánovas del Castillo		
1843 Coup d'État du général Narvaez	1875 Restauration des Bourbons avec Alphonse XII				

Affiche nationaliste pendant la guerre civile

L'ordre revient mais la politique de Rivera se révèle désastreuse sur le plan économique, et le pays se retrouve au bout de six ans au bord de la faillite. Le dictateur abandonne le pouvoir en 1930, et les républicains imposent des élections à Alphonse XIII l'année suivante. Les partis de gauche l'emportent dans les villes et le roi est contraint à l'exil. Pendant l'éphémère Deuxième République, la bourgeoisie, les propriétaires terriens et l'armée manifestent une peur grandissante devant l'écho rencontré par les idées socialistes et anarchistes. En 1936, la victoire du front populaire aux élections de janvier et l'assassinat, en juin, de José Calvo Sotelo, un parlementaire conservateur, précipitent dramatiquement les événements.
Les Madrilènes apprennent le 18 juillet qu'une insurrection menée par les troupes stationnées au Maroc sous les

ordres du général Franco a déjà pris plusieurs villes d'Andalousie, dont Séville. La population se précipite dans les casernes pour demander des armes et, bien que les soldats de Franco atteignent la périphérie de Madrid dès novembre 1936, la capitale résiste jusqu'en mars 1939. Sa chute marque la victoire des nationalistes. La répression, qui se poursuit pendant plusieurs années, fait des centaines de milliers de victimes.

Malgré l'aide apportée par Hitler et Mussolini pendant la guerre civile, Franco réussit à garder l'Espagne à l'écart de la Seconde Guerre mondiale. Mais le pays subit un complet ostracisme diplomatique et économique après la victoire alliée. La misère pousse des millions d'Espagnols à émigrer. La situation ne commence à s'améliorer qu'après 1953, avec la signature d'un accord avec les Américains, alors en pleine guerre froide, qui échangent leur aide contre des bases militaires. L'interdiction de toute expression autonomiste dans les provinces provoque au Pays basque la création de l'ETA en 1959.

Général Francisco Franco

DE LA DICTATURE À LA DÉMOCRATIE

À partir de 1957, Franco nomme dans ses gouvernements des ministres dont les réformes vont permettre, en ouvrant le pays aux capitaux étrangers et en limitant l'intervention de l'État, une véritable révolution économique dans laquelle le tourisme joue un grand rôle. Le dictateur vieillissant désigne en 1969 pour lui succéder le

CHRONOLOGIE

1921 Inauguration du métro de Madrid

1929 Achèvement du Telefónica *(p. 49)*

1931 Instauration de la Deuxième République ; exil d'Alphonse XIII

1955 L'Espagne rejoint l'ONU

| 1910 | 1920 | 1930 | 1940 | 1950 |

1923 Primo de Rivera impose la dictature

Primo de Rivera

1936 Guerre civile ; les nationalistes assiègent Madrid

1939 Les troupes de Franco entrent dans Madrid

1953 L'Espagne accepte la création de bases américaines sur son sol ; inauguration de l'Edificio de España *(p. 53)*

Coup d'État aux Cortes le 23 février 1981

petit-fils d'Alphonse XIII, le prince Juan Carlos, mais confie le pouvoir à un Premier ministre aux vues autoritaires, l'amiral Luis Carrero Blanco. Celui-ci est assassiné par les séparatistes basques de l'ETA en 1973.

La démocratie espagnole doit beaucoup au roi Juan Carlos, couronné le 22 novembre 1975, peu après la mort du général Franco. Profitant de l'autorité que lui confère son titre auprès de l'armée, il réussit avec habileté, et l'aide d'Adolfo Suárez qu'il a nommé à la tête du gouvernement, à contourner les rigidités du régime franquiste pour permettre des élections libres dès 1977. En 1981, c'est en grande partie grâce à lui qu'échoue une tentative de coup d'État militaire. En 1982, l'accession du chef du parti socialiste, Felipe González, à la fonction de Premier ministre marque le début d'une période d'eupho-rie que couronnent en 1992 les Jeux olympiques de Barcelone et l'Exposition universelle de Séville. Madrid est la même année « capitale culturelle européenne », permettant au plus grand nombre de présenter les résultats de l'incroyable effervescence artistique et intellectuelle, appelée la *Movida,* qu'elle a connue pendant une décennie avec le soutien du maire Enrique Tierno Galván.

Mais l'euphorie n'a qu'un temps et, en 1996, après une série d'affaires de corruption, les socialistes perdent le pouvoir au profit du Parti populaire de José Maria Aznar.

Comme tous les habitants de grande capitale, les Madrilènes se plaignent de la circulation et de la pollution. Ils n'en gardent pas moins un esprit férocement individualiste, et continuent de refuser de se conformer aux horaires des autres Européens.

Vue aérienne de Madrid, une métropole dynamique

Les souverains espagnols

Prémisse de l'unification des deux royaumes, c'est le mariage d'Isabelle de Castille et de Ferdinand d'Aragon en 1469 qui établit les fondements de l'État espagnol. Avec Charles Ier, petit-fils d'Isabelle, la dynastie des Habsbourg en prend les rênes en 1516, mais, en 1700, Charles II meurt sans laisser d'héritier direct. Après la guerre de Succession d'Espagne, c'est un petit-fils de Louis XIV, Philippe V de Bourbon, qui monte sur le trône. Juan Carlos Ier est un de ses descendants. Souverain d'une monarchie constitutionnelle, il a joué un rôle essentiel dans l'instauration de la démocratie espagnole.

1665-1700
Charles II

1479-1516
Ferdinand, roi
d'Aragon

1474-1504 Isabelle,
reine de Castille

1516-1556 Charles Ier
d'Espagne (empereur
Charles Quint)

1598-1621 Philippe III

1400	1450	1500	1550	1600	1650
ROYAUMES INDÉPENDANTS		**HABSBOURG**			
1400	1450	1500	1550	1600	1650

1469 Mariage de
Ferdinand d'Aragon
et d'Isabelle
de Castille

1504-1516 Jeanne
la Folle (Ferdinand
est régent)

1621-1665
Philippe IV

Ferdinand et Isabelle, les Rois Catholiques

L'UNIFICATION DE L'ESPAGNE

Le mariage en 1469 d'Isabelle et Ferdinand, les « Rois Catholiques », ouvrit la voie à l'union des deux plus importants royaumes chrétiens de la péninsule : la Castille, et l'Aragon, qui comprenait Barcelone et la Sicile péninsulaire. Les deux souverains menèrent une politique déterminée qui conduisit à la conquête, en 1492, du royaume nasride de Grenade, dernier territoire des Maures *(p. 14)*. En s'emparant de la Navarre, Ferdinand achève en 1512 l'unification de l'Espagne.

1556-1598
Philippe II

1843-1868 Règne d'Isabelle II après les régences de sa mère Marie-Christine (1833-1841) et d'Espartero (1841-1843)

1814-1833 Première restauration des Bourbons : Ferdinand VII

1871-1873 Amédée Ier de Savoie

1939-1975 Dictature du général Franco

1724 Louis Ier après l'abdication de Philippe V

1931-1939 Deuxième République

1759-1788 Charles III

1875-1885 Deuxième restauration des Bourbons : Alphonse XII

1700	1750	1800	1850	1900	1950

DYNASTIE DES BOURBONS — **BOURBONS** — **BOURBONS**

1700	1750	1800	1850	1900	1950

1808-1813 Joseph Bonaparte

1746-1759 Ferdinand VI

1724-1746 Philippe V reprend le trône après la mort de son fils Louis Ier

1788-1808 Charles IV

1902-1931 Alphonse XIII

1886-1902 Marie-Christine de Habsbourg-Lorraine, régente d'Alphonse XIII

1700-1724 Philippe V

1873-1874 Première République

1868-1870 Coup d'État du général Prim

1975 Troisième restauration des Bourbons : Juan Carlos Ier

MADRID D'UN COUP D'ŒIL

e guide décrit plus de 100 lieux à visiter dans les chapitres *Madrid quartier par quartier* et *Les environs de Madrid*. Les bâtiments et sites historiques présentés permettent de découvrir la ville au fil de son histoire, en commençant par le Madrid des Habsbourg (« Madrid de los Austrias ») des XVIe et XVIIe siècles, dont subsistent aussi bien la Plaza de la Villa médiévale *(p. 45)*, que la Colegiata de San Isidro baroque *(p. 46)*, pour rejoindre celui des Bourbons, où s'ouvrent le Parque del Retiro *(p. 77)* et la plaza de Cibeles *(p. 67)*, puis le quartier chic du barrio de Salamanca, aménagé au XIXe siècle, et enfin les gratte-ciel modernes de l'Azca *(p. 109)*. La ville possède aussi de riches musées et des parcs de loisirs comme la Casa de Campo *(p. 114)*. Cette page vous propose les visites à ne pas manquer.

LES SITES À NE PAS MANQUER

Plaza Mayor
p. 44.

Plaza de Toros de Las Ventas
p. 110.

Museo Lázaro Galdiano
p. 100-101.

Parque del Retiro
p. 77.

Museo Arqueológico Nacional
p. 96-97.

Museo Thyssen-Bornemisza
p. 70-73.

Centro de Arte Reina Sofía
p. 86-89.

Palacio Real
p. 54-57.

Museo del Prado
p. 80-83.

◁ Le Capitol, immeuble Art déco de la Gran Vía

Les plus beaux musées de Madrid

Madrid possède trois musées particulièrement réputés : le Prado, qui abrite la plus riche collection d'art espagnol du monde, le Thyssen-Bornemisza qui retrace l'évolution de l'art occidental depuis le XIVe siècle, et le Reina Sofía qui présente un ensemble exceptionnel d'œuvres du XXe siècle. Beaucoup d'autres méritent également une visite. Ils sont généralement plus petits et plus intimes, à l'instar du Museo Lázaro Galdiano qui propose, dans un luxueux hôtel particulier du début du siècle, l'éclectique collection réunie par un amateur d'art avisé.

Museo Municipal
L'exposition, installée dans l'ancien hospice Saint-Ferdinand, illustre l'évolution de Madrid depuis la préhistoire et comprend une maquette de la ville au XIXe siècle (p. 103).

Museo Cerralbo
Pénétrer dans la demeure du XVIIe siècle où vécut le marquis de Cerralbo, et où les objets d'art qu'il rassembla au cours de sa vie restent exposés comme il les appréciait, donne l'impression de remonter dans le temps (p. 52).

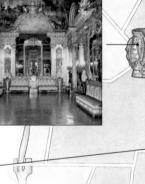

Vieux Madrid

Real Academia de Bellas Artes
L'Académie des beaux-arts possède plus de 1 000 peintures et sculptures du XVIe au XXe siècle, dont L'Enterrement de la sardine *de Goya* (p. 47).

Museo Thyssen-Bornemisza
Aucune collection d'art réunie par des particuliers n'est sans doute aussi riche. Elle comprend des œuvres de Titien, Goya, Picasso et Rubens (p. 70-73).

Museo Lázaro Galdiano

La demeure néo-Renaissance de José Lázaro Galdiano offre toujours un magnifique écrin à une collection où voisinent peintures, bijoux, pièces archéologiques et céramiques (p. 100-101).

Museo Arqueológico Nacional

Ce musée, situé derrière la Biblioteca Nacional, présente des objets laissés par les civilisations qui se sont succédé en Espagne depuis la préhistoire (p. 96-97).

Autour de La Castellana

Museo del Prado

Le Prado, l'une des galeries d'art les plus riches du monde, est particulièrement réputée pour ses Velázquez et ses Goya (p. 80-83).

Madrid des Bourbons

0   0,5 km

Centro de Arte Reina Sofía

Ce musée d'art moderne (p. 86-89) occupe un ancien hôpital néo-classique et a pour fleuron Guernica, *le célèbre tableau inspiré à Picasso par les horreurs de la guerre civile. La collection comporte également* Le Portrait de Josette *(ci-contre), par le cubiste Juan Gris.*

[]

Les hôtes célèbres

En établissant la capitale de l'Espagne à Madrid en 1561 *(p. 15)*, Philippe II transforma cette ville alors sans rayonnement en un pôle artistique et culturel qui attira peintres, écrivains, compositeurs et architectes en quête de parrainage royal et d'un cadre où faire connaître leurs œuvres. Les plus grands auteurs du Siècle d'or fréquentèrent ainsi le quartier des Huertas, tandis que les commandes de la cour permirent au génie de Velázquez et de Goya de s'affirmer. Les souverains de la maison des Habsbourg, puis de celle des Bourbons, firent appel à d'excellents architectes pour parer la cité de monuments et de places.

Félix Lope de Vega, prolifique dramaturge du Siècle d'or

Le prix Nobel Camilo José Cela peint par Alvaro Delgado

ÉCRIVAINS

C'est dans le domaine de la littérature que Madrid joua pour la première fois un rôle prédominant dans la vie culturelle de l'Espagne, en attirant les auteurs les plus remarquables du XVIIᵉ siècle. Après une vie aventureuse, c'est dans le quartier des Huertas, qui prendra le surnom de barrio de los Literatos, « le quartier des écrivains », que Miguel de Cervantes Saavedra (1547-1616), une des plus grandes figures littéraires espagnoles, acheva *Don Quichotte*. Il retrouvait dans les tavernes son rival Félix Lope de Vega (1562-1635), le plus prolifique auteur dramatique ibérique.

D'autres grandes figures littéraires de l'époque vécurent aussi aux Huertas, comme le dramaturge Pedro Calderón de la Barca (1600-1681) et Francisco de Quevedo y Villegas (1580-1645), satiriste et philosophe à la plume acérée.

Les auteurs les plus en vue continuent ensuite de fréquenter le quartier, tels Leandro Fernández de Moratín dont la comédie *El Sí de las Niñas* montre l'influence de l'esprit des Lumières français, José Zorrilla y Moral (1817-1893), qui écrit en 1844 *Don Juan Tenorio*, l'œuvre la plus célèbre du romantisme espagnol, et Benito Pérez Galdós (1843-1920) dont le roman *Miau* entraîne le lecteur dans un voyage au cœur de la société madrilène.

C'est à Madrid que Federico García Lorca (1899-1936), le membre le plus connu du groupe qui se donne pour nom « Génération de 1927 », fait ses études et trouve les théâtres où présenter ses œuvres. Il meurt au début de la guerre civile, exécuté par les troupes nationalistes.

José Zorrilla (1817-1893)

Après sa victoire, Franco impose une censure tatillonne, mais le prix Nobel Camilo José Cela (né en 1916) réussit à contourner ces contraintes dans des romans comme *La Colmena* qui dépeint la vie quotidienne difficile des Madrilènes après la guerre.

Son séjour à Madrid pendant la guerre civile inspire à Ernest Hemingway (1899-1961) son célèbre roman *Pour qui sonne le glas*. On raconte qu'il passait de longues nuits à siroter du gin au bar du Ritz *(p. 68)*. Aujourd'hui encore, il reste difficile de traverser la Plaza Mayor sans imaginer sa silhouette massive descendant les escaliers de l'Arco de Cuchilleros pour aller dîner au El Sobrino del Botín *(p. 28)*.

PEINTRES

Deux génies dominent l'histoire artistique de la capitale espagnole.

Chaque week-end, quand les Madrilènes affrontent les embouteillages pour échapper à la ville, c'est en quête du ciel bleu que Diego de Velázquez (1599-1660) rendit célèbre dans les décors où il plaçait ses scènes d'extérieur. Ce peintre reste cependant surtout connu pour ses portraits de la cour de Philippe IV, maître d'un empire en déclin. Le Museo del Prado *(p. 80-83)* permet d'en admirer un grand nombre, dont *Les Ménines* (1656).

Tout en travaillant lui aussi à la cour, pour quatre rois, Charles III, Charles IV, Joseph Bonaparte et Ferdinand VII, Francisco de Goya (1746-1828) représenta la vie quotidienne du petit peuple madrilène au cours d'une des périodes les plus tragiques de la cité : la guerre d'Indépendance. La collection du Prado illustre ces facettes de son art avec des chefs-d'œuvre tels que *La Maja desnuda, Le 3 Mai 1808* et *Saturne dévorant l'un de ses enfants,* mais plusieurs autres musées de la ville abritent certaines de ses œuvres.

Palacio de Cristal de Velázquez Bosco

Les Ménines (1656) par Diego de Velázquez

ARCHITECTES

Disciple de Juan de Herrera qui dessina pour Philippe II le palais-monastère El Escorial *(p. 122-125),* Juan Gómez de la Mora adoucit le style austère de son maître lorsqu'il entreprit, d'après ses plans, la construction de la Plaza Mayor *(p. 44),* achevée en 1619. Il est également l'auteur, dans les années 1640, du Monasterio de la Encarnación *(p. 53)* et de l'*ayuntamiento* (hôtel de ville) de la plaza de la

Villa que Juan de Villanueva, l'architecte du Prado, agrémenta ultérieurement d'un balcon. C'est Villanueva qui aménagea en 1781, avec l'aide du botaniste Gómez Ortega, le Real Jardín Botánico *(p. 84).* Francesco Sabatini fut aussi très actif au XVIIIᵉ siècle, dessinant le Palacio Real *(p. 54-57),* édifié sur le site de l'alcazar ravagé par un incendie en 1734, ainsi que la majestueuse Puerta de Alcalá *(p. 66)* et l'agrandissement du Palacio de El Pardo (p. 134).

Le Parque del Retiro *(p. 77)* abrite deux splendides édifices bâtis par Velázquez Bosco en 1887 : le Palacio de Velázquez néo-classique et le Palacio de Cristal en verre et en métal.

Parmi les architectes contemporains dignes d'attention figurent José Rafael Moneo Valles, qui remania le Palacio de Villahermosa, datant du XVIIIᵉ siècle, occupé par le Museo Thyssen-Bornemisza *(p. 70-73),* Luis Gutiérrez Soto, le créateur du Ministerio del Aire bordant la Plaza de la Moncloa, Antonio Lamela pour les Torres de Colón de la plaza de Colón *(p. 98)* et Francisco Saenz de Oiza pour les Torres Blancas de l'Avenida de América. Bien qu'il ne fut pas un architecte, le marquis de

Salamanca influa aussi directement sur le visage de Madrid. Dans les années 1860, ce brillant banquier finança l'aménagement d'un des quartiers les plus élégants, le barrio de Salamanca *(p. 99).*

HOMMES POLITIQUES

Les souverains, dictateurs et Premiers ministres qui dirigèrent Madrid ne manifestèrent pas tous le même attachement à la cité. Si Philippe II *(p. 15)* avait choisi Madrid pour en faire la capitale du pays, il la quitta rapidement pour son palais El Escorial.

En revanche, Charles III *(p. 16),* qui fut baptisé le *rey-alcade* (« le roi-maire »), para la ville de monuments et de fontaines au XVIIIᵉ siècle. Il la dota aussi d'un éclairage de rues et d'un réseau d'égouts.

Une autre personnalité politique sut s'attacher l'affection des Madrilènes, le maire socialiste Enrique Tierno Galván, élu en 1979 et mort en 1986, et connu pour ses idées progressistes, qui aida la ville à sortir des années grises de la dictature en apportant tout son soutien à la vie culturelle. C'est sous son mandat que s'épanouit la *Movida (p. 104)* et que la Fiesta de San Isidro *(p. 34)* devint la grande fête madrilène qu'elle est aujourd'hui.

Enrique Tierno Galván, maire de Madrid après la période franquiste

Les meilleures *tabernas* de Madrid

Il est probable que le premier commerce ouvert à Madrid fut une *taberna* (« taverne »), et le quartier de la Plaza Mayor et celui de la plaza de la Villa en abritait plus de 50 au XIVᵉ siècle. Leur nombre s'élevait à 800 deux cents ans plus tard, et elles prirent un style caractéristique à partir de la première moitié du XIXᵉ siècle. Il ne subsiste aujourd'hui qu'une centaine de ces *tabernas* traditionnelles qui partagent des traits communs tels qu'une grande horloge trônant sur un comptoir en bois sculpté à plateau de zinc, des bouteilles de vin rafraîchies par de l'eau courant à travers un filtre poli, et des carreaux de céramique ornant souvent la salle. Quelques-unes des plus prisées sont présentées ci-dessous, et vous trouverez quelques adresses page 31.

Taberna del Foro
Bien que relativement moderne, cet établissement s'efforce de recréer l'atmosphère du « vieux Madrid », et offre un exemple typique de taverne traditionnelle.

La Bola
Ce restaurant fondé il y a près de deux cents ans possède un bar en bois superbement sculpté, et sert depuis 1873 l'un des meilleurs cocido *(p. 155) de Madrid.*

Vieux Madrid

El Sobrino del Botín
Cette taberna *ouverte en 1725, l'une des plus anciennes de Madrid, propose des plats castillans tels que le cochon de lait rôti qui lui valent la réputation d'être l'un des meilleurs restaurants de la ville. Hemingway l'appréciait beaucoup.*

0   0,5 km

Taberna Antonio Sanchez
La Taberna Antonio Sanchez est une référence depuis deux siècles, et l'atmosphère y a autant d'importance que le service. Son décor a été maintes fois imité.

Casa Carmencita
Ouverte au milieu du XIX*ᵉ siècle, cette élégante* taberna *devint dans les années 20 un lieu de rendez-vous où se retrouvaient écrivains, artistes et hommes politiques.*

Casa Domingo
Transformée en restaurant de luxe il y a près de 80 ans, la Casa Domingo sert aujourd'hui des plats espagnols et internationaux dans un cadre chaleureux.

Autour de La Castellana

Los Gabrieles
Les étonnantes céramiques de l'artiste Enrique Guijo couvrent les murs de cette taberna *qui constitue pour beaucoup de noctambules une étape obligée.*

Madrid des Bourbons

Viva Madrid
Célèbre pour son décor carrelé, à l'extérieur comme à l'intérieur, Viva Madrid a été adopté par les Madrilènes qui fréquentent le soir le quartier animé de la plaza de Santa Ana.

Casa del Abuelo
L'ambiance de cette petite taberna *compense son espace réduit. Fondée en 1906, elle a pour spécialités le vin rouge doux et les crevettes préparées selon quatre modes de cuisson.*

Choisir les *tapas*

Xérès fino et sec

Originaires d'Andalousie, où elles accompagnaient le xérès servi dans des verres protégés des mouches par une soucoupe faisant office de couvercle *(tapa)*, les *tapas* sont la base d'un art de vivre plus encore que des amuse-gueule. Il en existe toutes sortes de variétés : viandes froides, légumes cuisinés ou plats chauds de poulet ou de fruits de mer, et l'un des grands plaisirs qu'offre Madrid est de passer de bar en bar pour en goûter de nouvelles. Elles peuvent être servies en *ración* pour deux à trois personnes.

*Le **chorizo** est une saucisse au paprika et à l'ail appréciée froide, mais qu'on mange aussi grillée et chaude.*

*Le **jamón serrano**, jambon cru de montagne, peut prendre la forme de cubes* (tacos) *ou de tranches fines* (lonchas). *En tapa, du pain l'accompagne souvent.*

***La* tortilla a la española,** *servie aussi en petits carrés, est l'épaisse omelette garnie aux pommes de terre et à l'oignon proposée partout en Espagne.*

*Le **queso manchego** (p. 166), préparé dans la Manche avec du lait de brebis, est le fromage favori des Espagnols qui le dégustent avec du pain aussi bien semicurado (doux) que curado (fait).*

*Les **albondigas** (boulettes de viande) sont parfois nappées de sauce tomate.*

*Les **olives** offrent une large palette de saveurs selon leur marinade. Les grosses gordals viennent de Séville, les manzanillas peuvent être fourrées aux anchois, aux amandes ou aux piments.*

Crevette   Œuf dur

Olive

Cornichon

*Les **mejillones a la marinera,** moules à la marinière, cuisent dans une sauce au vin blanc, au jus de citron, à l'ail et à l'huile d'olive.*

*Les **bandilleras,** destinées à être mangées en une fois pour bien apprécier le mélange de saveurs, associent sur une petite brochette des ingrédients tels que poisson mariné et cornichon.*

Les **patatas bravas** *sont un plat relevé de pommes de terre sautées à l'huile, qui prennent la forme de bouchées enrobées d'une sauce au vin blanc, aux piments rouges, à l'oignon, à l'ail et au persil.*

Le **salpicón de mariscos** *associe des fruits de mer tels que homard, crabe et crevettes dans une somptueuse salade à la tomate assaisonnée d'une vinaigrette relevée à l'oignon et aux poivrons rouges.*

Calamares fritos
Une tranche de citron accompagne ces rondelles de calmar frites, parfois à l'huile d'olive, après avoir été farinées.

Les **gambas a la plancha** *sont de grosses crevettes grillées non décortiquées.*

OÙ MANGER DE BONNES TAPAS
(voir aussi p. 28-29)

La Bola
Calle de la Bola 5. **Plan** 4 D1.
📞 91 547 69 30.

Casa del Abuelo
Calle de la Victoria 12. **Plan** 7 A2.
📞 91 521 23 19.

Casa Domingo
Calle de Alcalá 99. **Plan** 8 F1.
📞 91 576 01 37.

Los Gabrieles
Calle de Echegaray 17. **Plan** 7 A3.
📞 91 429 62 61.

El Sobrino del Botín
Calle de los Cuchilleros 17.
Plan 4 E3.
📞 91 366 42 17.

Taberna del Alabardero
Calle Felipe V 6. **Plan** 4 D2.
📞 91 541 46 70.

Taberna Antonio Sanchez
Calle del Mesón de Paredes 13.
Plan 4 F4.
📞 91 539 78 26.

Taberna de Conspiradores
Calle Moratin 33. **Plan** 7 B3.
📞 91 369 47 41.

Taberna del Foro
Calle de San Andrés 38. **Plan** 2 F4.
📞 91 445 37 52.

La **fritura de pescado,** *servie avec des quartiers de citron, associe en friture du calmar ou du poulpe avec des poissons tels que mulet ou colinot.*

*L'*ensalada de pimientos rojos *marie tomates et poivrons rouges grillés dans une sauce où l'huile d'olive et le vinaigre relèvent le jus de la cuisson.*

Les **almendras fritas,** *amandes grillées et salées, accompagnent les boissons partout en Espagne, à l'instar des pistaches* (pistachios), *des cacahuètes* (cacahuetes) *et des graines de tournesol* (pipas).

L'architecture à Madrid

La capitale espagnole présente une grande diversité de styles architecturaux. Sous les Habsbourg a prévalu l'influence austère de Juan Herrera, l'architecte de la cour de Philippe II, à qui l'on doit l'imposant Escorial, situé au nord-ouest de la ville *(p. 122-125)*, et elle marque de nombreux édifices du vieux Madrid. Au cours du XVIIIe siècle, les façades deviennent plus animées avec l'introduction du baroque, puis, au début du règne des Bourbons, une ornementation exubérante s'impose, et le néo-classicisme revient à des formes plus dépouillées à la fin du XVIIIe siècle. Le XIXe siècle et le début du XXe voient se multiplier les styles, du néo-mudéjar à l'Art déco. Depuis la fin du franquisme, le dynamisme de la ville et sa foi en l'avenir s'expriment notamment par d'audacieuses créations contemporaines.

Modernisme
Les tours jumelles de la Puerta de Europa semblent défier la gravité au-dessus du paseo de La Castellana.

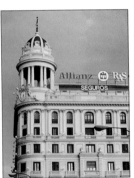

Art déco
Joyau du style Art déco, l'imposant Palacio de la Música abrite sur la Gran Vía (p. 48) *une salle de cinéma de 2 600 places.*

Vieux Madrid

Habsbourg
Le Monasterio de las Descalzas Reales (p. 52), *fondé en 1560, abrite derrière une façade dépouillée une très riche décoration intérieure.*

0   0,5 km

Baroque
Cette demeure bâtie en 1720 est due à l'architecte baroque Churriguera. Achetée en 1774 par la Real Academia de Bellas Artes (p. 47), *elle perdit son aspect originel.*

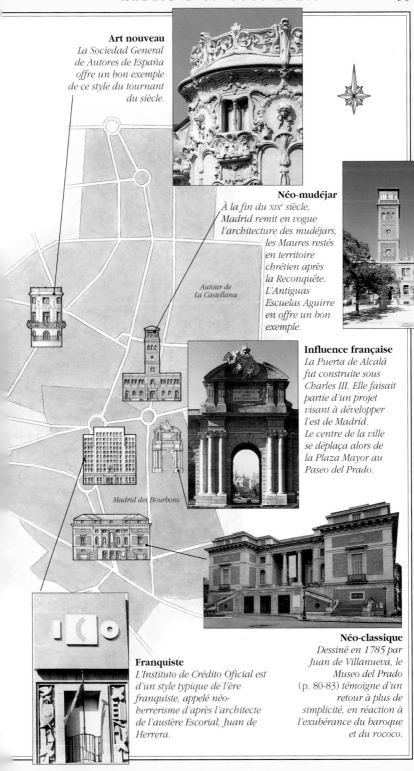

Art nouveau
La Sociedad General de Autores de España offre un bon exemple de ce style du tournant du siècle.

Néo-mudéjar
À la fin du XIXe siècle, Madrid remit en vogue l'architecture des mudéjars, les Maures restés en territoire chrétien après la Reconquête. L'Antiguas Escuelas Aguirre en offre un bon exemple.

Autour de La Castellana

Influence française
La Puerta de Alcalá fut construite sous Charles III. Elle faisait partie d'un projet visant à développer l'est de Madrid. Le centre de la ville se déplaça alors de la Plaza Mayor au Paseo del Prado.

Madrid des Bourbons

Néo-classique
Dessiné en 1785 par Juan de Villanueva, le Museo del Prado (p. 80-83) témoigne d'un retour à plus de simplicité, en réaction à l'exubérance du baroque et du rococo.

Franquiste
L'Instituto de Crédito Oficial est d'un style typique de l'ère franquiste, appelé néo-herrerisme d'après l'architecte de l'austère Escorial, Juan de Herrera.

MADRID AU JOUR LE JOUR

Matador effectuant
une passe à la muleta

Les Espagnols adorent les fêtes et chaque quartier, ville ou village en organise. Elles sont particulièrement nombreuses en été, programmant des courses de taureaux et de spectaculaires feux d'artifice. Musique et danse entretiennent l'ambiance jusqu'à l'aube. Les célébrations religieuses attirent toujours beaucoup de fidèles, et des processions ponctuent Noël et Pâques. En mai, quinze jours de réjouissances honorent le patron de Madrid lors de la Fiesta de San Isidro. Rencontres sportives et manifestations culturelles rythment aussi le calendrier. Les bureaux d'information touristique et les magazines de programme (p. 172) vous en donneront le détail.

Les tulipes signalent partout en ville l'arrivée du printemps

PRINTEMPS

Des tulipes illuminent les boulevards de la ville à la fin mars, et les cafés servent en terrasse dès les premiers beaux jours d'avril. Le temps reste cependant très changeant, et la pluie gâte souvent la Fiesta de San Isidro qui marque en mai le début de la saison tauromachique. C'est toutefois la période de l'année où la campagne est la plus belle, et de nombreux Madrilènes quittent la ville pendant la Semana Santa, la semaine de Pâques riche en processions religieuses.

MARS

Cristo de Medinaceli (1ᵉʳ ven.), Iglesia de Medinaceli, Calle del Duque de Medinaceli. Des milliers de personnes font trois vœux devant le Christ en espérant qu'il en exaucera un.
Expo/Ocio, Fiera del Tiempo Libre (2ᵉ ou 3ᵉ sem.), Parque Ferial Juan Carlos I. La foire annuelle du temps libre est dédiée aux sports, aux loisirs et aux passe-temps.

AVRIL

Semana Santa (sem. de Pâques). Des processions ont lieu partout dans Madrid et à Tolède (p. 136-141) les jeudi et vendredi saints. Le samedi, les habitants de Chinchón (p. 135) interprètent la Passion. Le dimanche à midi, ceux de Tiermes brûlent symboliquement un arbre et l'effigie de Judas.
Foire artisanale et de la céramique (sem. de Pâques), plaza de la Comendadoras.
El Día de Cervantes (23 avr.), Alcalá de Henares. Une foire aux livres, et des débats littéraires commémorent la mort de Cervantes.
Marathon de Madrid (dern. dim.).

MAI

Fête du Travail (1ᵉʳ mai). Jour férié et rassemblement à la Puerta del Sol (p. 44).
Fiestas de Mayo (1ᵉʳ mai), Ajalvir, Casarrubuelos, Fresno de Torote et Torrelaguna. Fêtes locales célébrant mai.
Las Mayas (1ᵉʳ dim.), autour de l'Iglesia de San Lorenzo dans le quartier de Lavapiés (p. 61). Vieux rituel de fertilité toujours pratiqué, chaque rue élit une reine de mai (maya).
La Maya (2 mai), Colmenar Viejo. Voir ci-dessus.
Día de la Comunidad (2 mai). Jour férié à Madrid, ponctué par un défilé militaire à la Puerta del Sol, et une fête à Móstoles et sur la plaza del Dos de Mayo (p. 103).
Fiestas de San Isidro (15 mai). Pendant une semaine avant et après le 15 mai, les Madrilènes s'adonnent aux plaisirs de la musique et de la danse, des chotis notamment. Des orchestres jouent le soir dans les Jardines de las Vistillas, calle de Bailén.
Corridas de San Isidro (15 mai-fin juin). Courses de taureaux à la Plaza de Toros de Las Ventas (p. 110).
Fête-Dieu (fin mai). Fête religieuse avec grandes processions à Madrid et à Tolède.
Romería Alpina (der. dim.), Lozoya. Procession de la Virgen de la Fuensanta.
Feria del Libro (fin mai-mi-juin), Parque del Retiro (p. 77). Foire aux livres.

La Semana Santa donne lieu à Pâques à de grandes processions religieuses

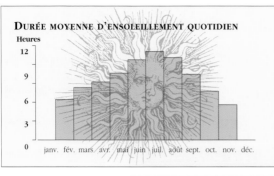

DURÉE MOYENNE D'ENSOLEILLEMENT QUOTIDIEN

Heures: 12, 9, 6, 3, 0

janv. fév. mars avr. mai juin juil. août sept. oct. nov. déc.

Ensoleillement

Sa situation continentale au centre de la péninsule protège Madrid des influences maritimes, et la ville jouit d'hivers ensoleillés bien que rigoureux. En été, mieux vaut prévoir un chapeau et une crème solaire... Et ne pas hésiter à imiter les Espagnols en faisant la sieste aux heures les plus chaudes de la journée.

ÉTÉ

Les piscines en plein air et les parcs aquatiques de Madrid ouvrent en juin *(p. 180)*. En août, de nombreuses familles fuient la chaleur torride de l'été en se rendant à la montagne ou au bord de la mer. En revanche, beaucoup de bars et de restaurants ferment. Ceux qui restent ouverts sont bondés jusqu'au petit matin, et la circulation plus fluide que d'ordinaire fait de ce mois de congé une période agréable pour découvrir la ville.

Madrilènes en costumes traditionnels de *castizos* à la Fiesta de San Isidro

Sous le chaud soleil d'été à la terrasse d'un bar de Madrid

JUIN

Fiesta de San Antonio de la Florida *(mi-juil.)*, Ermita de San Antonio, Paseo de la Florida. Les *señoritas* jettent des épingles dans une fontaine et trempent leurs mains en priant saint Antoine. Elles auront autant d'amoureux dans l'année que d'épingles collées à leurs mains.

JUILLET

Fiestas de la Virgen del Carmen *(mi-juil.)*, Chamberí.
Concierto de las Velas *(9 juil.)*, Pedraza, Ségovie. Fête et musique aux chandelles.

Fiestas de Santiago Apóstol *(25 juil.)*. Jour férié pour la fête du saint patron d'Espagne.
Romería Celestial *(26 juil.)*, Alameda del Valle, Lozoya. Pèlerinage de 3 km jusqu'à La Ermita de Santa Ana.

AOÛT

Castizos Fiestas *(6-15 août)*, quartiers de La Latina et de Lavapiés. Les fêtes traditionnelles des *castizos (p. 105)* célèbrent San Cayetano *(3 août)*, San Lorenzo *(5 août)* et La Virgen de la Paloma *(15 août)*.
Fiesta de San Lorenzo *(10 août)*, El Escorial *(p. 122-125)*.
Fiesta de San Roque *(12-18 août)*, Chinchón. Une fête d'une semaine donne lieu à une corrida sur la Plaza Mayor et à des dégustations d'*anís*.
Asunción *(15 août)*. Jour férié national.
Encierros *(fin août)*.

Lâchers de taureaux à San Sebastián de los Reyes.
Fiestas de San Bartolomé *(24 août)*, Alcalá de Henares. Géants légendaires, théâtre classique et corridas.
Encerrios *(der. sem.)*, Cuellar, Ségovie. Lâchers de taureaux datant de 1546.
El Motín de Aranjuez *(fin août ou déb. sept.)*. Corridas, concerts en plein air et feux d'artifice.

Décorations pour La Virgen de la Paloma

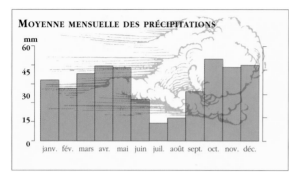

MOYENNE MENSUELLE DES PRÉCIPITATIONS

mm
60
45
30
15
0

janv. fév. mars avr. mai juin juil. août sept. oct. nov. déc.

Précipitations
Madrid connaît deux principales périodes de pluie : de mars à mai et d'octobre à décembre. En automne, la saison la plus humide, les précipitations prennent surtout la forme de courts orages. Une quasi-sécheresse règne de juin à septembre.

La plaza de España *(p. 53)* en automne

Virgen de la Fuencisla *(27 sept.)*. Fête de Ségovie.
Procesión de San Andrés *(30 sept.)*, Rascafría. Célébration du patron local.

OCTOBRE

Festival Taurino *(vers le 12 oct.)*, Chinchón. Corridas.
Día de la Hispanidad *(12 oct.)*. Fête nationale.
Virgen de Pilar *(vers le 12 oct.)*, plaza Dalí, Salamanque. Fêtes de quartier.
Festival de Otoño *(mi oct.-mi-nov.)*, Madrid. Festival annuel de théâtre, ballet et opéra.

NOVEMBRE

Todos los Santos *(1er nov.)*. On fleurit les tombes le 2 novembre, jour des Morts. Les boulangeries vendent des *huesos de santo* (« os de saint »).
La Almudena *(9 nov.)*. Processions en l'honneur de la Vierge, patronne de la ville, dans le vieux Madrid.
Romería de San Eugenio *(14 nov.)*. Pèlerinage *castizo* jusqu'à El Monte de El Pardo. Pique-nique, ramassage de glands, chants et danse.

AUTOMNE

Les pluies d'automne, après une sécheresse parfois de plusieurs mois, permettent à la campagne de reverdir et aux Madrilènes de partir ramasser les champignons dans les forêts, une de leurs distractions préférées. À partir d'octobre, sanglier, perdrix et faisan commencent à apparaître à la carte des restaurants.

Champignon s sauvages

SEPTEMBRE

Encierros *(12 premiers jours de sept.)*, Torrelaguna. Lâchers de taureaux lors de la fête locale.
Procesión Marítima *(1er dim.)*, Fuentidueña de Tajo. Des barques illuminées participent à la procession maritime.
Procesión de la Virgen de la Cigüeña *(6 sept.)*, Fuente de Saz de Jarama. La Vierge de la Cigogne avance au milieu de broussailles embrasées.
Romería Panorámica *(2 dim.)*, San Lorenzo de El Escorial. Procession de la Virgen de la Gracia.
Romería de la Virgen de los Hontanares *(10 sept.)*, Riaza, Ségovie. Pèlerinage de la Vierge des Sources.

Messe en l'honneur de La Virgen de la Almudena sur la Plaza Mayor

MOYENNE MENSUELLE DES TEMPÉRATURES

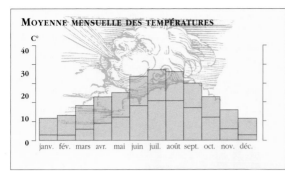

Températures
Sa situation continentale vaut à Madrid des étés torrides et des hivers glacials, et les moyennes mensuelles de ce tableau ne donnent qu'une faible idée des écarts de températures que peut subir la ville. Leur douceur rend les mois de juin et d'octobre très agréables pour une visite.

HIVER

Dès les premières neiges, des embouteillages se forment sur les routes d'accès aux petites stations de sport d'hiver de la Sierra de Guadarrama *(p. 126)*. Il fait très froid en hiver à Madrid. Noël est célébré avec ferveur, et la foule se presse à la Puerta del Sol pour le réveillon du nouvel an.

Sur les pentes de la Sierra de Guadarrama, au nord de Madrid *(p. 126)*

DÉCEMBRE

Día de la Constitución
(6 déc.). Jour férié national.
Immaculada Concepción
(8 déc.). Jour férié national.
Foire de Noël *(mi-déc.-fin janv.),* Plaza Mayor, Madrid.
Noche Buena *(24 déc.).*
Le réveillon de Noël se passe en famille.
Día de Navidad *(25 déc.).*
Jour de Noël.
Belén Viviente *(dern. soirs de déc.),* Buitrago del Lozoya. Représentation équestre de la Nativité.
Noche Vieja *(31 déc.).*
Chacun fait un vœu en mangeant un grain de raisin à chacun des douze coups de minuit.

JANVIER

Cabalgata de Reyes *(5 janv.).*
Défilé du Parque del Retiro *(p. 77)* à la Plaza Mayor *(p. 44)* pour la fête des Rois.
Los Reyes Magos *(6 janv.).*
L'Épiphanie donne lieu à des échanges de cadeaux.
San Antón *(17 janv.),* calle de Hortaleza 63, Madrid. Bénédiction des animaux à l'Iglesia de San Antón.
Cabalgata de Cercedilla

(19 janv.), Cercedilla. Cavalcade en traîneaux.
Vaquillas *(20 janv.),* Pedrezuela et Fresnedillas. Des jeunes se déguisent en taureaux.
San Sebastián *(20 janv.),* Villaviciosa de Odón. Procession et danses.
Foire touristique FITUR *(fin janv.),* Parque Ferial Juan Carlos I.

FÉVRIER

La Vaquilla Premiada *(2 fév.),* Colmenar Viejo. Concours amateur de tauromachie.
La Romería de San Blas *(3 fév.),* Madrid et Miraflores. Célébrations costumées.
Alcadesas de Zamarramala *(autour du 1er dim.),* Ségovie. Les femmes prennent le pouvoir pendant une semaine.
Semana Internacional de la Moda *(mi-fév.).* Défilés de mode au Parque Ferial Juan Carlos I.
ARCO *(mi-fév.),* Parque Ferial Juan Carlos I. Grande foire internationale d'art contemporain.
Carnaval *(jusqu'au carême).*

Entierro de la Sardina *(mardi gras),* Casa de Campo. L'Enterrement de la sardine, qui symbolise la mort de l'hiver, conclut le carnaval.

JOURS FÉRIÉS

Año Nuevo *(nouvel an)* (1er janvier)
Día de los Reyes *(Épiphanie)* (6 janvier)
Jueves Santo *(jeudi saint)* (mars-avril)
Viernes Santo *(vendredi saint)* (mars-avril)
Día de Pascua *(dimanche de Pâques)* (mars-avril)
Día del Trabajo *(fête du Travail)* (1er mai)
Asunción *(Assomption)* (15 août)
Día de la Hispanidad *(Fête nationale)* (12 oct.)
Todos los Santos *(Toussaint)* (1er novembre)
Día de la Constitución *(fête de la Constitution)* (6 déc.)
Immaculada Concepción *(Immaculée Conception)* (8 décembre)
Día de Navidad *(Noël)* (25 décembre)

MADRID QUARTIER PAR QUARTIER

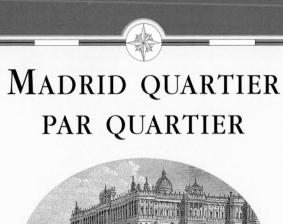

LE VIEUX MADRID

adrid a commencé à se développer le long des ruelles
sinuant derrière l'alcazar, la
forteresse arabe *(p. 13)* qui occupait
le site du Palacio Real actuel.

La ville ne comptait que 20 000 habitants quand Philippe II y installa sa
capitale en 1561, mais sa population
avait plus que triplé cinquante ans
plus tard. Centre nerveux de l'empire,
le « Madrid de los Austrias » vit se

multiplier couvents et palais seigneu-
riaux pendant le règne des Habsbourg.
À partir de 1617, Juan Gómez de la
Mora aménage la Plaza Mayor pour
Philippe III. En 1622 débute la construction de San Isidro, la cathédrale de
Madrid. La Puerta del Sol, vaste place
portant le nom d'une ancienne porte
des remparts, devient alors le cœur
spirituel et géographique non seulement
de Madrid mais de toute l'Espagne.

LES SITES D'UN COUP D'ŒIL

Bâtiments historiques
Edificio Grassy ⓫
Muralla Arabe ㉖
Palacio de Santa Cruz ❼
Palacio del Senado ⓲
Palacio Real p. 54-57 ⓴
Teatro Real ㉒
Telefónica ⓬

Musées
Museo Cerralbo ⓰
Real Academia de
  Bellas Artes ❾

Églises et monastères
Basílica Pontificia de
  San Miguel ❺
Catedral de la
  Almudena ㉔
Colegiata de San Isidro ❻
Iglesia de San Nicolás ㉓
Monasterio de la
  Encarnación ⓳

Monasterio de las
  Descalzas Reales ⓮
San Francisco
  el Grande ㉗

Rues, places
et parc
Calle de Preciados ⓯
Campo del Moro ㉕
Gran Vía ❿
La Latina ㉙
Plaza de España ⓱
Plaza de la Paja ㉘
Plaza de la Villa ❹
Plaza de Oriente ㉑
Plaza de Santa Ana ❽
Plaza del Callao ⓭

Plaza Mayor ❷
Puerta del Sol ❶

Marchés
El Rastro ㉚
Mercado de San Miguel ❸

COMMENT Y ALLER
Les lignes de métro 1, 2, 3, 5
et 10 desservent les
principaux sites d'intérêt.
Les bus les plus utiles sont
les 51, 52, 150 et 153 qui
s'arrêtent à la Puerta del Sol.

LÉGENDE

Plan du quartier pas à pas
p. 42-43

Ⓜ Station de métro

Arrêt de bus important

ℹ Information touristique

Ⓟ Parc de stationnement

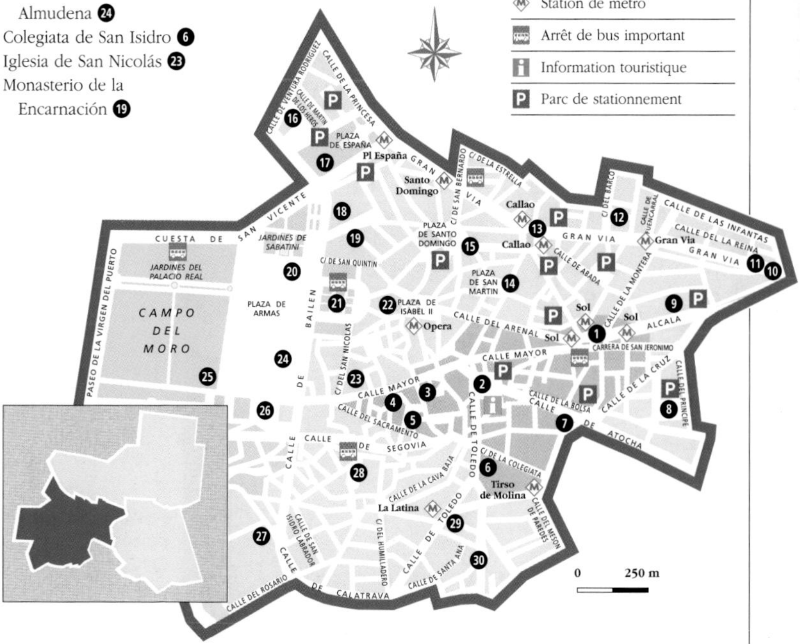

◁ **Statue équestre de Philippe III, au centre de la Plaza Mayor** *(p. 44)*

Le vieux Madrid pas à pas

S'étendant de la Puerta del Sol à la plaza de la Villa médiévale, le cœur du vieux Madrid, riche en monuments tels que la Colegiata de San Isidro et le Palacio de Santa Cruz, forme un ensemble compact marqué par l'histoire. Entourée de portiques, la Plaza Mayor, aménagée par la maison d'Autriche, en est le plus bel élément architectural. Si elle servit jadis de cadre à des exécutions ordonnées par l'Inquisition, elle accueille désormais des manifestations culturelles. De nombreux cafés et les éventaires du Mercado de San Miguel ajoutent au plaisir de se promener dans ce quartier vivant.

★ Plaza Mayor
Cette superbe place du XVIIᵉ siècle, œuvre de Juan Gómez de la Mora, abrite sous ses arcades de nombreux cafés et des magasins d'artisanat ❷

Mercado de San Miguel
Ce marché couvert à structure métallique date du XIXᵉ siècle ❸

Palacio Real

CALLE MAYOR

PLAZA MORENAS

PLAZA DE LA VILLA

CALLE DE SACRAMENTO

CORDÓN

PUÑONROSTRO

CUCHILLE

Hôtel de ville *(ayuntamiento)*

Casa de Cisneros

Arco de Cuchilleros

0   100 m

★ Plaza de la Villa
La Torre de los Lujanes (XVᵉ siècle) est le plus ancien des bâtiments qui la bordent ❹

À NE PAS MANQUER

★ Plaza Mayor

★ Plaza de la Villa

★ Puerta del Sol

Basílica Pontificia de San Miguel
Cette imposante église du XVIIIᵉ siècle possède un élégant intérieur baroque ❺

★ Puerta del Sol
Avec ses boutiques et ses cafés, cette place est très animée. Une enseigne pour une marque d'alcool, Tío Pepe, en est devenue un symbole ❶

CARTE DE SITUATION
Voir l'atlas des rues, plan 4

Iglesia de San Ginés

Métro Sol

Casa de Correos

Statue équestre de Charles III

Madrid des Bourbons

BORDADORE

CALLE DEL ARENAL

PUERTA DEL SOL

CALLE DE ALCALÁ

CALLE MAYOR

CALLE DE POSTAS

CALLE PAZ

CALLE DE CARRETAS

BARCELONA

ESPOZ Y MINA

PLAZA MAYOR

PLAZA PROVINCIA

PLAZA DE JACINTO BENAVENTE

SALVADOR – DUQUE DE RIVAS

CALLE DE TOLEDO

CALLE DE LA COLEGIATA

Palacio de Santa Cruz
Le ministère des Affaires étrangères occupe aujourd'hui ce palais baroque construit au XVIIe siècle ❼

Colegiata de San Isidro
Cathédrale de Madrid jusqu'à la construction de la Almudena (p. 59), cette église baroque est dédiée au patron de la ville, un laboureur du XIIe siècle ❻

Métro Tirso de Molina

LÉGENDE

 Itinéraire conseillé

Le kilomètre 0 des routes nationales espagnoles, Puerta del Sol

Puerta del Sol ❶

Plan 4 F2. 🚇 *Sol.*

Le vacarme qu'y entretiennent les conversations et la circulation fait de la place de la Puerta del Sol le centre qui convient à la capitale espagnole. Malgré son manque d'intérêt architectural, Madrilènes et visiteurs s'y pressent en foule pour le plaisir de flâner ou pour se rendre dans les très nombreuses boutiques.

Une porte fortifiée et un château défendaient jadis ici l'entrée orientale de la ville, la « porte du Soleil ». Tous deux ont depuis longtemps disparu et plusieurs églises se sont succédé sur le site avant qu'il ne prenne son apparence actuelle à la fin du XIXᵉ siècle.

Un austère édifice néo-classique en brique rouge ferme la Puerta del Sol au sud. Édifié en 1760 sous Charles III pour abriter la poste centrale, il devint en 1847 le siège du ministère de l'Intérieur. L'horloge est un ajout datant de 1866. Le régime franquiste *(p. 18)* y installa la Sûreté générale qui s'y rend coupable de maintes infractions aux Droits de l'homme. En 1963, Julián Grimau, membre du Parti communiste clandestin, tomba ainsi « accidentellement » d'une fenêtre des étages. Il survécut miraculeusement à sa chute mais fut exécuté peu après. Le gouvernement régional de la Comunidad de Madrid occupe désormais le bâtiment. Devant, une plaque sur le sol marque le kilomètre 0 des routes nationales espagnoles.

Les immeubles en arc de cercle qui forment l'autre côté de la place abritent des magasins et des cafés modernes. Au coin de la calle del Carmen, une statue en bronze représente l'Ours et l'Arbousier *(El Oso y el Madroño),* symboles de la ville.

De nombreux événements historiques se déroulèrent sur la Puerta del Sol. Le 2 mai 1808, c'est là que commença le soulèvement contre les forces d'occupation napoléoniennes *(p. 16).* En 1912, des anarchistes y assassinèrent le Premier ministre José Canalejas et, en 1931, la Deuxième République *(p. 18)* fut proclamée depuis le balcon du ministère de l'Intérieur.

Le soir du 31 décembre, une foule immense se réunit sur la place pour attendre le jour de l'an. Selon la tradition, manger un grain de raisin à chacun des douze coups de minuit portera chance pendant l'année qui commence.

Plaza Mayor ❷

Plan 4 E3. 🚇 *Sol.*

Vaste rectangle d'environ 120 m de long sur 90 m de large, la Plaza Mayor offre avec ses toits pentus, ses balcons et

Peintures allégoriques de la Casa de la Panadería, Plaza Mayor

ses clochetons, un décor théâtral très castillan de caractère. Juan Gómez de la Mora dessina les immeubles qui l'entourent. Il reprenait un projet de Juan de Herrera, l'architecte de l'austère monastère d'El Escorial *(p. 122-125)*, et il s'inspira du style de son maître en l'adoucissant.

Les travaux commencèrent en 1617 à l'emplacement d'un grand marché dont les noms de la Casa de la Carnicería (« boucherie ») et de la Casa de la Panadería (« boulangerie »), qui se font face au nord et au sud, entretiennent le souvenir. Les peintures allégoriques de la **Casa de la Panadería** datent d'une restauration récente.

Inaugurée en 1620, la place fut le théâtre de nombreuses manifestations publiques auxquelles assistaient souvent le roi et la reine : courses de taureaux, tournois, autodafés... En 1621 eut lieu l'exécution de Rodrigo Calderón, secrétaire du duc de Lerme, le favori de Philippe III. Malgré la haine que lui vouait le peuple madrilène, son attitude face au bourreau impressionna tellement qu'on utilise encore aujourd'hui l'expression « plus orgueilleux que don Rodrigo sur l'échafaud ». L'année suivante, une grande cérémonie célébra la canonisation de saint Isidore, le patron de la ville. Mais la manifestation la plus spectaculaire fut sans doute l'arrivée en 1760 de Charles III, jusqu'alors roi de Naples et de Sicile.

Bordée de cafés, et décorée en son centre d'une **statue équestre** de Philippe III, commencée par Jean de Bologne et achevée en 1616 par son élève Pietro Tacca, la place accueille le dimanche matin un marché aux timbres et aux monnaies *(p. 165)*. Elle donne au sud sur la calle de Toledo qui conduit aux rues où se tient le Rastro *(p. 61)*. Dans l'angle sud-ouest, une volée de marches mène sous l'Arco de Cuchilleros à la calle de Cuchilleros où s'ouvrent de nombreux *mesones*, petits restaurants traditionnels.

Éventaire coloré du Mercado de San Miguel

Mercado de San Miguel ❸

Plaza de San Miguel. **Plan** 4 D3. Sol. 9 h-14 h, 17 h-20 h lun.-ven., 9 h-14 h sam. j. fériés.

Ce n'est pas le plus grand marché de Madrid, mais le Mercado de San Miguel, bâti en 1914, est la dernière halle vitrée à structure métallique à avoir subsisté dans la ville. Il ne possède qu'un niveau et doit son nom à l'ancienne Iglesia de San Miguel de los Octoes, démolie en 1810 pendant le règne de Joseph Bonaparte, dont il occupe l'emplacement. De beaux carreaux décorent ses étals de produits alimentaires tels que poisson, viande, fruits et légumes. La concurrence des supermarchés en a conduit plusieurs à fermer.

Plaza de la Villa ❹

Plan 4 D3. Ópera, Sol.

Havre de paix, cette place piétonne, souvent remaniée, possède un grand charme.

Le plus ancien des bâtiments historiques qui la bordent est la **Torre de los Lujanes** (XVe siècle), dotée d'un portail gothique et ornée d'arcs en fer à cheval de style mudéjar. François Ier y aurait été emprisonné après sa défaite face aux troupes de Charles Quint à Pavie en 1525. Construite en 1537 pour le neveu du cardinal de Cisneros, le fondateur de la prestigieuse université d'Alcalá de Henares *(p. 131)*, la **Casa de Cisneros** présente sur la calle de Sacramento une façade principale qui offre un bel exemple du style plateresque du début de la Renaissance.

Un arc relie la maison à l'**hôtel de ville** *(ayuntamiento)*, dessiné en 1640 par Juan Gómez de la Mora, l'architecte de la Plaza Mayor, qui lui donna, comme aux immeubles de la place, un toit pentu percé de lucarnes, des tourelles d'angles et une austère façade en brique et en pierre. Il reçut avant son achèvement d'élégants portails baroques. Juan de Villanueva, l'architecte du Prado *(p. 80-83)*, ajouta postérieurement le balcon qui permettait à la famille royale d'assister aux processions religieuses.

Portail de la Torre de los Lujanes

Basílica Pontificia de San Miguel ❺

Calle de San Justo 4. **Plan** 4 D3.
📞 91 548 40 11. Ⓜ *Sol.*
🕐 10 h - 14 h, 17 h 30-21 h lun.-sam., 18 h-21 h dim. 🚫

Destinée à Don Luis de Borbón y Farnesio, le plus jeune fils de Philippe V nommé archevêque de Tolède dès l'âge de cinq ans, la basilique San Miguel, l'un des rares édifices baroques bâtis sous les Bourbons du vieux Madrid, se dresse sur le site d'une ancienne église romane consacrée à deux enfants mis à mort par les Romains.

Plusieurs architectes participèrent à sa construction entre 1739 et 1746. Son fronton et ses deux tours jumelles sont des ajouts postérieurs. Des sculptures à l'effigie des deux jeunes martyrs, Justo et Pastor, et quatre statues allégoriques représentant la Charité, la Force morale, la Foi et l'Espoir ornent son élégante façade animée par un jeu subtil de courbes et de contre-courbes.

L'intérieur à nef unique abrite un décor mêlant curieusement l'ancien et le moderne. Les fresques du plafond et l'orgue au-dessus de l'entrée datent du XVIIIe siècle, mais beaucoup de peintures et de vitraux sont contemporains.

Statue de la Charité ornant la Basílica Pontífica de San Miguel

C'est l'influente association catholique Opus Dei qui administre aujourd'hui l'église, l'utilisant pour certaines de ses activités. L'une des chapelles latérales renferme une statue du fondateur espagnol de cette organisation créée en 1928 : Monsignor José María Escrivá de Balaguer (1902-1975), un prêtre d'origine aragonaise béatifié en 1992.

Autel de la Colegiata de San Isidro

Colegiata de San Isidro ❻

Calle de Toledo 37. **Plan** 4 E3.
📞 91 369 20 37. Ⓜ *La Latina.*
🕐 8 h -12 h 45, 18 h-20 h 30 t.l.j.

Entreprise en 1622, l'ancienne église du collège de la Compagnie de Jésus connut un remaniement intérieur commandé à Ventura Rodríguez par Charles III après l'expulsion des jésuites d'Espagne en 1767 *(p. 16)*. Le sanctuaire baroque fut alors dédié au patron de la ville, saint Isidore, un laboureur mort en 1170, et il reçut ses reliques conservées auparavant dans l'Iglesia de San Andrés. Rendue aux jésuites pendant le règne de Ferdinand VII (1814-1833), San Isidro devint la cathédrale de Madrid de 1885 jusqu'à l'achèvement de Nuestra Señora de la Almudena *(p. 59)* en 1993, et la consécration de cette dernière par le souverain pontife.

Palacio de Santa Cruz ❼

Plaza de Santa Cruz. **Plan** 4 E3.
📞 91 379 97 00. Ⓜ *Sol.* ⬤ *fermé au public*

Ce bâtiment édifié entre 1629 et 1643, l'un des joyaux du « Madrid de los Austrias », prit son nom en 1846 quand s'y installa le ministère de l'Outre-mer. Le palais avait abrité auparavant des tribunaux, mais il était à l'origine la Carcel de la Corte, la prison de la cour. C'est dans ses geôles qu'attendaient de connaître leur sort les malheureux participants aux autodafés, les procès organisés par l'Inquisition sur la Plaza Mayor voisine *(p. 44)*.

La prison compta parmi ses plus célèbres prisonniers le dramaturge Lope de Vega (1562-1635), incarcéré pour avoir calomnié son ancienne maîtresse, l'actrice Elena Osorio. Un écrivain anglais, George Borrow, y passa également trois semaines parce qu'on l'accusait de répandre des idées libérales. Le général Rafael de Riego, qui dirigea le soulèvement contre Ferdinand VII en 1820, y vécut ses dernières heures, à l'instar du célèbre bandit Luis Candelas. Ce dernier était un personnage haut en couleurs à la Robin des Bois. Cultivé, il avait appris le grec et le latin, il n'hésitait pas à se mêler à l'aristocratie dont il volait des bijoux. Un restaurant touristique porte son nom dans la cava de San Miguel voisine.

Le palais a connu deux importantes restaurations, l'une à la suite d'un incendie en 1846, l'autre après la guerre civile *(p. 18)*, mais il a gardé son style origineI, proche de celui des bâtiments de la Plaza Mayor. Ses quatre tours d'angle dominent deux cours intérieures. Il abrite depuis 1901 le ministère des Affaires étrangères.

L'élégant Palacio de Santa Cruz bâti au XVIIᵉ siècle

Plaza de Santa Ana ❽

Plan 7 A3. Ⓜ *Sevilla, Antón Martín.*

Lieu de rendez-vous toujours animé, cette petite place se trouve à quelques pâtés de maisons au sud-est de la Puerta del Sol *(p. 44)*. Son aménagement, pendant le règne de Joseph Bonaparte (1808-1813), entraîna la démolition du couvent de carmélites du XVIᵉ siècle dont elle porte le nom.

À une extrémité de la place, une statue du poète Federico García Lorca *(p. 26)*, érigée en 1998, commémore le centenaire de sa naissance.

Scène d'une pièce de Calderón de la Barca sur le socle de sa statue

À l'autre extrémité se dresse l'effigie en marbre de Pedro Calderón de la Barca (1600-1681), le plus grand dramaturge du *Siglo de Oro*, le Siècle d'or des arts et de la culture que connut l'Espagne à la fin du règne des Habsbourg. Né à Madrid, il écrivit plus de 200 œuvres. La plus célèbre s'intitule La *Vida es Sueño* (la Vie est un songe). Sculpté par Juan Figueras en 1878, le monument porte sur son socle des scènes tirées de quatre pièces de Calderón et fait face au **Teatro Español** *(p. 76)* construit en 1745. Inauguré sous le nom de Teatro del Príncipe, il dut être restauré en 1980 après un incendie dévastateur.

Le théâtre occupe l'emplacement du Corral del Príncipe, l'un des plus populaires des *corrales de comedias* du Madrid du XVIᵉ siècle. Les représentations prenaient souvent un tour tumultueux dans ces théâtres de plein air et finissaient parfois en batailles rangées entre les acteurs et le public.

En face s'élève l'élégant hôtel Tryp **Reina Victoria** *(p. 147)*, à la façade agrémentée de balcons vitrés.

Avant son rachat par la chaîne Tryp, cet hôtel remanié en 1916 par Jesús Carrasco y Encina avait perdu son standing et recevait les toreros qui ne pouvaient s'offrir une chambre dans un établissement de luxe. Le thème taurin est resté.

Certains des bars et restaurants les plus appréciés de la ville bordent les deux autres côtés de la place et les rues voisines. Fréquentée pendant la guerre civile par Ernest Hemingway, et toujours bondée, la **Cervecería Alemana** date de 1904. Deux bars attirant une clientèle jeune, branchée et souvent célibataire, **Viva Madrid** et **Los Gabrieles** *(p. 29 et 31)*, méritent un coup d'œil pour leurs décors en céramique du XIXᵉ siècle. Des paysages en carreaux émaillés ornent aussi la **Villa Rosa,** située à l'angle de la plaza de Santa Ana et de la calle de Núñez de Arce.

Real Academia de Bellas Artes ❾

Calle de Alcalá 13. **Plan** 7 A2.
📞 91 524 08 64. Ⓜ *Sevilla, Sol.*
🕐 *9 h-19 h mar.-ven., 10 h-14 h sam.-lun.* ⬤ *certains j. fériés.*
📷 *(entrée gratuite le mercredi.)*
✉ *sur rendez-vous.* ♿
🌐 *www.rabasf.insde.es*

Installée dans un bâtiment édifié en 1711 par Churriguera, l'Académie des beaux-arts eut notamment pour élèves Dalí et Picasso. Son musée présente une riche collection comprenant de superbes dessins par Raphaël et Titien et des tableaux de Rubens et Van Dyck. Les maîtres espagnols du XVIᵉ au XIXᵉ siècle sont particulièrement bien représentés avec des peintures, de Ribera, Murillo, El Greco et Velázquez notamment. Une série de portraits de moines par Zurbarán, dont celui de *Fray Pedro Machado*, constitue un des fleurons de l'exposition.

Une salle entière est consacrée à Goya. On y admire un portrait de Manuel Godoy, Premier ministre de Charles IV *(p. 16)*, L'*Enterrement de la sardine (p. 35)*, *La Maison de fous* et un autoportrait peint en 1815.

Fray Pedro Machado de Zurbarán

Gran Vía ❿

Au milieu du XIXᵉ siècle, alors que l'on repoussait les limites de Madrid en rasant des quartiers pauvres pour ouvrir des espaces résidentiels à une classe moyenne en pleine croissance, les responsables de l'urbanisme décidèrent de doter la cité d'une nouvelle artère dont la construction ne devrait rien au hasard : la Gran Vía. Ce projet fut proposé dès 1860 mais approuvé seulement en 1904, et il devint bientôt le sujet d'une *zarzuela* (*p. 75*) satirique. Inaugurés en 1908 par Alphonse XIII (*p. 17*), les travaux se

Ornement de l'Edificio Metrópolis

firent en trois étapes, chaque tronçon portant un nom différent aujourd'hui tombé en désuétude. Le premier et le plus élégant, l'avenida Conde de Peñalver, nommée d'après le maire, courait de la calle de Alcalá à la Red de San Luis. La deuxième tranche de construction, jusqu'à la plaza de Callao, s'acheva en 1922. Le percement de la troisième partie, jusqu'à la plaza de España, dura de 1925 à 1929. Les architectes profitèrent des opportunités créées par ce vaste chantier, et la Gran Vía offre un large aperçu des styles du début de ce siècle.

Le Museo Chicote, un bar à cocktails installé au n° 12 de la Gran Vía, possède un intérieur Art déco superbement préservé. Ouvert en 1932, il eut pour clients Salvador Dalí, Frank Sinatra, Ava Gardner et Orson Welles.

Des immeubles Art déco tels que celui-ci donnèrent à la Gran Vía la majesté qui sied à la principale artère de la ville. Beaucoup de ce style abritaient des cinémas, en particulier autour de la plaza de Callao.

La Gran Peña, dont la façade convexe domine le n° 2, abrite un luxueux club masculin. La candidature de Franco en 1926 causa tant de remous que la milice occupa ses locaux pendant la guerre civile (p. 18).

L'Edificio la Estrella offre au n° 10 un bon exemple du style éclectique inspiré du néo-classique, qui caractérise les premiers immeubles élevés sur la Gran Vía.

La Gran Vía, que bordent théâtres, cinémas, hôtels, boutiques et restaurants, reste aujourd'hui une avenue très commerçante.

L'Edificio Grassy et son couronnement à colonnades

Edificio Grassy ⓫

Gran Vía 1. **Plan** 7 B1. 🄲 *91 532 10 07*. 🚇 *Banco de España, Sevilla.* ⭕ *10 h-13 h, 17 h-20 h lun.-sam.*

Construit par Eladio Laredo sur un terrain triangulaire entre la Gran Vía et la calle de Caballero de Gracia, cet immeuble possède, comme l'Edificio Metrópolis *(p. 74)* voisin, une extrémité arrondie évoquant une tour. Un kiosque à double étage de colonnades la couronne. Bien qu'édifié en 1917, le bâtiment ne prit son nom actuel que dans les années 50, quand s'y installa la bijouterie qui occupe le rez-de-chaussée. Cette enseigne prestigieuse, fondée en 1923, a pour spécialité l'horlogerie et, au sous-sol, le **Museo de Reloj Grassy** présente une collection de quelque 500 pièces datant des XVIᵉ-XIXᵉ siècle. Elles comprennent des pendules d'une grande rareté fabriquées pour des têtes couronnées européennes.

Pendule du Museo de Reloj Grassy

Telefónica ⓬

Gran Vía 28. **Plan** 4 F1, 7 A1. **Musée** 🄲 *91 522 66 45*. 🚇 *Gran Vía, Callao.* ⭕ *10 h-14 h, 17 h-20 h mar.-ven., 10 h-14 h sam., dim. et j. fériés.* ⭕ *août.* 🚫 ♿ ✅ *tél. avant.*

Bien que l'architecte espagnol Ignacio de Cárdenas en assuma officiellement la responsabilité pour contourner les résistances de l'administration, c'est un Américain, Louis S. Weeks, qui dessina le Telefónica, construit entre 1926 et 1929 pour la compagnie de téléphone nationale, et l'édifice possède un air de famille indéniable avec les gratte-ciel new-yorkais de l'époque. Cárdenas lui donna son peu d'ornementation extérieure pour qu'il paraisse moins déplacé au milieu des immeubles du quartier. Une tour centrale de 81 m domine sa façade en décrochés, et il était le plus haut bâtiment de Madrid à son achèvement. Ses étages supérieurs offrent une vue dégagée. Ils permirent aux défenseurs républicains de la capitale de surveiller les mouvements des forces nationalistes qui les assiégeaient pendant la guerre civile *(p. 18)*. Une partie des niveaux inférieurs abrite des expositions temporaires et, au premier étage, une collection permanente illustrant l'histoire des télécommunications, depuis de vieux téléphones, dont celui qu'utilisa Alphonse XIII pour inaugurer la mise en service de l'automatique en 1926, jusqu'à la reconstitution complète d'un standard. Les salles entourent la galerie, au-dessus de l'entrée principale, qu'occupait jadis la remarquable collection d'art moderne du Telefónica. Elle est aujourd'hui prêtée au Centro de Arte Reina Sofía *(p. 86-89)*.

Le Telefónica, gratte-ciel à l'américaine des années 20

Plaza del Callao ⓭

Plaza del Callao. **Plan** 4 E1. 🚇 *Callao.*

Cette place située à la jonction de la Gran Vía et de la calle de Preciados doit son nom à une bataille navale qui se déroula au large de Callao, au Pérou, en 1866. Elle constitue le cœur du quartier des cinémas de Madrid et pas moins de sept salles l'entourent, dont le Capitol installé dans un bâtiment construit en 1933 par Martínez Feduchi. Il offre un superbe exemple d'architecture Modernista (Art déco). De grands panneaux peints à la main annoncent les films. Parmi les autres édifices dignes d'intérêt bordant la place figurent le Palacio de la Música et le siège du Palacio de la Prensa (association de la presse). Le n° 1 abrite l'Alliance française.

Le cinéma Capitol, bel exemple d'architecture Art déco

Autel de la chapelle, **Monasterio de las Descalzas Reales**

Monasterio de las Descalzas Reales ⓮

Plaza de las Descalzas 3. **Plan** 4 E2.
📞 91 454 88 00. Ⓜ Sol, Callao.
🕐 10 h 30-12 h 45, 16 h-17 h 45 mar.-jeu. et sam., 10 h 30-12 h 45 ven., 11 h-13 h 45 dim. et j. fériés.
● certains jours fériés. 📷 gratuit le mer. pour les membres de l'U.E.
W www.patrimonionacional.es

Ce magnifique édifice religieux est un des rares exemples d'architecture du XVI siècle à avoir survécu dans la capitale.

Ancien palais où naquit Jeanne d'Autriche, la sœur de Philippe II, il fut aménagé vers 1560 en couvent de clarisses. Le rang des dames de la cour qui s'y retirèrent explique la richesse de sa décoration.

Sous un plafond peint par Claudio Coello et ses élèves, l'escalier principal conduit à la galerie supérieure du petit cloître. Peintures et objets d'art abondent dans les chapelles qui l'entourent. La principale renferme le tombeau de Jeanne d'Autriche. La Sala de Tapices contient une série de tapisseries datant du XVII siècle ainsi que des tableaux de Pieter Bruegel l'Ancien, Titien, Zurbarán, Murillo et Ribera.

Calle de Preciados ⓯

Plan 4 F2. Ⓜ Sol, Callao.

Cette rue piétonne reliant la Puerta del Sol à la plaza de Callao est devenue un des hauts lieux du lèche-vitrines de la capitale espagnole, mais n'était à l'origine qu'un modeste sentier qui conduisait du centre du vieux Madrid jusqu'aux vergers et aux aires de battage du couvent San Martín. Celui-ci fit face jusqu'en 1810 au Monasterio de las Descalzas Reales.

Au XVII siècle, deux frères, les Preciados, qui avaient la charge du contrôle officiel des poids et mesures utilisés pour commercer, achetèrent du terrain au couvent pour construire leurs demeures.

La calle de Preciados prit son visage moderne au milieu du XIX siècle dans le cadre du programme de rénovation urbaine appelé *Ensanche*. C'est ici qu'ouvrit la chaîne de grands magasins El Corte Inglés. La modeste boutique de prêt-à-porter ouverte en 1840 par Ramón Areces s'est transformée en un établissement de huit étages situé à l'extrémité sud de la rue. À l'extrémité nord s'élève l'immeuble moderne de la FNAC. Entre les deux, des boutiques chic voisinent avec des vitrines au décor suranné.

Museo Cerralbo ⓰

Calle de Ventura Rodríguez 17. **Plan** 1 C5. 📞 91 547 36 46. Ⓜ Plaza de España, Ventura Rodríguez. 🕐 mi-sept.-mi-juin : 9 h 30-15 h mar.-sam., 10 h-15 h dim. ; mi-juin-mi-sept. : 9 h 30-14 h mar.-sam., 10 h-14 h dim. ● j. fériés. 📷 (gratuit mer. et dim.) 🚫 ♿
W www.mcv.es/guia

Cet hôtel particulier de la fin du XIX siècle, proche de la plaza de España, est un monument à la mémoire d'Enrique de Aguilera y Gamboa, le dix-septième marquis de Cerralbo. Ce collectionneur passionné légua en 1922 à l'État les œuvres et objets d'art qu'il avait réunis depuis des poteries ibères jusqu'à des armes japonaises. Il exigea toutefois qu'ils restassent exposés tels qu'il les laissait. Un *Saint François d'Assise* par le Greco orne la chapelle, sont également exposées des œuvres plus mineures de Ribera, Zurbarán, Alonso Cano et Goya.

Escalier de l'exubérant Museo Cerralbo

◁ **La Gran Vía de nuit, vue de la Plaza de España**

Monument à Miguel de Cervantes, plaza de España

Plaza de España ⑰

Plan 1 C5. ⓜ *Plaza de España.*

Important carrefour routier et lieu de rencontre apprécié des Madrilènes, la place d'Espagne descend en pente douce vers le Palacio Real *(p. 54-57)* et les jardins de Sabatini. Aux XVIIIᵉ et XIXᵉ siècles, avant que le développement de la ville ne conduisît à ouvrir un espace public, une caserne occupait cet emplacement proche du palais.

La place prit son aspect actuel sous Franco avec la construction, entre 1947 et 1953, du massif **Edificio de España**, haut de 26 étages, entrepris par la société Metropolitana. Alors que l'Espagne subissait l'ostracisme des autres pays occidentaux, il fut présenté par le régime comme un succès de la politique d'autarcie. Dans l'aile est, le bâtiment abrite aujourd'hui l'hôtel Crowne Plaza *(p. 147)*. La Metropolitana édifia aussi, à l'angle de la plaza de España et de la calle Princesa, la **Torre de Madrid,** achevée en 1957. Surnommée *La Jirafa* (« la Girafe »), elle fut un temps le plus haut édifice en béton du monde.

Au centre de la place, un jardin entoure le monument à Cervantes élevé en 1927. Sous la statue du célèbre écrivain *(p. 131)*, Don Quichotte chevauche Rossinante, à côté de son valet Sancho Pança monté sur un âne. À gauche est représentée Dulcinée, paysanne dont le chevalier fit la « dame de ses pensées ».

Palacio del Senado ⑱

Plaza de la Marina Española. **Plan** 3 C1. 🄲 *91 538 10 00.* ⓜ *Plaza de España, Ópera.* ⭘ *tél. d'abord au 91 538 1441.* ⬛ ♿ Ⓦ *www.senado.es*

Créée en 1837, la chambre haute des Cortes, le Parlement espagnol, a pour siège un couvent du XVIᵉ siècle, remanié en 1814 pour remplir des fonctions laïques.

Cette adaptation comporta la couverture des cours du monastère pour créer des salles de réunion. Certaines, comme le Salón de los Pasos Perdidos (« salle des pas perdus »), abritent d'immenses peintures représentant de grands moments de l'histoire espagnole tels que la reddition de Grenade en 1492 ou le serment par la reine Marie-Christine de défendre la Constitution de 1897. De style gothique anglais, la magnifique bibliothèque date du tournant du siècle. Ses rangs de meubles en métal noir ouvragé renferment 14 000 volumes, dont la première grammaire espagnole, la *Gramática* de Nebrija. Le palais du Sénat a connu dès l'origine des problèmes de manque de place, et il a reçu en 1991 une aile circulaire moderne en granite et en verre. Le Palacio del Senado est ouvert au public chaque début décembre gratuitement pendant trois jours, pour célébrer l'instauration de la Constitution du 6 décembre.

Une ancienne église abrite une des salles de réunion du Sénat espagnol

Entrée imposante du Monasterio de la Encarnación

Monasterio de la Encarnación ⑲

Plaza de la Encarnación 1. **Plan** 3 C1. 🄲 *91 454 8800.* ⓜ *Ópera, Santo Domingo.* ⭘ *10 h 30-12 h 45, 16 h-17 h 45 mar.-jeu. et sam. ; 10 h 30-12 h 45 ven., 11 h-13 h 45 dim. et j. fériés.* ⬤ *certains jours fériés.* 🎟 *(mer. gratuit pour les membres de l'U.E.)* ♿ Ⓦ *www.patrimonionacional.es*

Fondé en 1611 par Marguerite d'Autriche, épouse de Philippe III, ce couvent dessiné par Juan Gómez de la Mora, l'architecte de la Plaza Mayor *(p. 44)*, borde une charmante place ombragée. Des augustines occupent toujours le monastère. Il abrite une intéressante collection de peintures du XVIIᵉ siècle comprenant notamment des œuvres de José de Ribera et Vincente Carducho. Parmi les statues en bois polychrome, remarquez le *Cristo Yacente* (« Christ couché ») par Gregorio Fernández. C'est toutefois la salle des reliques, au plafond peint par Carducho, qui constitue le principal intérêt de la visite. Des centaines de reliquaires couvrent les parois. Une ampoule renferme le sang coagulé de saint Pantaléon supposé se liquéfier chaque 27 juillet, jour anniversaire de sa mort. Reconstruite en 1767 par Ventura Rodríguez après un incendie, l'église est ornée de peintures par Francisco Bayeu et de fresques par González Velázquez.

Le Palacio Real ⓴

Conçu pour impressionner, le Palais royal de Madrid se dresse sur une hauteur dominant le río Manzanares, à l'emplacement qu'occupa pendant des siècles la forteresse de l'alcazar, détruite par un incendie en 1734. Philippe V commanda alors un édifice grandiose. Sa construction dura vingt-six ans, et la majeure partie de sa riche ornementation reflète les goûts de Charles III et Charles IV (p. 16). Le Palacio Real resta résidence royale jusqu'à l'abdication d'Alphonse XIII en 1931. Il continue d'accueillir des réceptions officielles, mais Juan Carlos Iᵉʳ habite hors de Madrid le palais de la Zarzuela, plus modeste.

Statue de Charles III

★ La salle à manger
Aménagée en 1879 et décorée de magnifiques tapisseries de Bruxelles, sa longue table peut accueillir 145 convives.

★ La salle de porcelaine
Les murs et le plafond de cette salle, aménagée sur l'ordre de Charles III, sont entièrement couverts de porcelaine de la manufacture de Buen Retiro.

Premier étage

Le salon des Colonnes, orné de bronzes du xvᵉ siècle et de bustes de la Rome impériale, servait aux banquets royaux.

★ Le salon Gasparini
Nommé d'après son créateur napolitain, le salon Gasparini présente une somptueuse décoration rococo. Un portrait de Charles IV par Goya orne l'antichambre voisine.

À NE PAS MANQUER

★ La salle à manger

★ La salle de porcelaine

★ Le salon Gasparini

★ La salle du Trône

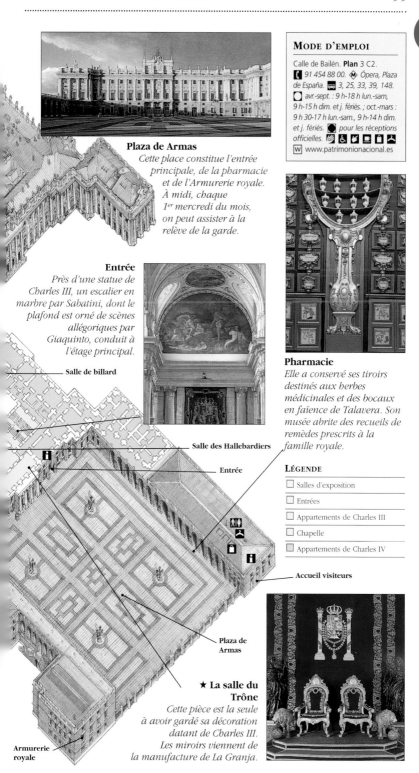

Plaza de Armas
Cette place constitue l'entrée principale, de la pharmacie et de l'Armurerie royale. À midi, chaque 1er mercredi du mois, on peut assister à la relève de la garde.

Entrée
Près d'une statue de Charles III, un escalier en marbre par Sabatini, dont le plafond est orné de scènes allégoriques par Giaquinto, conduit à l'étage principal.

Salle de billard

Pharmacie
Elle a conservé ses tiroirs destinés aux herbes médicinales et des bocaux en faïence de Talavera. Son musée abrite des recueils de remèdes prescrits à la famille royale.

Salle des Hallebardiers

Entrée

LÉGENDE

☐ Salles d'exposition
☐ Entrées
☐ Appartements de Charles III
☐ Chapelle
☐ Appartements de Charles IV

Accueil visiteurs

Plaza de Armas

★ La salle du Trône
Cette pièce est la seule à avoir gardé sa décoration datant de Charles III. Les miroirs viennent de la manufacture de La Granja.

Armurerie royale

À la découverte du Palacio Real

L e majestueux Palais royal occupe entre le vieux
Madrid et le río Manzanares l'emplacement de
l'alcazar, l'ancienne forteresse maure conquise par les
chrétiens en 1085 *(p. 13)*. Après un important
remaniement en 1561, elle devint la résidence de
Philippe II jusqu'à l'achèvement d'El Escorial *(p. 122-
125)* en 1584. Un incendie la ravagea la veille de Noël
1734, pendant le règne de Philippe V. Le premier
souverain Bourbon d'Espagne n'en eut aucune peine. Il
s'empressa de commander la construction d'un palais
ressemblant plus à celui de Versailles où il avait grandi.

Le grand escalier compte
72 marches en marbre de Tolède

Façade principale du Palacio Real
sur la plaza de Armas

LE PALAIS

D essiné, pour l'essentiel,
par l'Italien Giovanni
Battista Sachetti, le bâtiment
principal, bâti en granite et en
calcaire blanc, forme un
quadrilatère de 140 m de côté.
Quelques éléments baroques
agrémentent son architecture
néo-classique. Le projet était
si ambitieux que la
construction, commencée en
1738, dura jusqu'en 1764, bien
après le décès de Philippe V.
C'est son fils Charles III qui
fut le premier à s'installer au
palais. Celui-ci resta la
résidence officielle de la
famille royale jusqu'au départ
en exil d'Alphonse XIII en
1931, et les monarques qui s'y
succédèrent apportèrent des
modifications à la décoration
intérieure et l'organisation des
pièces. Le général Franco
aimait prononcer des discours
depuis le balcon dominant la
plaza de Oriente *(p. 58)*.

La façade principale donne
sur la **plaza de Armas**
qu'encadrent deux ailes
commandées par Charles III et
la cathédrale de la Almudena
(p. 59). Le fronton au-dessus
de l'entrée porte une horloge
et deux cloches. L'une d'elles,
fondue en 1637, a survécu à
l'incendie qui détruisit
l'ancien alcazar.

L'ENTRÉE

L 'escalier d'apparat en
marbre de Tolède donne
immédiatement le ton du
décor intérieur, avec son
plafond allégorique peint par
Giaquinto. Au 1ᵉʳ étage, une
fresque par Tiépolo orne le
Salón de los Alabarderos
(salle des Hallebardiers) qui
jouxte le **Salón de Columnas**
(salle des Colonnes), la pièce
où se tenaient les banquets
jusqu'à l'aménagement d'une
nouvelle salle à manger au
XIXᵉ siècle. Le traité d'adhésion
de l'Espagne à la
Communauté européenne fut
signé sur sa table aux pieds
en forme de sphinx. Au mur,
cinq tapisseries exécutées
d'après des cartons de
Raphaël et commandées à
l'origine par le Vatican
représentent des actes des
apôtres.

Le **Salón del Trono** (salle
du Trône) qui mène aux
appartements de Charles III a
conservé sa décoration rococo
achevée en 1772. Les murs
sont ornés de hauts miroirs
aux riches dorures, sous un
plafond baroque dû à Tiépolo.
Les deux trônes sont récents
(1977), mais les lions de
bronze doré qui en gardent
l'accès datent de 1651. La salle
reste utilisée pour des
cérémonies officielles comme
l'audience royale du Día de la
Hispanidad, la fête nationale
célébrée le 12 octobre, ou
l'accueil annuel du corps
diplomatique en poste à
Madrid.

Salle du Trône au plafond peint par Tiépolo

LES APPARTEMENTS DE CHARLES III

Les trois pièces visitées après la salle du Trône portent le nom du Napolitain Mattia Gasparini, qui en conçut la décoration. Elles faisaient partie des appartements du roi. Celui-ci prenait ses repas dans la **Sala de Gasparini**. L'**Antecámara de Gasparini** abrite quatre portraits par Goya de Charles IV et de Marie-Louise de Parme. La Cámara de Gasparini, où le roi s'habillait en présence de ses courtisans, est la seule à avoir conservé son aspect d'origine avec ses murs couverts de soie brodée.

Une petite pièce, la **Tranvía de Carlos III**, mène à l'ancienne chambre de Charles III. Dans la **Sala de Porcelana** (« salle de porcelaine »), de style baroque, de la porcelaine de la manufacture de Buen Retiro couvre murs et plafond. La **Salita Amarilla** (« salle jaune »), ornée de tapisseries, conduit à la salle à manger de gala.

Salle à manger de gala aménagée dans les anciens appartements de la reine

Portrait de Charles IV par Goya dans l'Antecámara de Gasparini

LA SALLE À MANGER

Aménagée en 1879, pendant le règne d'Alphonse XII, en réunissant plusieurs pièces des appartements de la reine, la salle de banquet du Palais royal possède une superficie de 400 m². Dorures, plafond peint, lustres de cristal, tapisseries flamandes, vases chinois et rideaux brodés composent une riche décoration. La table peut accueillir jusqu'à 145 convives. Les salles qui l'entourent abritent des médailles commémoratives, l'imposant milieu de table utilisé lors des réceptions, de l'argenterie, de la vaisselle et de la verrerie, ainsi qu'une très belle collection d'instruments de musique. Elle a pour fleurons des créations uniques de Stradivarius, le célèbre luthier de Crémone.

LA CHAPELLE

Construite entre 1749 et 1757, la chapelle accueille toujours des offices religieux. Son décor somptueux présente surtout de l'intérêt pour les peintures de Giaquinto.

Les visiteurs passent ensuite par le **Salón de Paso** pour rejoindre les appartements de Marie-Christine (jadis ceux de Charles IV). Pendant le règne d'Alphonse XII, ces quatre petites pièces aveugles tenaient lieux de salle de billard, de fumoir, de chambre de la reine (**Salón de Estucos**) et de bureau (**Gabinete de Maderas de Indias**).

LA PHARMACIE ET L'ARMURERIE

Sur la plaza de Armas, près de la billetterie, s'ouvre la **Real Farmacia** (pharmacie royale) fondée par Philippe II en 1594. Elle forme un dédale empli de pots et de fioles en verre et en porcelaine portant le nom de potions et de plantes médicinales.

De l'autre côté de la place, le **Real Armería** (armurerie royale) occupe un pavillon bâti en 1897 après l'incendie de l'armurerie d'origine. Ouverte au public depuis que Philippe II rapporta à Madrid la collection d'armes et d'armures de Charles Quint, elle peut être considérée comme le premier musée de la ville. Elle possède des pièces exceptionnelles, en particulier les armures personnelles de Charles Quint et de Philippe II, ainsi qu'un bel ensemble de fusils de chasse utilisés par les Bourbons.

Armure de Charles Quint

Statue équestre de Philippe IV,
plaza de Oriente

Plaza de Oriente ㉑

Plan 3 C2. Ⓜ *Ópera*.

C'est Joseph Bonaparte qui
fit détruire les immeubles
situés à l'est du Palacio Real
(p. 54-57) pour dégager cette
place et ouvrir la perspective
qu'elle offre sur le palais, mais
les travaux d'aménagement ne
s'achevèrent qu'en 1841
pendant le règne d'Isabelle II.
Rois, reines et dictateurs
utilisèrent le balcon qui
domine la plaza de Oriente
pour prononcer des discours
lors de grandes occasions.
Les effigies des premiers

souverains espagnols qui
agrémentent les jardins
devaient à l'origine décorer le
toit mais se révélèrent trop
lourdes. Pietro Tacca fondit à
Florence en 1640 la statue
équestre de Philippe IV,
modelée d'après un portrait
par Velázquez, qui orne le
centre de la place.
Au sud-est, on trouve
l'agréable **Café de Oriente**
(p. 158).

Teatro Real ㉒

Plaza de Oriente. **Plan** 4 D2.
☎ 91 516 06 00. Ⓜ *Ópera*.
🚫 👶 🕙 10 h 30-13 h 30 mar.-
dim. et j. fériés. ● août. 🎫
🌐 www.teatro-real.com

De style romantique, l'Opéra
de Madrid obéit à un plan
hexagonal irrégulier et dresse
sa masse imposante en face du
Palacio Real. Six niveaux en
sous-sol servant de magasins
complètent les neuf autres qui
dominent d'un côté la plaza
de Oriente, de l'autre la plaza
Isabel II. S'il peut aujourd'hui
représenter dignement
la culture dans la trinité
symbolique qu'il forme avec
le Palais royal et la cathédrale
de la Almudena, c'est au prix
de près de trois siècles d'efforts
et d'obstination.
Une compagnie italienne
édifia dès 1708 un petit

théâtre sur le site. Une salle
plus ambitieuse le remplaça
en 1735, mais le bâtiment
souffrit de graves problèmes
de fondations, causés par la
présence de cours d'eau
souterrains. À l'instigation de
Ferdinand VII, il fut démoli
en 1816 pour laisser place à
un opéra moderne dont la
construction fut si lente
qu'Isabelle II eut le temps
d'atteindre l'âge de vingt ans
pour l'inaugurer en 1850, le
jour de son anniversaire. Elle
assista pour l'occasion à une
représentation de *La Favorite*
de Gaetano Donizetti. Il
apparut toutefois que l'édifice
n'échappa pas aux déboires
de son prédécesseur et
exigeait des réparations
constantes.
Le Teatro Real
resta néanmoins
un des
principaux pôles
de la vie
culturelle de
la capitale
jusque dans les
années 20.
Endommagé
par une
explosion
pendant
la guerre
civile
(p. 18),

**Costume
d'Anne Boleyn**

il fut finalement fermé en 1988.
L'ambitieux projet de
rénovation entrepris en 1991
connut à son tour des aléas.
L'architecte succomba à une
attaque cardiaque en
inspectant les travaux, et c'est
avec cinq ans de retard, et un
gros dépassement de budget,
que la grande salle ouvrit en
octobre 1997 avec *Le Tricorne*
de Manuel de Falla. En forme
de fer à cheval, elle peut
accueillir 1 630 spectateurs
sur cinq niveaux et abrite une
scène de 1 430 m². Un lustre
pesant deux tonnes et demi
éclaire son décor rouge et or.
Au deuxième étage du
Teatro Real, quatre vastes
foyers distribués autour du
grand hall contiennent des
tapisseries, des peintures, des
miroirs et des antiquités. Les
tapis étalés sur le sol ont été
spécialement fabriqués pour
le théâtre par l'atelier de
Manuel Morón à Ciudad Real,
au sud de Madrid.

La salle de l'opéra avec, au centre, la loge royale

Au même étage, le restaurant mérite également une visite. Il occupe l'ancienne salle de bal où Isabelle II organisa souvent d'élégantes réceptions. Des vitrines renferment des costumes d'*Aïda* composé par Giuseppe Verdi, et d'*Anne Boleyn* de Gaetano Donizetti. Le ciel étoilé du plafond a la même configuration que celui de Madrid la nuit de l'inauguration de l'Opéra. Le restaurant est ouvert du mardi au dimanche pour le thé (18 h 30) et le dîner (21 h), sauf les soirs de représentation où il faut assister au spectacle pour pouvoir y entrer.

Une agréable cafétéria offre du sixième étage une belle vue de la plaza de Oriente et du Palacio Real.

Iglesia de San Nicolás ㉓

Plaza de San Nicolás 1. **Plan** 3 C2. 📞 91 559 40 64. Ⓜ *Ópera.* ◱ 8 h 30-13 h 30, 17 h 30-20 h 30 lun. ; 18 h 30-20 h 30 mar.-sam. ; 10 h-14 h et 18 h 30-20 h 30 dim. 📷 sur rendez-vous.

L a première mention de l'église San Nicolás apparaît dans un document de 1202. Sa tour en brique, le plus ancien édifice ecclésiastique de Madrid, qui

Tour en brique mudéjare de l'Iglesia de San Nicolás

Nuestra Señora de la Almudena et le Palais royal

était peut-être à l'origine le minaret d'une mosquée, incorpore des éléments gothiques et mudéjars tels que des arcs en fer à cheval.

Catedral de la Almudena ㉔

Calle de Bailén 8-10. **Plan** 3 C2. 📞 91 542 22 00. Ⓜ *Ópera.* ◱ 9 h-21 h t.l.j. ♿

D édiée à la sainte patronne de Madrid, dont une image peinte au XVIᵉ siècle orne l'autel de la crypte, cette cathédrale ambitieuse, entreprise en 1879 sur des plans du marquis de Cubas, s'élève sur le site de la plus ancienne église de la ville. Elle ne fut inaugurée par le pape qu'en 1993. Sous la direction de plusieurs architectes, la construction du sanctuaire, de style néo-gothique derrière une façade néo-classique, a duré plus d'un siècle.

Plus loin dans la calle Mayor, des fouilles ont mis au jour des vestiges de murailles médiévales maures et chrétiennes.

Campo del Moro ㉕

Plan 3 A2. Ⓜ *Príncipe Pío.* ◱ oct.-mars : 10 h-18 h lun.-sam., 9 h-18 h dim. et j. fériés ; avril-sept. : 10 h-20 h lun.-sam, 9 h-20 h dim. et j. fériés. ● certains jours fériés (téléphoner).

L e Champ du Maure est un parc agréable aménagé sur la rive orientale pentue du río Manzanares. Il offre de belles vues du Palacio Real (*p. 54-57*).

Il doit son nom à l'armée conduite par Ali ben Yousouf qui bivouaqua en 1109 sur cet espace dégagé. Celui-ci servit ensuite aux chevaliers chrétiens pour leurs joutes, puis devint à la fin du XIXᵉ siècle une luxueuse aire de jeu pour les enfants de la famille royale. Transformé en parc à l'anglaise, avec des sentiers sinueux, des pelouses, des bosquets, des fontaines et des statues, il rouvrit au public en 1931 sous la Deuxième République (*p. 18*). Fermé pendant la dictature franquiste, il le resta jusqu'en 1983.

La Muralla Arabe, vestige des remparts maures

Muralla Arabe ㉖

Parque del Emir Mohamed I, Cuesta
de la Vega. **Plan** 3 C3. ⓜ *Ópera.*
◯ *de l'aube au coucher du soleil.*

En dehors de son nom, issu
de l'arabe Mayrit, Madrid
n'a guère conservé de son
héritage maure que le petit
pan de rempart appelé la
Muraille arabe qui se trouve
au sud de la cathédrale
Nuestra Señora de la
Almudena, au bas de
l'abrupte rue Cuesta de la
Vega. Les historiens pensent
qu'une des portes principales
de la forteresse musulmane
s'ouvrait non loin. Le mur,
construit avec des blocs de
silex de taille et de forme
variées, s'élève à plus de 3 m
de hauteur le long d'un côté
du Parque del Emir
Mohamed, nommé d'après le
chef maure qui fonda la ville.
   Les fouilles qui en 1953
mirent au jour ce vestige du
IXᵉ siècle dégagèrent aussi un
pan de rempart chrétien du
XIIᵉ siècle. De l'autre côté du
mur, on peut découvrir
depuis la Cuesta de la Vega
des arcs en brique en forme
de fer à cheval, un élément
architectural hérité des
Wisigoths qui occupèrent la
péninsule du Vᵉ au VIIIᵉ siècle.
   De l'autre côté de la rue,
une plaque et une image de
la Vierge indiquent l'endroit
où aurait été retrouvée en
1085 la statue de la Virgen
de la Almudena devenue
la patronne de Madrid.
« *Almudena* » dérive du mot
arabe désignant un rempart
extérieur.

L'été, des concerts en plein
air ont lieu de temps en
temps dans le Parque del
Emir Mohamed I.

San Francisco el Grande ㉗

Plaza de San Francisco. **Plan** 3 B4.
📞 91 365 38 00. ⓜ *La Latina, Puerta
de Toledo.* **Musée** ◯ *11 h-12 h 30,
16 h-18 h 30 mar.-sam.* **Capilla del
Cristo de los Dolores** ◯ *11 h-13 h
sam.*

Ce majestueux sanctuaire
néo-classique occupe
l'emplacement d'un couvent
franciscain qu'aurait fondé,
selon la légende, saint
François d'Assise en 1217.
Le monastère prit de

l'importance après que
Philippe II eut fait de Madrid
la capitale de l'Espagne en
1561, et il se vit confier
la « garde » des lieux saints
conquis par les croisés.
   Philippe III commanda
en 1760 la construction d'une
église beaucoup plus
ambitieuse, et l'architecte
Francesco Cabezas combla
ses désirs en dessinant un
édifice coiffé d'un dôme de
33 m de diamètre.
Les problèmes que posa sa
construction entraînèrent
l'arrêt des travaux en 1768,
et c'est Francesco Sabatini qui
acheva l'édifice en 1784.
   Transformée en caserne
par le ministère des Affaires
étrangères en 1835, la
basilique devint peu après
le Panthéon national.
Les franciscains ne purent
y revenir qu'en 1926.
   Les tours jumelles qui
dominent la façade abritent
dix-neuf cloches dont onze
forment un carillon. Juan Guas
sculpta sous la direction
d'Antonio Varela les scènes
bibliques qui ornent les sept
vantaux principaux en noyer.
Le relief central au-dessus des
portes montre la Foi et l'Espoir
se prosternant aux pieds du
Christ en croix, qu'encadrent
les deux larrons crucifiés en
même temps que lui.
   À l'entrée de la nef, des
anges en bronze supportent
des bénitiers en
marbre en forme
de coquille Saint-
Jacques. Les
difficultés
rencontrées pour
restaurer les
fresques et le
plafond
expliquent la
présence
d'échafaudages
depuis 1973. La
chapelle
principale abrite
cinq grandes
peintures par
Manuel
Domínguez et
Alejandro Ferrant,
illustrant des
épisodes de la vie
de saint François.
Les quatre
évangélistes en
bois et en plâtre

Sous la coupole de San Francisco el Grande,
église riche en œuvres d'art

imitant le bronze sont de Sanmartí et Molinelli. La plus intéressante des six chapelles latérales se trouve tout de suite à gauche de l'entrée. Elle renferme *Saint Bernardin de Sienne prêchant,* peinture où Goya s'est représenté (à droite), ainsi que des œuvres d'Andrés de la Calleja et d'Antonio González Velázquez. Sont également accessibles au public le cloître et la sacristie meublée de stalles platéresques du XVIᵉ siècle provenant de la chartreuse d'El Paular.

Hermano Francisco Bautista dessina en 1562 la Capilla del Cristo de los Dolores nommée d'après une statue polychrome réputée pour ses miracles. Cette œuvre de Domingo de la Rioja se trouve aujourd'hui à Serradilla, après que Philippe V l'eut gardée quelque temps à l'alcazar, et la chapelle attenante à San Francisco del Grande en abrite une copie exécutée en 1643 par Diego Rodríguez.

Plaza de la Paja ㉘

Plan 4 D3. Ⓜ️ *La Latina.*

Ancien pôle du Madrid médiéval, les environs de la plaza de la Paja ont gardé un certain cachet, malgré un environnement dégradé. Plusieurs édifices intéressants bordent cependant la place.

En montant depuis la calle de Segovia, un coup d'œil sur la gauche le long de la calle del Príncipe Anglona permet de découvrir la tour en brique de style mudéjar (XVᵉ siècle) de l'**Iglesia de San Pedro.** Au-delà de la fontaine, les sobres murs en pierre de la **Capilla del Obispo** ferment la plaza de la Paja. Ce sanctuaire faisait jadis partie du Palacio Vargas voisin. Il abrite un superbe retable platéresque orné de sculptures par Francisco Giralte. Plus haut à gauche s'élève le dôme baroque de l'Iglesia de San Andrés.

Une succession de plusieurs places conduit à la plaza Puerta de Moros dont le nom rappelle qu'une communauté maure habitait jadis ce quartier. De là, la carrera de San Francisco descend jusqu'à l'imposante église San Francisco el Grande.

La Latina ㉙

Plan 4 D4. Ⓜ️ *La Latina, Lavapiés.*

Les quartiers contigus de la Latina et de Lavapiés sont considérés comme le cœur du Madrid *castizo (p. 105),* terme qui désigne la culture traditionnelle des classes populaires de la ville, et leur attrait émane plus de leur atmosphère que de la qualité de leur architecture.

Bordées de hautes maisons étroites rénovées, le quartier a retrouvé une atmosphère agréable. Les rues pentues de la Latina courent à flanc de colline depuis la plaza Puerta de Moros jusqu'au marché aux puces d'El Rastro. À l'est, le quartier se mêle à celui de Lavapiés. De nombreux bars à l'ancienne subsistent aux alentours de la plaza de la Cebada, ajoutant au charme de ce quartier de Madrid.

En quête d'une bonne affaire au marché aux puces d'El Rastro

El Rastro ㉚

Calle de la Ribera de Curtidores.
Plan 4 E4. Ⓜ️ *La Latina, Embajadores.*
🕐 *10 h-14 h dim. et j. fériés.*

Fondé au Moyen Âge, le célèbre marché aux puces de Madrid *(p. 165)* s'étend depuis la plaza de Cascorro en direction du río Manzanares. Il a pour axe principal la calle de la Ribera de Curtidores, l'ancienne « rive des Tanneurs ».

Malgré ceux qui affirment que le Rastro a bien changé depuis son âge d'or au XIXᵉ siècle, il attire toujours autant de Madrilènes et de visiteurs le dimanche matin. Ils y viennent souvent pour le simple plaisir de la promenade, et la foule est si dense vers midi qu'il vaut mieux vous y rendre de bonne heure si vous avez l'espoir de dénicher une bonne affaire sur les éventaires et dans les boutiques. Les stands proposent une immense gamme d'objets, des antiquités de prix à la fripe, en passant par des meubles neufs ou de l'artisanat.

Dans l'autre grande rue du marché, la calle de Ambajadores, se dresse la belle mais poussiéreuse façade baroque de l'**Iglesia de San Cayetano** (1722) dessinée par José Churriguera et Pedro Ribera. Ravagé par un incendie pendant la guerre civile, l'intérieur a été restauré. Plus loin, l'ex-**Real Fábrica de Tabacos,** entreprise d'État créée en 1809, occupe le n° 53. La combativité de ses employées était légendaire.

La plaza de la Paja jadis au cœur du Madrid médiéval

LE MADRID DES BOURBONS

À l'est du vieux Madrid s'étendait jadis un espace de jardins connu sous le nom de Prado, la « Prairie ». Les Rois Catholiques *(p. 20)* y fondèrent au XVe siècle un monastère près duquel les Habsbourg édifièrent un palais dont ne subsistent que quelques bâtiments, mais dont les jardins sont devenus le superbe Parque del Retiro *(p. 77).* Les Bourbons choisirent ce quartier pour étendre et embellir la ville au XVIIIe siècle. Autour du paseo del Prado, ils construisirent des places majestueuses ornées de fontaines, un arc de triomphe, l'hôpital qu'occupent les collections d'art moderne du Centro de Arte Reina Sofía et l'édifice qui allait devenir le Museo del Prado, l'un des plus grands et des plus riches musées d'art du monde.

LE QUARTIER D'UN COUP D'ŒIL

Bâtiments et monuments historiques

Ateneo de Madrid ⓱
Banco de España ❺
Bolsa de Comercio ❼
Casa de Lope de Vega ⓴
Círculo de Bellas Artes ⓭
Congreso de los Diputados ⓰
Edificio Metrópolis ⓯
Estación de Atocha ㉚
Hotel Palace ⓫
Hotel Ritz ❾
Ministerio de Agricultura ㉗
Observatorio Astronómico ㉘
Palacio de Comunicaciones ❸
Palacio de Fernán Núñez ㉛
Palacio de Linares ❷
Puerta de Alcalá ❶
Real Academia de la Historia ⓳
Real Academia Española ㉓
Teatro Español ⓲

Musées

Centro de Arte Reina Sofía p. 86-89 ㉜
Museo del Ejército ㉔
Museo del Prado p. 80-83 ㉑
Museo Nacional de Antropología ㉙
Museo Nacional de Artes Decorativas ❽
Museo Naval ❻
Museo Thyssen-Bornemisza p. 70-73 ⓬

Églises

Iglesia de San Jerónimo el Real ㉒
Iglesia de San José ⓮

Places et parcs

Parque del Retiro ㉕
Plaza Cánovas del Castillo ❿
Plaza de Cibeles ❹
Real Jardín Botánico ㉖

COMMENT Y ALLER

Le métro offre le meilleur moyen de circuler dans le Madrid des Bourbons. Les lignes 1, 2 et 4 desservent les principaux sites. Les bus les plus utiles sont les 1, 2, 8, 14, 15, 27, 74 et 144 en direction de la Plaza de Cibeles.

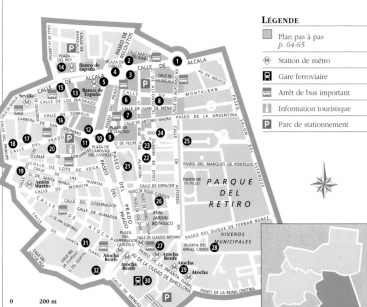

LÉGENDE

- Plan pas à pas p. 64-65
- Ⓜ Station de métro
- 🚆 Gare ferroviaire
- Arrêt de bus important
- ℹ Information touristique
- Ⓟ Parc de stationnement

◁ **Le monument à Alphonse XII dans le parc du Retiro** *(p. 77)*

Le paseo del Prado pas à pas

Aménagée comme élégant lieu de promenade à partir de la fin du XVIIIe siècle par Charles III, la large avenue plantée d'arbres du paseo del Prado attire aujourd'hui de nombreux visiteurs pour ses musées. Les amateurs d'art peuvent en effet admirer au Museo del Prado (juste au sud de la plaza Cánovas del Castillo) et au Museo Thyssen-Bornemisza deux des plus prestigieuses collections d'art du monde. Parmi les monuments grandioses construits sous Charles III figurent la Puerta de Alcalá, la Fuente de Neptuno et la Fuente de Cibeles qui se dressent au milieu de ronds-points où règne une intense circulation.

★ Plaza de Cibeles
Une statue de Cybèle, déesse de la Fertilité, domine sa fontaine ❹

Métro Banco de España

Iglesia de San José
Pedro Ribera dessine cette église baroque bâtie entre 1730 et 1742 ⓮

Banco de España
La Banque d'Espagne occupe un édifice dont une des trois façades donne sur la plaza de Cibeles ❺

Círculo de Bellas Artes
Cette institution fondée en 1880 abrite un théâtre, des ateliers d'artistes et un café dominant la calle de Alcalá ⓭

★ Museo Thyssen-Bornemisza
Le palais de Villahermosa, néo-classique (1806), abrite une collection exceptionnelle ⓬

Hôtel Palace
Cet élégant hôtel a eu pour clients de nombreux artistes, acteurs et hommes politiques ⓫

Plaza Cánovas del Castillo
Une statue de Neptune dans son chariot orne la fontaine au centre de cette vaste place ❿

Museo del Prado

0   100 m

À NE PAS MANQUER

★ **Museo Thyssen-Bornemisza**

★ **Puerta de Alcalá**

★ **Plaza de Cibeles**

★ Puerta de Alcalá
*Son éclairage rend
particulièrement belle
la nuit cette ancienne
porte de la ville
en granite* ❶

Palacio de Comunicaciones
*Ce bâtiment, siège des services
postaux espagnols, est souvent
comparé à une pièce montée* ❸

CARTE DE SITUATION
Voir l'atlas des rues, plans 7 et 8

PLAZA DE LA INDEPENDENCIA

CALLE DE ALFONSO XI

CALLE DE MONTALBAN

CALLE DE ALFONSO XII

CALLE JUAN DE MENA

CALLE ANTONIO MAURA

RUIZ DE ALARCÓN

PLAZA DE LA LEALTAD

LE FELIPE IV

Palacio de Linares
*Ce palais de la fin du
XIXe siècle, somptueusement
décoré, abrite désormais
la Casa de América,
maison de la culture
latino-américaine* ❷

**Museo Nacional de Artes
Decorativas**
*Ce musée fut fondé près du
Retiro en 1912 pour servir de
vitrine à la céramique et au
mobilier d'Espagne* ❽

Museo Naval
*Intégré au ministère de la
Défense, ce musée présente
une riche collection de
maquettes de bateaux, de
cartes marines et de
reconstructions de cabines* ❻

Hôtel Ritz
*Avec son intérieur Belle
Époque, le Ritz est un
des plus beaux palaces
d'Espagne* ❾

Bolsa de Comercio
*Dans l'élégant bâtiment
néo-classique de la Bourse,
les visiteurs peuvent assister
aux échanges depuis une
galerie* ❼

LÉGENDE

– – – Itinéraire conseillé

Perspective offerte par l'arche centrale de la Puerta de Alcalá

Puerta de Alcalá ❶

Plan 8 D1. Ⓜ *Retiro.*

Le plus grandiose des monuments commandés par Charles III pour ennoblir l'est de Madrid se présente sous la forme d'un arc de triomphe néo-classique. Dessiné par Francesco Sabatini, il remplaça une porte baroque plus petite édifiée par Philippe III pour l'entrée dans la capitale de son épouse, Marguerite d'Autriche.

Décorée d'anges sculptés, la Puerta de Alcalá comprend cinq arches. Sa construction, en granite, commença en 1769 et dura neuf ans.

Jusqu'à la seconde moitié du xixe siècle, la porte marqua la limite orientale de la ville, mais elle se dresse désormais au centre de la plaza de la Independencia. Son éclairage la rend particulièrement spectaculaire la nuit.

Palacio de Linares ❷

Paseo de-Recoletos 2. **Plan** 8 D1.
Ⓒ 91 595 48 00. Ⓜ *Banco de España.* Ⓒ *au public.* **Salle d'exposition**
Ⓒ 11 h-14 h, 17 h-20 h mar.-sam. ;
11 h-14 h dim. et jours fériés.
Ⓦ www.casamerica.es

En 1873, Amédée Ier de Savoie *(p. 21)* remercia le banquier madrilène José de Murga de son soutien financier en lui accordant le titre de marquis de Linares ; ce dernier s'empressa de célébrer son entrée dans la

noblesse en faisant construire une demeure au luxe le plus extravagant jamais vu dans la capitale espagnole. Partout à l'intérieur, dorures, marqueteries, dallages de marbre, lustres étincelants, fresques allégoriques et nymphes dévêtues composent une exubérante décoration rococo.

Les pièces les plus remarquables, la salle à manger de gala, la salle de bal, le Salón China et la chapelle de style byzantin, se trouvent au premier étage. Le jardin renferme le Pabellón Romántico, un pavillon en bois digne d'un conte de fées, aussi appelé la Casa de Muñecas (« Maison de poupées »).

La fortune de la famille déclina après la mort du marquis et le palais était presque à l'abandon en 1977. Le gouvernement espagnol décida de le sauver quand Madrid remplit la fonction de capitale européenne de la culture en 1992. L'entrée principale borde la plaza de Cibeles mais ne sert qu'en de grandes occasions. L'accès du public se fait par l'entrée latérale du paseo de Recoletos. Le bâtiment abrite la **Casa de América,** une association culturelle qui s'efforce de promouvoir l'art, la littérature et le cinéma latino-américains.

Boîte aux lettres du Palacio de Comunicaciones

Palacio de Comunicaciones ❸

Plaza de Cibeles. **Plan** 7 C2. Ⓜ *Banco de España.* **Poste** Ⓒ 90 219 71 97.
Ⓒ 8 h-21 h lun.-sam. **Musée**
Ⓒ 91 396 26 79. Ⓒ 9 h-14 h, 17 h-19 h lun.-ven., 9 h-14 h sam.
Ⓦ www.correos.es

Le siège des services postaux espagnols occupe, à l'angle de la plaza de Cibeles et de la calle de Alcalá, un bel édifice construit entre 1905 et 1917 par Antonio Palacios et souvent comparé à une pièce montée. Il abrite la poste centrale qui conserve des pupitres en bois et en bronze sur lesquels rédiger son courrier ou remplir un formulaire.

L'entrée du **Museo Postal y Telegráfico** se trouve dans la calle de Montalbán. Ce musée peu connu présente une collection variée illustrant l'histoire de la poste avec, entre autres, des timbres, des uniformes de postier, des bicyclettes et des boîtes aux lettres. Elle comprend aussi des pièces plus curieuses tels qu'un pigeon voyageur empaillé, une cage destinée à l'envoi d'abeilles et une lettre écrite sur du pain par un soldat à court de papier. Il y a aussi des enveloppes à l'adresse codée qui ne pouvaient être distribuées qu'après décryptage, une pratique interdite dans les années 70.

Salle de bal rococo du Palacio de Linares

Plaza de Cibeles ❹

Plan 7 C1. 🜨 *Banco de España.*

Important carrefour de circulation au croisement du paseo del Prado et de la calle de Alcalá, la plaza de Cibeles est non seulement une des places les plus célèbres de Madrid, elle est aussi une des plus belles.

Elle doit son nom à la fontaine de Cybèle, devenue un symbole de la ville, qui se dresse en son centre. Dessinée à la fin du XVIIIe siècle par José Hermosilla et Ventura Rodríguez, elle est ornée d'une statue représentant la Grande Mère des dieux dont le culte, originaire d'Asie Mineure, se répandit dans l'Empire romain.

Quatre édifices importants bordent la place. Le plus impressionnant, le **Palacio de Comunicaciones,** a reçu le surnom ironique de « Notre-Dame des Communications ». Sur le côté nord-est de la place se dresse la façade en pierre du **Palacio de Linares.** Dans l'angle nord-ouest, au sein d'agréables jardins, le **Cuartel General del Ejército de Tierra** (« Quartier général de l'armée de terre ») occupe les bâtiments de l'ancien Palacio de Buenavista commandé en 1777 par la duchesse d'Albe.

Dans l'angle opposé, la **Banco de España,** de style Renaissance, édifié entre 1884 et 1891, forme tout un pâté de maisons.

Banco de España ❺

Paseo del Prado 2. **Plan** 7 C2. 📞 *91 338 53 65.* 🜨 *Banco de España.* 🔵 *au public.* 🚫

La construction de l'immeuble de la Banque d'Espagne, institution fondée en 1856, se fit en trois étapes, de nouvelles ailes venant compléter la partie la plus ancienne bâtie entre 1882 et 1891 à l'angle de la plaza de Cibeles. L'entrée principale borde le paseo del Prado et ne sert que lors d'occasions solennelles.

Des scènes mythologiques et allégoriques en vitrail

La Fuente de Cibeles et le Palacio de Cinares à l'arrière-plan

éclairent le grand escalier en marbre de Carrare. Il conduit au Patio de Reloj, la vaste salle Art déco qui abrite les guichets sous une verrière. La bibliothèque, ouverte aux chercheurs, occupe une autre grande salle entièrement décorée de filigranes en fer forgé peintes en blanc cassé. Il existe une deuxième bibliothèque, plus petite et plus ancienne, meublée de rayonnages en acajou.

La banque possède une riche collection de tapisseries, de peintures et d'antiquités. Elles ornent les salles de réunion et les corridors. Les plus belles œuvres comprennent un premier tirage de la *Tauromaquia,* une série de gravures par Goya. Une pièce circulaire renferme également huit tableaux du maître dont des portraits de Charles IV et de divers gouverneurs de la banque d'Espagne. *Le Comte de Fiorabinda dans l'atelier de l'artiste* montre le peintre regardant son visiteur plutôt que le spectateur.

Sous le Patio del Reloj, une salle enterrée à 30 m de profondeur et inaccessible au public abrite la chambre forte contenant la réserve d'or. Une douve l'entoure. Avant l'installation d'équipement de sécurité sophistiqué, la conception

de la salle prévoyait qu'on puisse l'inonder immédiatement à la moindre menace de vol.

Museo Naval ❻

Paseo del Prado 5. **Plan** 7 C2. 📞 *91 379 52 99.* 🜨 *Banco de España.* 🕐 *10 h 30-13 h 30 mar.-dim.* 🔴 *août et certains jours fériés.* 🚫 🌐 *www.museonavalmadrid.com*

Extension en verre teinté du ministère de la Défense bâtie en 1977, le Musée naval retrace, dans 18 salles d'exposition, la longue histoire maritime de l'Espagne au travers d'objets tels que figures de proue, amphores, globes terrestres, astrolabes, sextants et boussoles. Il possède une riche collection de maquettes souvent contemporaines des navires eux-mêmes. Parmi les cartes, ne manquez pas celle dressée en 1500 pour Isabelle et

Astrolabe du Museo Naval

Ferdinand, les Rois Catholiques *(p. 20),* la première où figura l'Amérique.

Le musée abrite aussi des armes utilisées lors de la conquête du Nouveau Monde, ainsi qu'un morceau de tronc d'arbre sur lequel Hernán Cortés se serait reposé après *La Noche Triste,* la « nuit triste » de 1520 où il dut fuir avec ses hommes la capitale aztèque de Tenochtitlán.

La Bolsa de Comercio vue de la galerie

Bolsa de Comercio ❼

Plaza de la Lealtad 1. **Plan** 7 C2.
📞 91 589 22 64. Ⓜ *Banco de España.* ⭕ *sur r.-v.* ⬤ *sam., dim. et j. fériés.* 🚫 🎦 *sur r.-v.*
🆆 www.bolsamadrid.es

Fondée en 1831, la Bourse de commerce de Madrid déménagea onze fois, dans des locaux le plus souvent inadaptés (il y eut même un couvent), avant de s'installer en 1893 dans l'édifice bâti spécialement pour l'accueillir, qu'elle occupe toujours. Sa construction, sur des plans d'Enrique María Repullés y Vargas, prit plus de six ans et coûta environ trois millions de pesetas. La façade néo-classique et l'entrée principale décorée de six colonnes corinthiennes monumentales engloutirent à elles seules près d'un tiers de cette somme.

Les transactions ont lieu dans la **Sala de Contratación,** vaste espace voûté de près de 1 000 m² de superficie. Une horloge néo-baroque trône au centre sur un haut socle de marbre. Les visiteurs peuvent suivre les opérations depuis le **Salón de los Pasos Perdidos,** une galerie au premier étage utilisée aussi pour des expositions sur l'histoire de l'institution.

Museo Nacional de Artes Decorativas ❽

Calle de Montalbán 12. **Plan** 8 D2.
📞 91 532 64 99. Ⓜ *Retiro, Banco de España.* ⭕ *9 h-15 h mar.-sam., 10 h-14 h sam., dim. et j. fériés.* 🎟 *(gratuit dim.)* 🎦 *sur r.-v.*
🆆 www.mcu.es/nmuseos/decora

Installé dans un palais du XIXᵉ siècle dominant le Parque del Retiro, le musée national des Arts décoratifs présente sur cinq niveaux une intéressante collection de meubles et d'objets d'art dont les plus anciens remontent à l'époque phénicienne.

Une cuisine valencienne du XVIIIᵉ siècle ornée de 1 500 carreaux de Manises représentant une scène domestique constitue un des clous de la visite, mais l'exposition permet aussi de découvrir des céramiques de Talavera de la Reina ainsi que des bijoux et des ornements extrême-orientaux.

Hotel Ritz ❾

Plaza de la Lealtad 5. **Plan** 7 C3.
📞 91 521 28 57. Ⓜ *Banco de España.* 🚫 🎦 🆆 www.ritz.es

Commandé en 1906 par Alphonse XIII, qui estimait manquer d'établissements de luxe où recevoir les invités à son mariage, l'hôtel Ritz a la réputation d'être le palace le plus somptueux d'Espagne.

Des tapis tissés à la main à la Real Fábrica de Tapices *(p. 112)* parent les chambres qui possèdent chacune une superbe décoration. Ce luxe a bien entendu une influence sur les tarifs pratiqués.

C'est au Ritz, transformé en hôpital au début de la guerre civile *(p. 18)*, que le leader anarchiste Buenaventura Durruti mourut de ses blessures en 1936.

Plaza Cánovas del Castillo ❿

Plan 7 C3. Ⓜ *Banco de España.*

Ce rond-point où règne une intense circulation porte le nom du Premier ministre espagnol assassiné en 1897.

Une statue de Neptune debout dans un char tiré par deux chevaux domine la fontaine au centre de la place. Juan Pascual de Mena la sculpta en 1780 sur des dessins de Ventura Rodríguez dans le cadre du projet d'embellissement de la partie orientale de Madrid, décidé par Charles III *(p. 20)*.

Fuente de Neptuno

Élégance raffinée dans la Rotonde de l'hôtel Palace

Hotel Palace ⓫

Plaza de las Cortes 7. **Plan** 7 B3.
☎ *91 360 80 00.* **Ⓜ** *Sevilla, Banco de España et Atocha.* **♿** **Ⓦ** *www. luxurycollection.com/palacemadrid*

Alphonse XIII regrettait que sa capitale ne dispose pas d'hébergements aussi luxueux que les autres métropoles européennes, et il encouragea activement le projet de construction de cet hôtel, ouvert en 1912 sur le site de l'ancien palais du duc de Medinaceli. Il abrita pendant la guerre civile un hôpital et un refuge pour les sans-abri, ainsi que l'ambassade d'Union soviétique.

Pendant de nombreuses années, Madrid n'eut pas d'autres hôtels de standing que le Palace et le Ritz, inauguré deux années plus tard, mais alors que le Ritz était réservé à ses hôtes, qui n'auraient jamais osé se risquer hors de leur chambre sans une cravate, le Palace, plus décontracté, devint un lieu de rendez-vous apprécié des Madrilènes car il était ouvert à tous. Il fut ainsi le premier établissement où des dames prenaient le thé sans être accompagnées. Le **Palace Bar**, décoré de boiseries, et la **Rotonde**, éclairée par une immense verrière, restent très fréquentés.

Espions, hommes d'État et artistes se sont côtoyés et continuent de se croiser au Palace, et il eut entre autres pour clients Henry Kissinger, Mata Hari, Ernest Hemingway, Orson Welles, David Bowie, Richard Attenborough, Michael Jackson et Salvador Dalí. Ce dernier crayonna un soir des dessins lubriques sur les murs de sa chambre... La femme de chambre les effaça le lendemain.

En 1997, une importante rénovation a doté l'hôtel d'un solarium et d'un centre de remise en forme sur le toit.

Museo Thyssen-Bornemisza ⓬

Voir p. 70-73.

Café La Percera du Círculo de Bellas Artes

Círculo de Bellas Artes ⓭

Calle del Marqués de Casa Riera 2.
Plan 7 B2. **☎** *91 360 54 00.*
Ⓜ *Banco de España, Sevilla.* **◯** *10 h-22 h.* **◯** *août.* **♿** **✦** *sur r.-v.* **⌀**
Expositions **☎** *90 242 24 42.* **◯**
17 h-21 h. mar.-sam., 11 h-14 h sam. et dim. **Ⓦ** *www.circulobellasartes.com*

Le cercle des Beaux-Arts, fondation culturelle créée en 1880, occupe depuis 1926 un immeuble de six étages dessiné par Antonio Palacios, l'architecte du Palacio de Comunicaciones voisin

(*p. 66*). L'édifice abrite un théâtre, une vaste salle de bal, des salles d'exposition et des ateliers mis à la disposition de peintres et de sculpteurs. L'institution propose un programme régulier d'expositions, d'ateliers et de conférences, et accueille des manifestations comme le bal masqué de carnaval qui a lieu en février.

Un droit d'entrée symbolique donne accès à certaines parties du bâtiment dont le café baptisé **La Pecera** (« l'aquarium ») à cause de sa grande vitre panoramique. Il y a aussi un cinéma qui possède une entrée séparée.

Iglesia de San José ⓮

Calle de Alcalá 43. **Plan** 7 B1.
☎ *91 522 67 84.* **Ⓜ** *Banco de España.* **◯** *7 h-13 h 30, 18 h-20 h t.l.j., (dim à partir de 9 h).*

Cette église appartenait à l'origine à un couvent de carmélites fondé en 1605 et elle connut une première reconstruction pendant le règne de Philippe V (1724-1746). Le monastère fut démoli en 1863 pour faire place à un théâtre. Le 10 mars 1908, Alphonse XIII frappa symboliquement le sanctuaire avec une pioche pour inaugurer les travaux de percement de la Gran Vía qui entraînèrent un nouveau remaniement de l'église. Une grande partie de ses trésors se trouve désormais au Prado (*p. 80-83*), mais une belle statue de la Virgen del Carmen orne sa façade. Le maître-autel néo-classique et les chapelles latérales baroques conservent quelques œuvres d'art intéressantes. Beaucoup sont du sculpteur français Robert Michel qui exécuta les lions de la fontaine de Cybèle (*p. 67*). La maison attenante, au n° 41, porte toujours le nom de **Casa del Párroco** (« presbytère »).

Le Museo Thyssen-Bornemisza ⑫

À partir des années 20, le baron Heinrich Thyssen-Bornemisza, puis son fils Hans Heinrich, ont constitué un ensemble de peintures considéré par de nombreux spécialistes comme la collection d'œuvres d'art privée la plus importante du monde. Illustrant l'histoire de l'art occidental depuis les primitifs italiens et flamands jusqu'aux mouvements picturaux modernes, la collection se compose de quelque 800 tableaux et comprend, à côté de toiles d'artistes moins connus, des chefs-d'œuvre de Titien, Goya, Van Gogh et Picasso. Installée en 1992 dans le palais néo-classique de Villahermosa (XVIIIᵉ-XIXᵉ siècles), elle fut cédée à l'État espagnol l'année suivante. Inaugurée en 2004, une nouvelle aile présente plus de 250 tableaux, essentiellement impressionnistes, acquis par la baronne Thyssen-Bornemisza.

★ **Vierge de l'arbre sec** *(v. 1450)*
Sur ce petit panneau du maître de Bruges Petrus Christus, le « a » signifie « Ave Maria ».

★ **Arlequin au miroir**
Le personnage d'Arlequin revient souvent dans l'œuvre de Picasso. Selon certains avis, ce tableau de 1923, typique de sa période classique, serait un autoportrait.

SUIVEZ LE GUIDE !
Le musée occupe trois niveaux autour d'une cour intérieure couverte. L'exposition commence au deuxième étage où elle s'étend des primitifs italiens jusqu'à l'art du XVIIᵉ siècle. Elle se poursuit, au premier étage, de la peinture hollandaise du XVIIᵉ siècle à l'expressionnisme allemand. Le rez-de-chaussée est consacré au XXᵉ siècle.

À NE PAS MANQUER

★ *Vierge de l'arbre sec* par **Christus**

★ *Arlequin au miroir* par **Picasso**

★ *Vénus et Cupidon* par **Rubens**

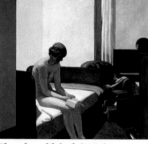

Chambre d'hôtel *(1931)*
Dans cette œuvre caractéristique de la démarche du réaliste américain Edward Hopper, la sobriété du décor renforce l'impression de solitude.

Portrait du baron Thyssen-Bornemisza
L'un des plus grands peintres actuels, Lucian Freud, a représenté entre 1981 et 1982 le baron Hans Heinrich devant un tableau de Watteau.

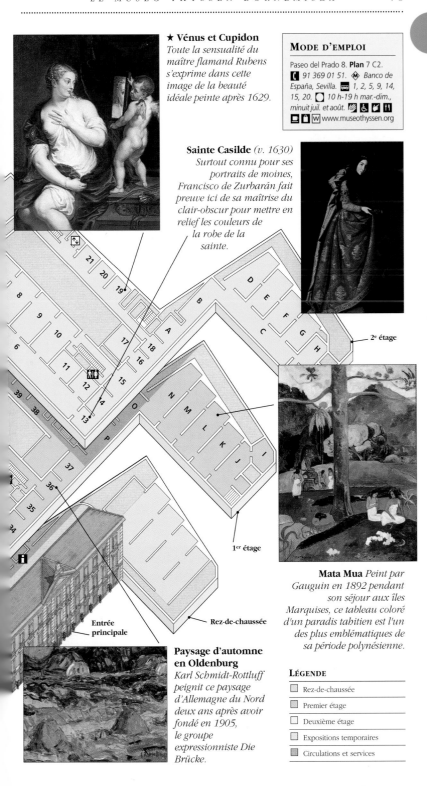

★ Vénus et Cupidon
Toute la sensualité du maître flamand Rubens s'exprime dans cette image de la beauté idéale peinte après 1629.

MODE D'EMPLOI
Paseo del Prado 8. **Plan** 7 C2.
91 369 01 51. Banco de España, Sevilla. 1, 2, 5, 9, 14, 15, 20. 10 h-19 h mar.-dim., minuit juil. et août.
www.museothyssen.org

Sainte Casilde *(v. 1630)*
Surtout connu pour ses portraits de moines, Francisco de Zurbarán fait preuve ici de sa maîtrise du clair-obscur pour mettre en relief les couleurs de la robe de la sainte.

2e étage

1er étage

Mata Mua *Peint par Gauguin en 1892 pendant son séjour aux îles Marquises, ce tableau coloré d'un paradis tahitien est l'un des plus emblématiques de sa période polynésienne.*

Entrée principale

Rez-de-chaussée

Paysage d'automne en Oldenburg
Karl Schmidt-Rottluff peignit ce paysage d'Allemagne du Nord deux ans après avoir fondé en 1905, le groupe expressionniste Die Brücke.

LÉGENDE
◻ Rez-de-chaussée
◻ Premier étage
◻ Deuxième étage
◻ Expositions temporaires
◼ Circulations et services

À la découverte du Thyssen-Bornemisza

L'exposition du musée Thyssen-Bornemisza offre en 800 tableaux un saisissant résumé de l'évolution de l'art occidental depuis le XIVᵉ siècle. La majorité des grandes écoles de peinture sont représentées et la collection, où le portrait tient une grande place, complète à merveille celle du Prado dans des domaines tels que les primitifs italiens, la peinture américaine du XIXᵉ siècle, l'impressionnisme et l'expressionnisme. L'itinéraire recommandé pour la découvrir suit l'ordre chronologique en partant du deuxième étage.

Christ et la Samaritaine (1311) par Duccio

LES PREMIERS PAS DE LA RENAISSANCE

La peinture des primitifs italiens de la salle 1 reste profondément marquée par le symbolisme religieux mais, en 1311, Duccio di Buoninsegna cherche déjà à donner réalisme et profondeur au *Christ et la Samaritaine*.

Les influences circulent dans l'Europe du Moyen Âge, et la salle 2 montre avec des œuvres telle l'*Assomption* (v. 1457) de Koerbecke comment l'école italienne marque alors l'art gothique. La salle 3 abrite deux joyaux hollandais de la collection : le *Diptyque de l'Annonciation* (v. 1435-1441) de Jan Van Eyck et la *Vierge de l'arbre sec* (v. 1450) de Petrus Christus.

La révolution esthétique de la Renaissance prend son essor en Italie au début du XVᵉ siècle. Elle puise aux sources de la sculpture antique comme l'illustre bien en salle 4 le *Christ ressuscité* de Bramantino. Les mécènes commandent des portraits et la salle 5 en contient de magnifiques, dont celui d'Henri VIII d'Angleterre (v. 1534-1536) par Holbein.

DE LA RENAISSANCE AU BAROQUE

Alors que l'art du Moyen Âge avait une vocation presque exclusivement religieuse, la Renaissance met en avant l'homme, même si le décor reste très empreint de symbolisme, tel celui du *Jeune Chevalier dans un paysage* (1510) de Carpaccio. Il se trouve dans la salle 7, qui renferme aussi un *Portrait de jeune homme* (v. 1515) par Raphaël.

Les salles 8, 9 et 10 sont consacrées aux peintres allemands et hollandais du début du XVIᵉ siècle. Dans la salle 11, le *Saint Jérôme au désert* (v. 1575) de Titien voisine avec des tableaux du Tintoret et du Greco.

La salle 12 illustre les débuts du baroque dont les représentants, tels le Caravage et le Bernin, donnent à leurs œuvres une dimension théâtrale. Ce style naît à Rome à l'époque de la Contre-

Jeune Chevalier dans un paysage (1510) par Carpaccio

Réforme, mais gagne bientôt une grande partie de l'Europe, comme le montre l'exposition des salles 13 à 15. Il profite en Espagne de l'effervescence créatrice du Siècle d'or. Murillo peint ainsi sa *Vierge à l'Enfant avec sainte Roseline de Palerme* vers 1670.

Les salles 16 à 18 consacrées à l'art italien du XVIIIᵉ siècle abritent notamment des vues du Grand Canal de Venise par Canaletto et Francesco Guardi.

PEINTURES HOLLANDAISES ET FLAMANDES

La collection de peintures flamandes et hollandaises du XVIIᵉ siècle est très intéressante.

Ésaü vendant son droit d'aînesse (v. 1627) par Hendrick ter Brugghen

La salle 19 réunit des tableaux de maîtres flamands tels que Jan Bruegel et Van Dyck et compte parmi ses fleurons *Vénus et Cupidon* (v. 1629) de Rubens.

La différence grandissante entre l'école des Flandres et celle des Pays-Bas apparaît lorsqu'on compare ces œuvres avec les salles 20 et 21, qui ont pour thème l'influence italienne sur la peinture hollandaise. Elles renferment notamment *Ésaü vendant son droit d'aînesse* (v. 1627) de Brugghen. Au premier étage, les paysages, portraits et scènes de la vie quotidienne exposés dans les salles 22 à 26 comprennent la remarquable *Famille devant un paysage* (v. 1645-1648) de Frans Hals et *Le Tambour espiègle* (v. 1655) de Nicolas Maes, un élève de Rembrandt. La salle 27 abrite des natures mortes hollandaises du XVIIe siècle.

Waverly Oaks (1864) par Winslow Homer

Du rococo au réalisme

L e style rococo conquiert l'Europe au début du XVIIIe siècle. Surtout connu pour son influence sur les Arts décoratifs, le rococo privilégie en peinture la grâce et les sujets légers. *La Toilette* (1742) de François Boucher, et *Le Repos* (v. 1709) et *Pierrot content* (v. 1712) d'Antoine Watteau, accrochés en salle 28, en sont des exemples.

Les artistes américains du XIXe siècle présentés en salles 29 et 30 restent marqués par leurs origines européennes.

Leurs toiles témoignent de la fascination qu'ils éprouvent pour les beautés naturelles du continent qu'ils conquièrent et dont ils cherchent, à l'instar de Thomas Cole, à rendre la majesté. Les premiers grands peintres américains ne s'imposent toutefois qu'après la guerre de Sécession. Winslow Homer utilise la couleur avec raffinement dans des scènes rurales telles que *Waverly Oaks* (1864). James Whistler et John Singer Sargent font carrière à Paris et à Londres.

L'Europe, pendant ce temps, entre en réaction contre la rigueur du néo-classicisme pour s'abandonner aux vertiges du romantisme. La salle 31 abrite aussi trois tableaux de Francisco de Goya et des œuvres qui montrent l'évolution vers le réalisme, en particulier *L'Écluse* (1824) de l'Anglais John Constable.

Les maîtres modernes

L 'année 1874 est une des grandes dates de l'histoire de l'art. Refusé par les Salons parisiens officiels, un groupe de jeunes peintres expose alors dans la galerie du photographe Nadar. Leurs tableaux font scandale et la réaction outragée d'un critique leur vaut le surnom d'impressionnistes. Ils viennent d'ouvrir à la création picturale un espace de liberté qu'elle n'avait jamais connu. Les plus grands artistes de cette époque, de Manet à Renoir, Sisley et Monet, sont représentés dans les salles 32 et 33 par des œuvres d'une qualité exceptionnelle telles que *Danseuse se baissant* (1877-1879) par Degas, *Les Vessenots à Auvers* (1888) de Vincent Van Gogh, *Gaston Bonnefoy* (1891) de Toulouse-

Danseuse se baissant (1877-1879) par Degas

Lautrec, *Mata Mua* (v. 1892), un Gauguin de la période polynésienne, et *Portrait d'un paysan* (v. 1900) de Cézanne.

La salle 34 offre un aperçu du fauvisme, école éphémère du début du XXe siècle que caractérisent de violents contrastes de couleurs.

Né en Allemagne autour du groupe Die Brücke (« le Pont ») fondé à Dresde en 1905, le mouvement expressionniste réunit des peintres qui cherchent, en puisant dans leurs propres émotions, à en susciter chez le spectateur. Avec plus de 50 tableaux (salles 35 à 40), la collection lui accorde une place particulièrement importante. On remarquera, entre autres, *Paysage d'automne en Oldenburg* (1907) de Karl Schmidt-Rottluff.

Consacrées à l'art moderne et contemporain, les 8 salles du rez-de-chaussée (41 à 48) développent trois thèmes : « avant-garde expérimentale », « la synthèse du moderne » et « surréalisme, tradition figurative et pop art ». C'est là qu'on peut admirer l'*Arlequin au miroir* (1923) de Picasso et *Chambre d'hôtel* (1931) d'Edward Hopper.

Coupole de style parisien de l'Edificio Metrópolis

Edificio Metrópolis ⑮

Calle de Alcalá 39. **Plan** 7 B1.
Ⓜ *Sevilla*. ⬤ *au public*.

D'influence indiscutablement française, cet immeuble, qui ne dépareraît pas un grand boulevard parisien, se dresse comme une proue de navire à la jonction de la calle Alcalá et de la Gran Vía *(p. 48).* Jules et Raymond Février le construisirent en 1911 pour une compagnie d'assurances, l'Unión y el Fenix Español. Les colonnes jumelées qui ornent ses étages supérieurs supportent des sculptures allégoriques du Commerce, de l'Agriculture, de l'Industrie et de l'Exploitation minière. Le sommet de la coupole d'ardoise noire parée de

dorures, qui couronne la tour d'angle, est coiffé d'une victoire ailée. À l'origine, s'élevait une statue en bronze du phénix, l'oiseau mythologique, que chevauchait une figure humaine aux bras levés représentant Ganymède, l'échanson des dieux. C'était le symbole de l'Unión y el Fenix Español et la compagnie décida de le transporter jusqu'à son nouveau siège du paseo de La Castellana quand elle vendit le bâtiment au début des années 70 à son actuel propriétaire, l'assureur Metrópolis. La sculpture trône maintenant dans le jardin de l'immeuble moderne de l'Unión y el Fenix Español.

Devant la tour ronde de l'Edificio Metrópolis, « La Violetera », petite statue d'une jeune femme portant un panier de violettes, passe presque inaperçue. Elle évoque un personnage populaire : une vendeuse de violettes qui, à la sortie de l'hiver, proposait ses bouquets après la représentation au public fréquentant les théâtres de la Gran Vía. Elle a inspiré une *zarzuela* dont fut tiré un film qu'interprétait Sarita Montiel.

Le socle de la sculpture porte une inscription : « Como ave precursora de primavera, en Madrid aparece la violetera ». (« Comme un oiseau annonçant le printemps, apparaît à Madrid la vendeuse de violettes ».)

Congreso de los Diputados ⑯

Plaza de las Cortes. **Plan** 7 B2.
📞 *91 390 60 00*. Ⓜ *Sevilla*.
◔ *sur r.-v. (fax : 91 390 64 35) lun.-ven., 10 h 30-12 h 30 sam.* ⬤ *août.*
⊘ ♿ ⓦ *www.congreso.es*

A chevé en 1850 sur le site d'un ancien couvent, l'imposant édifice où siège le Parlement espagnol est également connu sous le nom de Palacio de las Cortes. En 1981, un colonel de la garde civile y prit en otage les députés dans l'espoir de déclencher un coup d'État militaire *(p. 19).* L'intervention du roi Juan Carlos entraîna son échec et affirma le caractère irréversible de la démocratie en Espagne.

Lion gardant le Parlement

Ateneo de Madrid ⑰

Calle del Prado 21. **Plan** 7 B2.
📞 *91 429 17 50*. Ⓜ *Antón Martin, Sevilla*. ◔ *sur r.-v. (Secretario Primero C/del Prado 21, Madrid 28014).*

F ondée officiellement en 1835, cette association littéraire, artistique et scientifique a toujours défendu des valeurs libérales qui l'obligèrent à fermer en période dictatoriale. À l'intérieur du bâtiment, le grand escalier, le hall orné de portraits d'anciens membres, les bibliothèque et salles de lecture donnent une atmosphère studieuse à un club où se retrouvent politiciens et intellectuels.

LA TERTULIA

Intérieur du Café Comercial

L'Ateneo de Madrid fut l'un des nombreux cadres où prospéra une institution spécifiquement madrilène, *la tertulia*, groupe de gens partageant des intérêts communs qui se réunissaient pour parler de sujets aussi divers que la politique, l'art ou la tauromachie. Sans atteindre le formalisme de véritables clubs, tout en dépassant le cadre de la simple discussion entre amis, les *tertulias* étaient au XIXᵉ siècle une source importante de nouvelles, d'idées, de ragots... Et de complots ! Nombre des grands cafés où se retrouvaient leurs membres ont disparu, tels le Pombo, l'El Oriental ou la Paix. Parmi ceux à avoir survécu, le Café Comercial sur la glorieta de Bilbao et le Café Gijón *(p. 94)* de la calle Recoletos font partie des plus célèbres.

La zarzuela - l'opérette espagnole

Descendante directe de l'opéra, comique italien, la *zarzuela* était à l'origine un divertissement royal, puis le petit peuple se l'est appropriée pour en faire une forme d'art dramatique caractéristique de Madrid. Son nom dérive du Palacio de la Zarzuela, situé à l'extérieur de la ville, où réside actuellement Juan Carlos Ier. Les premières *zarzuelas* furent données pendant le règne de Philippe IV au XVIIe siècle, mais elles perdirent les faveurs de la cour à l'avènement des Bourbons *(p. 15)* qui préféraient le véritable opéra, et c'est dans les *corrales de comedias,* les théâtres populaires de la capitale espagnole, que le genre évolua pour devenir le spectacle léger que nous connaissons aujourd'hui. Bien qu'il n'y ait pas eu de créations depuis des décennies, les *zarzuelas* conservent à Madrid un public. Les plus réputées datent de la fin du siècle dernier. Elles comprennent *Agua, azucarillos y aguardiente* et *La Gran Vía* de Federico Chueca et, de Ruperto Chapí, *La Revoltosa* qui met en scène les relations entre les habitants d'un *corral de vecinos,* logements modestes entourant une cour centrale.

**Statue de
La Violetera**

Calderón de la Barca, *le célèbre dramaturge du* XVIIe *siècle, fut un des premiers à écrire des livrets pour cette forme d'opéra-comique. Parmi ses successeurs les plus éminents figure Tomás Breton, né en 1850, auteur de près de 40 zarzuelas dont* La Verbena de la Paloma.

Le thème central *des zarzuelas, où alternent chants, dialogues parlés et danses telles que les chotis, est la vie dans le Madrid* castizo (p. 105) *peuplé de* majas *(femmes) à la langue bien pendue et de* chulos *(hommes) insolents.*

Le succès *de la zarzuela était tel au milieu du* XIXe *siècle qu'il suscita la construction d'un théâtre spécialisé. D'une capacité de 1 200 places, le Teatro de la Zarzuela (p. 174) continue à en programmer.* La Corrala (p. 113) *propose en été des opérettes en plein air.*

Représentation de la Compañia de Zarzuela J. Tamayo

Façade néo-classique du Teatro Español

Teatro Español ⓲

Calle del Príncipe 25. **Plan** 7 A3.
🕿 *91 360 14 80.* Ⓜ *Sol, Antón
Martin et Sevilla.* ⬤ *pour les
représentations à partir de 19 h, mar.-
dim.* 🖼 ♿ 🅦 www.telentrada.com

Sur la plaza Santa Ana, l'un
des plus anciens et des
plus beaux théâtres de Madrid
fait face à la statue du poète
Calderón (1600-1681). Il
occupe l'emplacement du
Corral del Príncipe où furent
créées à partir de 1583
certaines des meilleures
pièces du répertoire espagnol,
écrites par des auteurs tels
que Lope de Rueda. Juan de
Villanueva dessina l'édifice
actuel, datant de 1802. Sa
façade néo-classique porte les
noms de grands dramaturges
espagnols, comme Federico
García Lorca (p. 26).

Real Academia de
la Historia ⓳

Calle del León 21. **Plan** 7 A3.
🕿 *91 429 06 11.* Ⓜ *Antón
Martin.* ⬤ *fermé pour travaux
jusqu'en 2005.*

Installée dans un austère
bâtiment de brique à
parements de pierre, construit
par Juan de Villanueva en 1788,
l'Académie royale d'histoire n'et
pas située dans le quartier
surnommé le barrio de los
Literatos tout à fait par hasard.
De 1898 à 1912, elle eut
pour directeur le grand
intellectuel Marcelino

Menéndez Pelayo.
Accessible sur autorisation,
sa bibliothèque possède plus
de 200 000 ouvrages et des
manuscrits importants.

Casa de Lope
de Vega ⓴

Calle de Cervantes 11. **Plan** 7 B3.
🕿 *91 429 92 16.* Ⓜ *Antón Martin.*
⬤ *9 h 30-14 h mar.-ven., 10 h-14 h
sam.* ⬤ *août, j. fériés.* 🖼 *(gratuit
sam.)* 🎥 ⃠

Félix Lope de Vega, auteur
majeur du Siècle d'or
espagnol (p. 26), emménagea
dans cette sombre maison en
1610. Il y écrivit plus des deux
tiers d'une œuvre comptant
1 800 pièces profanes et
400 drames religieux, avant d'y
mourir en 1635. Restaurée avec
soin en 1935, et meublée en
partie d'objets ayant appartenu
à Lope de Vega, la demeure
offre un aperçu de l'atmosphère
castillane au début du

Félix Lope de Vega

XVIIᵉ siècle. Une chapelle
aveugle en occupait le centre,
communiquant avec la
chambre de l'écrivain. Les
arbres fruitiers et les fleurs
qu'il mentionna dans ses
récits ont été replantés dans
le petit jardin.

Museo del Prado ㉑

Voir p. 80-83.

Iglesia de San
Jerónimo el Real ㉒

Calle de Moreto 4. **Plan** 8 D3.
🕿 *91 420 35 78.* Ⓜ *Banco de
España, Atocha.* ⬤ *oct.-juin : 9 h-13 h
30, 17 h-20 h 30 t.l.j. (18 h-20 h 30
juil.-sept.).* ⬤ *sam. de Pâques.* ♿

Construite au XVIᵉ siècle
pour Isabelle Iʳᵉ (p. 20),
cette église, attachée à
l'origine à un monastère
hyéronimite dont il ne
subsiste que des ruines,
devint pratiquement partie
intégrante du Palacio del
Buen Retiro, édifié par
Philippe IV au XVIIᵉ siècle.
Remaniée dans le style néo-
gothique, elle est l'église
royale de Madrid, celle où se
marièrent Alphonse XIII et
Victoria von Battenberg en
1906. En 1975, c'est là que fut
célébrée la cérémonie
religieuse du couronnement
de Juan Carlos Iᵉʳ.

Real Academia
Española ㉓

Calle de Ruiz de Alarcón 17. **Plan** 8 D3.
🕿 *91 420 14 78.* Ⓜ *Banco de España,
Retiro.* ⬤ *au public.* 🅦 www.rae.es

L'Académie royale
d'Espagne a une devise,
« Limpia, brilla y da esplendor »
(« nettoie, polis et fais briller ! »),
qui résume bien la fonction
d'une institution créée en
1713 pour préserver la pureté
de la langue espagnole. Elle
occupe depuis 1891 un
édifice néo-classique dont
un fronton sculpté, supporté
par des colonnes doriques,
agrémente l'élégante façade.
Les 46 membres de
l'Académie comprennent des
érudits, des écrivains et des
journalistes. Ils sont nommés
à vie et ne reçoivent aucun

émolument. Ils se réunissent régulièrement pour décider des nouveaux mots ou tournures acceptés en espagnol.

Museo del Ejército 🄴

Calle de Méndez Núñez 1. **Plan** 8 D2.
📞 91 522 89 77. Ⓜ Banco de España, Retiro. 🕐 10 h-14 h mar.-dim.
● j. fériés. 🆓 gratuit sam. ♿ 🎫 sur r.-v. 🅦 www.ejercito.mde.es/ihycm

Le musée de l'Armée occupe l'un des bâtiments du Palacio del Buen Retiro (XVIIᵉ siècle) qui ont échappé à la destruction. Riches de 27 000 pièces, ses collections retracent l'histoire militaire de l'Espagne depuis l'époque des Maures. La plus grande salle, le Salón de Reinos, doit son nom aux royaumes, représentés au plafond, dont l'union forma l'Espagne.

Dans la Sala de Armas, l'épée du Cid, *La Tizona*, tient la place d'honneur. La Sala Árabe possède une décoration inspirée de l'Alhambra de Grenade, et abrite la tunique et l'épée de Boabdil, le souverain maure dont la chute en 1492 marqua la fin du pouvoir musulman dans la péninsule.

Dans la Sala Colonial se trouve un fragment de la croix plantée dans le sol par Christophe Colomb lorsqu'il découvrit le Nouveau Monde. Exposé dans la même salle, un autre souvenir rapporté

L'épée du Cid, *La Tizona*, au Museo del Ejército

par le conquistador Hernán Cortés : un morceau de l'arbre sous lequel il se réfugia lors d'une révolte des Aztèques au Mexique.

Bustes et drapeaux évoquent la guerre d'Indépendance *(p. 16)* dans la Sala del Dos de Mayo.

Parque del Retiro 🄵

Plan 8 E3. 📞 91 409 23 36.
Ⓜ Retiro, Ibiza, Atocha. **Parc** 🕐 mai-sept. : 6 h-minuit ; oct. : 6 h-23 h, nov.-avril : 6 h-22 h. ♿
Casa de Vacas. 🕐 t.l.j. 11 h-20 h.

Dans l'élégant quartier des Jerónimos, près de la Puerta de Alcalá *(p. 66)*, le parc du Retiro offre aux Madrilènes un espace de verdure de plus de 100 ha. Ancien jardin royal du Real

Sitio del Buen Retiro de Philippe IV, dont ne subsistent que le Casón del Buen Retiro *(p. 83)* et le bâtiment abritant le Museo del Ejército, il était réservé à la famille royale au XVIIᵉ siècle, et on y organisait des reconstitutions de batailles navales et des spectacles en plein air. Il ouvrit entièrement au public en 1869.

Depuis son entrée nord, quelques pas le long d'une allée bordée d'arbres conduisent à l'Estanque Grande, lac artificiel où les promeneurs peuvent louer des barques. D'un côté s'élève le monument à Alphonse XII *(p. 21)*, composé d'une colonnade en hémicycle et d'une statue équestre du souverain. De l'autre, portraitistes et diseuses de bonne aventure proposent leurs services.

Au sud du lac se dressent deux édifices de Ricardo Velázquez Bosco, l'architecte du Ministerio de Agricultura *(p. 84)*. Pavillon consacré aux industries de l'exploitation minière, de la métallurgie, de la céramique, de la verrerie et des eaux minérales lors de l'Exposition nationale de 1884, le Palacio de Velázquez accueille aujourd'hui des expositions temporaires.

Gracieuse structure d'acier et de verre inspirée du Crystal Palace dessiné par sir Joseph Paxton pour l'Exposition universelle de Londres en 1851, le Palacio de Cristal offre un espace lumineux à diverses manifestations culturelles.

Monument à Alphonse XII (1901) bordant le lac du Parque del Retiro

Le Museo del Prado ㉑

Installé dans un édifice néo-classique dessiné en 1785 par Juan de Villanueva à la demande de Charles III, l'ancien musée royal de Peinture et de Sculpture, inauguré en 1819, possède la plus importante collection du monde de peintures espagnoles du XIIᵉ au XIXᵉ siècle. Elle est particulièrement riche en tableaux de Velázquez et de Goya. Les écoles étrangères, notamment italienne et flamande, sont également très bien représentées. Deux nouveaux bâtiments ont été construits pour accueillir les expositions temporaires et devraient ouvrir au printemps 2006.

★ La collection Velázquez
Le Triomphe de Bacchus (1629) fut le premier tableau à thème mythologique de Velázquez. On y voit Bacchus au milieu d'ivrognes.

Les Trois Grâces
*(v. 1635)
Le maître flamand Rubens conserva dans sa collection personnelle ce tableau, l'un de ses derniers, représentant les trois filles de Zeus déesses de l'art de plaire : Aglaé, Thalie et Euphrosyne.*

Le Martyre de saint Philippe
(v. 1639) Né à Valence, José de Ribera séjourna longtemps à Naples où les violents contrastes entre ombre et lumière du Caravage influencèrent son travail.

À NE PAS MANQUER
★ Collection Velázquez
★ Collection Goya

Le Jardin des délices
*(v. 1505)
Le Prado possède plusieurs œuvres de Jérôme Bosch, l'un des peintres favoris de Philippe II, notamment cette représentation du paradis et de l'enfer.*

 Le vaste parc du Retiro, ancien jardin du palais de Philippe IV

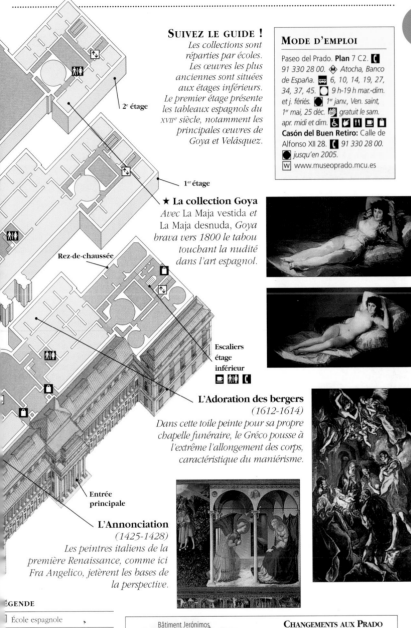

SUIVEZ LE GUIDE !

Les collections sont réparties par écoles. Les œuvres les plus anciennes sont situées aux étages inférieurs. Le premier étage présente les tableaux espagnols du XVIIᵉ siècle, notamment les principales œuvres de Goya et Velásquez.

2ᵉ étage

1ᵉʳ étage

MODE D'EMPLOI

Paseo del Prado. **Plan** 7 C2. 91 330 28 00. Atocha, Banco de España. 6, 10, 14, 19, 27, 34, 37, 45. 9 h-19 h mar.-dim. et j. fériés. 1ᵉʳ janv, Ven. saint, 1ᵉʳ mai, 25 déc. gratuit le sam. apr. midi et dim. **Casón del Buen Retiro:** Calle de Alfonso XII 28. 91 330 28 00. jusqu'en 2005. www.museoprado.mcu.es

★ La collection Goya

Avec La Maja vestida *et* La Maja desnuda, *Goya brava vers 1800 le tabou touchant la nudité dans l'art espagnol.*

Rez-de-chaussée

Escaliers étage inférieur

L'Adoration des bergers
(1612-1614)

Dans cette toile peinte pour sa propre chapelle funéraire, le Gréco pousse à l'extrême l'allongement des corps, caractéristique du maniérisme.

Entrée principale

L'Annonciation
(1425-1428)

Les peintres italiens de la première Renaissance, comme ici Fra Angelico, jetèrent les bases de la perspective.

LÉGENDE

École espagnole
Écoles flamande et hollandaise
École italienne
École française
École allemande
École anglaise
Sculpture
Expositions temporaires
Circulations et services

Bâtiment Jerónimos

Passage souterrain

Bâtiment Villanueva

CALLE DE MORETO

Casón del Buen Retiro

CALLE DE FELIPE IV

Salón de Reinos

PASEO DEL PRADO

CHANGEMENTS AUX PRADO

Un passage souterrain en verre et en acier devrait relier le bâtiment Jerónimos au bâtiment Villanueva, en proposant un café, un restaurant, un magasin, un auditorium et une consigne. Le Salón de Reinos devrait être lui aussi prochainement affecté au musée.

Bâtiments du musée

Ouverture prévue en 2009

À la découverte des collections du Prado

Les rois d'Espagne réunirent la collection de peintures du Prado, l'une des plus riches du monde, et les parts qu'y tiennent les écoles étrangères reflètent l'histoire de la couronne espagnole qui régna plusieurs siècles sur la Flandre et le sud de l'Italie. Après l'accession des Bourbons au trône, le XVIIIe siècle fut marqué par l'influence française. Le musée mérite plusieurs visites, mais si vous ne pouvez lui en consacrer qu'une, commencez par la peinture espagnole du XVIIe siècle.

Saturne dévorant l'un de ses enfants (1820-1823) par Goya

L'Intronisation de saint Dominique de Silos (1474-1477) par Bermejo

ÉCOLE ESPAGNOLE

Jusqu'au XIXe siècle, où Goya (1746-1828) ouvrit la voie à l'art moderne en se lançant dans l'exploration des mystères de l'inconscient, la peinture espagnole s'attacha surtout aux thèmes religieux et à la représentation de la cour royale.

L'époque médiévale est comparativement peu représentée au Prado ; le musée possède néanmoins des pièces remarquables comme les peintures murales romanes de l'ermitage de Sainte-Croix de Maderuelo. Les œuvres gothiques d'artistes tels que Bartolomé Bermejo et Fernando Gallego témoignent de l'influence des maîtres flamands au XVe siècle.

Les premiers apports de la Renaissance apparaissent principalement dans les compositions de Pedro de Berruguete dont l'*Auto-da-fé* est à la fois inquiétant et plein de vie. *Sainte Catherine* par Fernando Yáñez de la Almedina, qui se forma en Italie, montre l'influence de Léonard de Vinci.

Ce qui est souvent considéré comme un style véritablement espagnol, mariant sens du tragique et représentation très travaillée des émotions, commença à émerger au XVIe siècle dans la peinture des maniéristes. L'âpre *Descente de Croix* de Pedro Machuca et les *Vierges* de Luis de Morales en offrent un bon exemple. Plus connu sous le nom du Greco *(p. 139),* Dhomínikos Theotokópoulos accentua encore dans ses œuvres l'allongement des silhouettes qui marque les personnages de Morales. Maints de ses chefs-d'œuvre sont restés à Tolède *(p. 136),* sa ville d'adoption, mais le Prado présente un bel ensemble de tableaux, dont *Le Chevalier à la main sur la poitrine.*

L'art espagnol se montra particulièrement productif pendant le Siècle d'or *(p. 15).* José de Ribera, qui travailla à Naples, suivit l'exemple du Caravage dans l'utilisation de violents contrastes entre ombre et lumière. Francisco Ribalta, auteur du *Christ embrassant saint Bernard,* fut également un maître de cette école « ténébriste ». La collection comprend aussi plusieurs toiles de Zurbarán qui s'illustra dans la nature morte et les portraits de moines et de saints.

C'est toutefois Diego de Velázquez qui domine cette époque. Son génie s'exprime aussi bien dans les portraits que dans les scènes religieuses ou mythologiques. Le Prado possède un grand nombre de ses toiles, dont le chef-d'œuvre *Les Ménines (p. 27).*

À partir de la fin du XVIIIe siècle, Goya marque un tournant dans l'art espagnol. Peintre de cour, il devient aussi le chroniqueur des souffrances du peuple dans des tableaux comme *Le 3 Mai 1808 (p. 16),* et celui des hantises de l'âme humaine dans les peintures noires, exécutées à la fin de sa vie.

Nature morte (v. 1658-1664) par Francisco de Zurbarán

CASÓN DEL BUEN RETIRO

Le Prado possède une annexe, installée sur la colline derrière le musée, dans un ancien pavillon du Palacio del Buen Retiro *(p. 77)*. Elle présente des œuvres de la fin XIXe siècle et du début du XXe, notamment des tableaux historiques et des peintures néo-classiques et romantiques. Toutefois la Casón del Buen Retiro est actuellement en réaménagement et ne devrait pas rouvrir avant 2004.

Enfants sur la plage (1910) par Joaquín Sorolla

ÉCOLES FLAMANDE ET HOLLANDAISE

Les rapports étroits qu'entretint l'Espagne des Habsbourg avec les Pays-Bas conduisirent naturellement à une profonde admiration pour les primitifs flamands dont le Prado possède des peintures exceptionnelles. Robert Campin témoigne du souci du détail dans sa *Sainte Barbe*, et *La Déposition* de Rogier Van der Weyden est incontestablement un chef-d'œuvre. Philippe II collectionna les étranges compositions de Jérôme Bosch et le musée présente plusieurs de ses créations majeures comme *La Tentation de saint Antoine* et *La Charrette de foin*. Parmi les tableaux du XVIe siècle figure le superbe *Triomphe de la Mort* par Bruegel l'Ancien. Rubens est représenté par près de 100 toiles dont l'*Adoration des Mages*. Du Hollandais Rembrandt, on peut admirer *Artémise* et un autoportrait.

David vainqueur de Goliath (v. 1600) du Caravage

ÉCOLE ITALIENNE

Le Prado possède une magnifique collection de peintures italiennes. Elle comprend des œuvres de maîtres de la Renaissance comme Raphaël, représenté entre autres par la *Sainte Famille à l'agneau*, et Botticelli qui illustra dans les trois panneaux de l'*Histoire de Nastagio degli Honesti* un conte de Boccace dont le héros se voit condamné à pourchasser à jamais sa bien-aimée pour la tuer. Les artistes vénitiens jouirent d'une grande estime auprès des souverains espagnols, en particulier Titien, qui exécuta le portrait de l'*Empereur Charles Quint* à Mühlberg, le Tintoret, auteur du magnifique *Lavement des pieds*, Véronèse (*Moïse sauvé des eaux*) et Tiepolo, figure marquante du baroque. À remarquer également, des tableaux du Caravage et de Luca Giordano.

ÉCOLE FRANÇAISE

Les unions entre les dynasties françaises et espagnoles au XVIIe siècle, qui conduisirent à l'accession au trône d'un Bourbon en 1700, ouvrirent l'Espagne à l'art français. La collection du Prado possède ainsi 8 œuvres attribuées à Poussin, dont le *Parnasse* et un *Paysage avec saint Jérôme*. *L'Embarquement de sainte Paule Romaine à Ostie* est le plus beau des tableaux de Claude Lorrain exposés. Parmi les peintres du XVIIIe siècle représentés figurent Watteau et le portraitiste précieux Louis Michel Van Loo.

ÉCOLE ALLEMANDE

Assez pauvre, la collection de peinture allemande inclut néanmoins plusieurs tableaux de Dürer dont un remarquable *Autoportrait*, des œuvres de Cranach l'Ancien et des portraits, notamment celui de Charles III, par l'artiste du XVIIIe siècle Anton Raffael Mengs.

Déposition (v. 1430) par Rogier Van der Weyden

Real Jardín Botánico 26

Plaza de Murillo 2. **Plan** 8 D4.
📞 *91 420 30 17.* Ⓜ *Atocha.*
⏰ *de 10 h au crépuscule.* 🅿️ ♿
🌐 *www.rjb.csic*

Au sud du Prado, le Jardin botanique royal commandé par Charles III (*p. 21*) et créé en 1781 par le botaniste Gómez Ortega et l'architecte Juan de Villanueva offre un lieu agréable où se reposer après une visite du musée. Des espèces végétales d'une grande variété voisinent dans ses parterres au tracé rigoureux. Elles témoignent de l'intérêt manifesté en Espagne à l'époque des Lumières pour les plantes originaires des colonies d'Amérique du Sud et des Philippines.

Statue du roi Bourbon Charles III, Real Jardín Botánico

Ministerio de Agricultura 27

Paseo de la Infanta Isabel 1. **Plan** 8 D5. 📞 *91 347 53 48.* Ⓜ *Atocha.* ⏰ *sur r.-v.* 🌐 *www.mapya.es*

Cet imposant édifice commandé pour abriter le siège du ministère du Développement, organisme créé pour apporter un soutien à la croissance économique, industrielle et scientifique de l'Espagne à la fin du XIXᵉ siècle, est aujourd'hui occupé par le ministère de l'Agriculture, et sert souvent de cible aux paysans et aux producteurs d'huile d'olive.

Imposante façade du Ministerio de Agricultura

Construit entre 1884 et 1886 par Ricardo Vezlázquez Bosco, à qui l'on doit également le Palacio de Velázquez du Parque del Retiro (*p. 77*), le bâtiment associe des éléments néo-classiques et romantiques. L'artiste Ignacio Zuloaga participa à sa décoration.

Des parements de brique et des carreaux vernissés animent les espaces entre les colonnes corinthiennes monumentales qui soutiennent un fronton sculpté aux armoiries de l'Espagne. Agustín Querol dessina les statues allégoriques qui dominent la façade. Les trois figures centrales représentent la Gloire accordant des lauriers à la Science et à l'Art. Deux effigies de Pégase, symbole de l'inspiration poétique, l'encadrent. Les sculptures étaient à l'origine en marbre mais la pierre se détériora et on dut les remplacer par des répliques en bronze.

Observatorio Astronómico 28

Calle de Alfonso XII 3. **Plan** 8 E5.
📞 *91 527 01 07.* Ⓜ *Atocha.*
⏰ *10 h-14 h lun.-ven.* ⬤ *j. fériés.* ⬤ *sur r.-v. (fax 91 527 1935.)* 🌐 *www.oan.es*

Il n'existait en Europe que trois observatoires, à Londres, Paris et Berlin, lors de l'inauguration en 1790 de celui de Madrid. Dessiné par Juan de Villanueva dans le style néo-classique, il possède

une coupole soutenue par une colonnade.

La salle ouverte au public abrite des instruments d'observation astronomique des XVIIIᵉ et XIXᵉ siècles, et un pendule de Foucault moderne. Une visite organisée une fois par mois, selon les conditions climatiques, permet en outre de découvrir les plus gros télescopes et une collection d'horloges anglaises, ainsi que de regarder à travers une lunette fabriquée en 1790 par sir Frederick William Herschel, le savant qui repéra la planète Uranus en 1780.

Colonade coiffée d'une coupole de l'Observatorio Astronómico

Museo Nacional de Antropología 29

Calle de Alfonso XII 68. **Plan** 8 D5.
📞 *91 530 64 18.* Ⓜ *Atocha.*
⏰ *9 h 30-19 h 30 mar.-sam. ; 10 h-14 h dim.* ⬤ *j. fériés.* 🅿️ *(gratuit sam.et dim.)* 🎫 *réserver 15 jours à l'avance.*
🌐 *www.mcu.es/nmuseos/antropologia*

L'ancien Museo Nacional de Etnología occupe un édifice dessiné par Francisco de Cubas, inauguré en 1875. Distribuées autour d'un grand hall central, ses collections anthropologiques réunissent des objets provenant des cinq continents.

L'exposition du rez-de-chaussée accorde une large place aux Philippines et comprend une pirogue de 10 m de long, creusée dans un unique tronc. Elle se trouvait jadis au Palacio de Velázquez (*p. 77*). On peut aussi voir des crânes déformés du Pérou et des Philippines, une momie guanche de Tenerife et le squelette de Don Agustín Luengo y Capilla, géant de 2,35 m qui vécut en Estrémadure à la fin du XIXe siècle et mourut à l'âge de 26 ans.

Le premier étage consacré à l'Afrique renferme, outre des vêtements, des armes, des bijoux, des outils et des céramiques, la reproduction d'une hutte rituelle bubi de Guinée-Équatoriale. Elle servait aux réunions avec le *boeloelo* (guérisseur).

La section américaine du deuxième étage illustre les modes de vie de plusieurs tribus indiennes.

Estación de Atocha ❸⓪

Plaza del Emperador Carlos V. **Plan** 8 D5. 📞 *90 224 02 02.* Ⓜ *Atocha RENFE.* ⏰ *5 h 30-minuit t.l.j.* ♿

La première ligne de chemin de fer d'Espagne, reliant Madrid à Aranjuez, fut inaugurée en 1846. Elle partait de la gare d'Atocha qu'un nouvel édifice remplaça en 1891. La partie la plus ancienne de la gare, l'une des premières grandes structures d'acier et de verre construites à Madrid, abrite désormais une palmeraie. À côté se

Entrée de la gare d'Atocha, construite en 1891

trouve le terminus des trains à grande vitesse (AVE) reliant la capitale espagnole à Cordoue, Séville *(p. 196)*, Saragosse, Lleida et jusqu'à Barcelone et la France en 2006.

Palacio de Fernán Núñez ❸①

Calle de Santa Isabel 44. **Plan** 7 B4. 📞 *91 527 18 12.* Ⓜ *Atocha.* ⏰ *sur r.-v.* 🎥 🚫

Également connu sous le nom de Palacio de Cervellón, ce bâtiment possède une façade qui ne révèle rien de la richesse de sa décoration intérieure. Construit en 1847 pour le duc

et la duchesse de Fernán Núñez, il resta la résidence familiale jusqu'en 1936. Réquisitionné par la milice républicaine pendant la guerre civile *(p. 18)*, il servit d'abri. Une organisation de jeunesse socialiste occupait l'étage. Quand les Fernán Núñez le récupérèrent, ils découvrirent qu'aucun de ses trésors n'avait été pillé.

Le palais devint en 1941 la propriété de la Société des chemins de fer espagnols, dont la fondation profite de ce cadre somptueux pour organiser des expositions.

L'aménagement intérieur se fit en deux temps, et les vastes et sobres pièces de la partie la plus ancienne, meublée d'intéressants tapis de la Real Fábrica de Tapices *(p. 112)*, d'antiquités, de vieilles pendules et de copies de tableaux de Goya, offrent un contraste vif avec l'exubérante décoration rococo de la section la plus récente, souvent utilisée pour des réceptions officielles. La salle de bal est particulièrement spectaculaire avec ses dorures, son immense lustre, ses miroirs et ses chérubins se détachant en haut relief.

Près du palais, le Convento Santa Isabel, fondé en 1595 par Philippe II, possède une coupole octogonale.

L'opulente salle de bal rococo du Palacio de Fernán Núñez

Le Centro de Arte Reina Sofía ㉜

L'ancien hôpital général de Madrid, entrepris en 1758, abrite ce musée d'art moderne inauguré en 1986. Les deux ascenseurs extérieurs en verre furent installés en 1990 quand le musée obtint le statut de musée national. Outre le *Guernica* de Picasso, la collection permanente comprend également des œuvres marquantes des grands courants de l'art du XXᵉ siècle, par des artistes tels que Miró, Dalí ou Tàpies. De nouveaux aménagements, dessinés par Jean Nouvel, devraient être achevés fin 2005.

Portrait II *(1938)*
Joan Miró peignit cette grande toile plus de dix ans après la fin de sa période véritablement surréaliste.

★ **Femme en bleu** *(1901)*
Picasso renia ce tableau n'ayant remporté qu'une mention honorable dans un concours national. L'État espagnol le retrouva et l'acquit des dizaines d'années plus tard.

Guernica

Paysage à Cadaqués
Né à Figueras en Catalogne, Salvador Dalí séjourna fréquemment à Cadaqués, sur la Costa Brava. Il peignit ce paysage au cours de l'été 1923.

2ᵉ étage

Accident
Ponce de León peignit ce tableau prémonitoire en 1936, année où il mourut dans un accident de voiture.

À NE PAS MANQUER

★ ***Femme en bleu* par Picasso**

★ ***La Tertulia del Café de Pombo* par Solana**

★ ***Guernica* par Picasso**

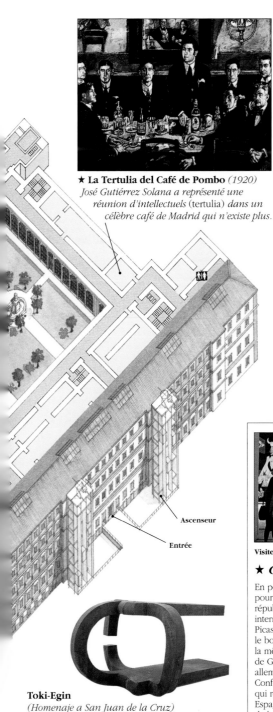

★ **La Tertulia del Café de Pombo** *(1920)*
José Gutiérrez Solana a représenté une réunion d'intellectuels (tertulia) *dans un célèbre café de Madrid qui n'existe plus.*

Ascenseur

Entrée

Toki-Egin
(Homenaje a San Juan de la Cruz)
Les œuvres abstraites du Basque Eduardo Chillida utilisent le bois, le fer et l'acier, symboles de force.

MODE D'EMPLOI

Calle Santa Isabel 52. **Plan** 7 C5.
🕿 *91 467 50 62.* 🚇 *Atocha.* 🚌
6, 14, 18, 19, 27, 45, 55, 68. 🕐 *10 h-21 h lun. et mer.-sam., 10 h-14 h 30 dim.* ⬤ *1ᵉʳ janv., 24, 25, 31 déc. et j. fériés.* 🎟 *sauf sam. apr. midi et dim.* 🚫 ♿ 🎥 🍴 🛍 🎁 🅿
Ⓦ *www.museoreinasofia.mcu.es*

SUIVEZ LE GUIDE !

Organisé autour d'une cour intérieure, le musée présente sa collection permanente aux 2ᵉ, 3ᵉ et 4ᵉ étages. Vouée à l'art du xxᵉ siècle, l'exposition chronologique commence au 2ᵉ étage. Le 3ᵉ étage présente des œuvres des années 1930 à 1960 et le 4ᵉ étage la période contemporaine. Des salles sont consacrées à des artistes marquants tels que Dalí, Miró et Picasso.

LÉGENDE DU PLAN

☐ Espace d'exposition

☐ Circulations et services

Visiteurs admirant *Guernica*

★ *GUERNICA* DE PICASSO

En peignant cet immense tableau pour le pavillon du gouvernement républicain espagnol de l'Exposition internationale de Paris de 1937, Picasso exprima toute sa révolte après le bombardement meurtrier, perpétré la même année sur la ville basque de Guernika-Lumo, par les pilotes allemands au service des nationalistes. Conformément aux vœux de l'artiste, qui refusait qu'elle fût rapatriée en Espagne avant le rétablissement de la démocratie, l'œuvre resta au musée d'Art moderne de New York jusqu'en 1981.

Découvrir le Centro de Arte Reina Sofía

Le xxᵉ siècle fut sans conteste la période la plus brillante de l'histoire de l'art espagnol depuis le Siècle d'or, et le centre d'art Reine Sophie propose un fascinant aperçu des mouvements qui se développèrent alors, depuis le modernisme catalan du tournant du siècle jusqu'aux tendances les plus contemporaines. La localisation des œuvres décrites ci-dessous est toutefois susceptible d'avoir changée à la publication de ce guide, en raison du réaménagement complet qui devrait être achevé en 2004.

Guitarra ante el mar par Juan Gris (1925)

LES DÉBUTS DE L'ART MODERNE ESPAGNOL

Au début du xxᵉ siècle, l'Espagne a deux principaux pôles culturels : la Catalogne et le Pays basque, où la bourgeoisie offre un débouché à des artistes tels qu'Ignacio Zuloaga, Hermenegildo Anglada-Camarasa et Isidro Nonell exposés à côté de María Blanchard, une amie intime du cubiste Juan Gris et l'une des rares femmes représentées dans la collection. À Madrid, un peintre sort du lot à cette époque : Gutiérrez Solana. Puisant aux racines de la tradition picturale espagnole jusqu'à Goya, il invente une forme très personnelle d'expressionnisme, prenant souvent pour sujet les fêtes et la vie quotidienne des habitants de la ville. La salle qui lui est consacrée abrite quelques œuvres majeures comme *La Tertulia del Café de Pombo* (1920) et *Procésion de la Muerte* (1930).

Les tableaux et les sculptures de María Blanchard, Sonia Delaunay et Jacques Lipchitz offrent une bonne introduction au travail de Juan Gris. Après avoir commencé sa carrière dans l'illustration graphique, il s'installe à Paris en 1906 où il développe sa propre déclinaison du cubisme sous l'influence de Picasso avec des tableaux tels que *Portrait de Josette* (1916) et *Guitarra ante el mar* (1925). Figure de premier plan de la sculpture espagnole d'avant-garde, Pablo Gargallo, travailla dans ses œuvres métalliques sur le jeu entre vides et surfaces courbes. Les pièces de la salle 6 datent de l'entre-deux-guerres et offrent une bonne illustration de sa démarche, notamment *Masque de Greta Garbo à la mèche* (1930) et *El Gran profeta* (1933).

Grand Prophète de Pablo Gargallo (1933)

PABLO PICASSO

L'exposition des œuvres survole cinquante ans de la vie de l'artiste probablement le plus important du xxᵉ siècle. Né en 1881 à Málaga, Pablo Picasso passa ses années de formation à Barcelone où il subit l'influence du symbolisme, comme en témoigne *Femme en bleu* (1901), l'un des premiers tableaux de sa période dite bleue. L'œuvre la plus célèbre reste néanmoins *Guernica*, peinte en 1937 pour le pavillon espagnol de l'Exposition internationale de Paris en réaction au bombardement, par une escadrille allemande alliée aux nationalistes, de la ville de Gernika-Lumo. Malgré son sujet, aucune arme ou avion n'apparaît ni sur la toile ni dans les esquisses préparatoires exposées à côté. Elle tire en fait toute sa force d'expression de motifs, tels que le cheval et le taureau, qui hantaient déjà l'imaginaire de Picasso dans des œuvres antérieures comme *Minotauramachie* (1935), gravure offrant un brutal éclairage de ses obsessions. Des sculptures telles que *La Femme au jardin* (1929-1930) et *L'Homme au mouton* (1943) permettent d'apprécier une autre facette de son immense talent.

JULIO GONZÁLEZ

Contemporain et ami de Pablo Gargallo et de Picasso, Julio González est considéré comme le père de la sculpture moderne

Minotauromachie de Pablo Picasso (1935)

espagnole. Né à Barcelone, il s'installe à Paris au début du siècle. Une période de doute l'éloigne de la création artistique, et c'est aux usines Renault qu'il apprend la soudure. Elle jouera un rôle essentiel dans son œuvre exécutée en majeure partie en fer. Il se sert de ce matériau jusqu'ici considéré comme hors du champ de l'art pour créer des formes où l'espace joue un rôle essentiel. Outre un autoportrait humoristique, *Tête dite « Lapin »*, la

Muchacha en la ventana de Salvador Dalí (1925)

salle qui lui est consacrée abrite des sculptures de sa période la plus mûre.

MIRÓ, DALÍ ET LES SURRÉALISTES

Né à Barcelone en 1893, Juan Miró fréquente le mouvement surréaliste après s'être établi à Paris en 1920, et il utilise notamment la technique de la peinture automatique. Les influences de cette période restent sensibles dans les toiles comme *Portrait II* (1939). Salvador Dalí fréquente également les surréalistes, en particulier Luis Buñuel à qui est consacrée une salle. Ils réalisent ensemble *Un chien andalou* en 1929, un film de 17 minutes qui fera sensation parmi les surréalistes. La palette de Dalí est d'une extrême variété et la salle 10 abrite aussi bien des toiles d'influence cubiste que d'un tableau réaliste comme *Muchacha en la ventana* (1925) ou *El Gran masturbator* (1929), exemple des recherches du peintre dans l'expression des ressorts de l'inconscient. Ces recherches le conduiront à développer une technique personnelle d'investigation de l'irrationnel, la « méthode paranoïaque-critique », pour accéder par le délire à ses désirs les plus refoulés.

L'exposition met de surcroît en parallèle les œuvres de surréalistes espagnols tels

qu'Oscar Dominguez et Benjamin Palencia (*Toros*, 1933) avec celles d'importants représentants étrangers de ce mouvement tels que l'Allemand Max Ernst, le Belge René Magritte ou le Français Yves Tanguy.

Toros de Benjamin Palencia (1933)

L'ÉCOLE DE PARIS

L'histoire mouvementée de l'Espagne au XXᵉ siècle *(p. 18-19)* a provoqué l'émigration de beaucoup de ses plus grands créateurs, tels Picasso, Dalí, Juan Gris et Miró. Tous passèrent par Paris, la capitale occidentale de l'art au début du siècle, et certains y vécurent plusieurs années. La Ville Lumière attira aussi des artistes d'autres horizons, de l'Europe de l'Est à l'Amérique, comme l'Allemand Hans Hartung et le Russe Nicolas de Staël. Tous ces artistes firent partie de l'« école de Paris » et on constate les influences mutuelles à

l'intérieur de ce groupe, en perpétuel renouvellement, d'artistes d'origines très variées. Elle permet aussi de découvrir le travail d'un large éventail de peintres peu connus tels que Daniel Vázquez Díaz et Francisco Bores..

L'APRÈS-GUERRE

Le musée abrite également la collection d'art contemporain, de la fin de la guerre civile (1936-1939) à aujourd'hui.

Le régime franquiste imposa une sévère censure et les créateurs espagnols, évoluant dans un environnement difficile, eurent tendance à se soutenir au sein de groupes tels que Dau al Set, proche du surréalisme, ou Pórtico, influencé par les abstraits de l'école de Paris. El Paso et Grupo 57 comptèrent parmi leurs membres des figures majeures tels qu'Antonio Saura, dont *Grito n° 7* (1959) offre un bon exemple de l'expression rageuse. Parmi les œuvres du Basque Eduardo Chillida, certaines sont en fer forgé.

Antoni Tàpies est sans doute le plus célèbre artiste espagnol vivant. Il est en particulier connu pour ses recherches sur la matière qui le rapprochent de l'Arte povera et lui permettent d'explorer la magie des objets quotidiens.

Les œuvres plus récentes de l'Equipo Crónica, de Luis Gordillo et d'Eduardo Arroyo, comme *Toute la ville en parle* (1982), illustrent la période de transition qui commença avant même le décès du dictateur en 1975.

Toute la ville en parle par Eduardo Arroyo (1982)

Autour de La Castellana

L'axe principal du Madrid moderne, le paseo de la Castellana, permet de découvrir la ville dans sa dimension de grande capitale commerciale et administrative européenne. Au XIXᵉ siècle, l'aristocratie madrilène se fit édifier le long de l'artère, au nord de la plaza de Colón, d'élégants hôtels particuliers. On peut en apprécier le luxe dans l'un des plus beaux musées d'art de Madrid : le Museo Lázaro Galdiano, installé dans l'ancienne demeure du financier José Lázaro Galdiano. La Castellana

Détail de l'Iglesia de Santa Barbara

longe à l'est le barrio de Salamanca, un quartier chic de boutiques et d'immeubles de standing qui porte le nom du marquis et homme d'affaires du XIXᵉ siècle à l'origine de sa création. Au sud-ouest, Chueca et Malasaña possèdent une atmosphère plus populaire.

Dans la partie sud du boulevard, appelée paseo de Recoletos, se trouvent le Museo Arqueológico, fondé en 1867 par Isabelle II, et le Café Gijón, un rendez-vous d'intellectuels ouvert au début du XXᵉ siècle.

Les sites d'un coup d'œil

Musées
Fundación Juan March ⑪
Museo Arqueológico Nacional p. 96-97 ⑧
Museo de Cera ⑥
Museo de Escultura al Aire Libre ⑭
Museo Lázaro Galdiano p. 100-101 ⑫
Museo Municipal ⑯
Museo Romántico ⑮
Museo Sorolla ⑬

Église
Iglesia de Santa Bárbara ④

Rues, places et quartiers
Calle de Serrano ⑨
Calle del Almirante ②
Malasaña ⑰
Plaza de Chueca ③
Plaza de Colón ⑦
Salamanca ⑩

Bâtiments historiques
Café Gijón ①
Cuartel del Conde Duque ⑱
Palacio de Liria ⑲
Tribunal Supremo ⑤

COMMENT Y ALLER
Les lignes 1, 4, 5, 6, 8, 9 et 10 du métro desservent le quartier et offrent le moyen le plus pratique d'y circuler. Les bus les plus utiles sont le 5, le 7, le 12, le 13, le 40, le 45 et le 150. Le 27 suit toute La Castellana. Le terminus des bus pour l'aéroport se trouve sous la plaza de Colón.

Légende

▢	Plan pas à pas p. 92-93
Ⓜ	Station de métro
🚏	Arrêt de bus important
P	Parc de stationnement

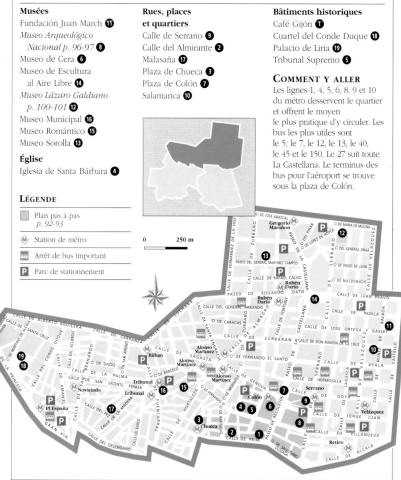

0   250 m

Le paseo de Recoletos pas à pas

Deux rues où abondent des boutiques de mode, la calle de Goya et la calle de Serrano, bordent la plaza de Colón que dominent le Museo Arqueológico Nacional et la Biblioteca Nacional. Au sud de la place commence le paseo de Recoletos où se trouvent le Museo de Cera et le Café Gijón. Entre la calle del Almirante, et la calle de Génova, le Tribunal Supremo occupe un ancien couvent près de l'Iglesia de Santa Bárbara. Le dédale du quartier de Chueca abrite des bars pittoresques.

Iglesia de Santa Bárbara
Ce beau sanctuaire baroque renferme les tombeaux de Ferdinand VI (p. 21) et de son épouse Bárbara de Braganza ❹

Tribunal Supremo
L'ancien couvent et collège attenant à l'Iglesia de Santa Bárbara abrite la Cour suprême espagnole ❺

La calle de Barquillo renferme les meilleurs magasins de Madrid de matériel électronique et de hi-fi.

CALLE SAN LUCAS
CALLE LUIS DE GONGORA
CALLE CONDE DE XIQUENA
CALLE BARBARA
CALLE DE LA LIBERTAD
PLAZA DE CHUECA
CALLE DEL BARQUILLO
CALLE DEL ALMIRANTE
CALLE AUGUSTO FIGUEROA
CALLE DE PRIM
CALLE DEL GENERAL

0   100 m

À NE PAS MANQUER

★ **Museo Arqueológico Nacional**

★ **Plaza de Colón**

Plaza de Chueca
Au cœur d'un quartier très vivant la nuit, la Bodega de Angel Sierra n'a quasiment pas changé depuis sa construction en 1897 ❸

Calle del Almirante
Jadis renommée pour ses vanneries, cette rue bourgeoise est devenue un des hauts lieux de la mode ❷

Museo de Cera
Le musée de Cire représente des personnages historiques ❻

CARTE DE SITUATION
Voir atlas des rues, plan 6.

AUTOUR DE
LA CASTELLANA

VIEUX
MADRID

MADRID DES
BOURBONS

★ **Plaza de Colón**
Sur cette vaste place se dresse un monument à Christophe Colomb ❼

El Espejo a le plus beau décor des bars et restaurants Belle Époque de Madrid.

★ **Museo Arqueológico Nacional**
Le Musée archéologique possède près de 100 000 pièces illustrant la riche histoire de l'Espagne ❽

Calle de Serrano
Les grands noms de la mode tiennent boutique sur cette rue ❾

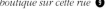

Café Gijón
Des intellectuels se retrouvent toujours pour discuter dans ce café du tournant du siècle ❶

LÉGENDE

– – – Itinéraire conseillé

Café Gijón ❶

Paseo de Recoletos 21. **Plan** 5 C5. 📞
91 521 54 25. Ⓜ *Banco de España.*
🕐 *8 h-1 h 30 dim.-ven., 8 h-2 h sam.
et j. fériés.* ♿

Du début du XXᵉ siècle
jusqu'à la guerre civile,
l'atmosphère des cafés fut un
des grands attraits de Madrid.
Des nombreux établissements
où se retrouvaient les
intellectuels *(p. 74)*, peu ont
survécu en dehors du Café
Gijón. Même si son décor est
original, avec ses colonnes en
fonte couleur crème et ses
tables noires et blanches, il
est surtout renommé pour son
ambiance, et il continue
d'attirer une clientèle animée
de *literati*.

Le Café Gijón

Calle del Almirante ❷

Plan 5 C5. Ⓜ *Banco de España,
Colón et Chueca.*

La rue de l'Amiral, qui court
d'ouest en est entre la calle
Barquillo et le paseo de
Recoletos, fut appelée
pendant une grande partie du
XXᵉ siècle calle de Cesterías
(rue des Vanneries), et ses
boutiques vendant paniers,
fauteuils et autres objets en
rotin avaient une telle
renommée qu'elles reçurent la
visite des épouses de Winston
Churchill et du shah d'Iran.
Une seule de ces enseignes a
subsisté jusqu'à aujourd'hui,
celle d'Antonio del Pozo
fondée en 1891.
   La rue abritait aussi plusieurs
tavernes où se retrouvaient les
habitants du quartier et, après
la mort de Franco en 1975,

elle acquit une certaine
notoriété lorsque deux bars
gays ouvrirent et que des
prostitués se mirent à racoler
ouvertement sur les trottoirs.
Une situation qui fit scandale
dans un quartier alors plutôt
bourgeois. Elle n'empêcha
toutefois pas Jesús del Pozo,
styliste et frère d'Antonio, de
créer à cette époque une
boutique de haute couture à
côté du magasin familial.
L'effervescence culturelle de la
Movida lança, dans les années
80, la mode de ce quartier, et
d'autres magasins de prêt-à-
porter et de décoration
intérieur de luxe ouvrirent
dans la calle del Almirante, qui
a désormais pris le surnom de
« calle de la Moda » (« rue de la
Mode »). Elle attire une
clientèle aisée, travaillant dans
le quartier d'affaires voisin.
   Jesús del Pozo est devenu
célèbre et propose dans ses
salons du premier étage, au
n° 9, des tenues destinées aux
mariages et aux grandes
occasions.
   Mais la calle del Almirante
a aussi conservé quelques
commerces traditionnels.
La famille de Manolo Huerta
tient ainsi la *panadería*
(« boulangerie ») depuis 1910,
et Juan Encinas permet depuis
1972 de se restaurer sur le
pouce de *bocatas* (sandwichs)
à la Cafetería Almirante.
   Les amateurs d'antiquités
et de curiosités anciennes
ne doivent pas manquer
Regalos Originales, installé
au n° 23.

L'élégante calle del Almirante

Sur la plaza de Chueca

Plaza de Chueca ❸

Plan 5 B5. Ⓜ *Chueca.*

Cette place portait à
l'origine le nom de plaza
de San Gregorio, et une statue
de saint Grégoire se dresse
dans la calle San Gregorio à
l'entrée principale de l'hôtel
particulier des marquis de
Minaya. Elle fut rebaptisée en
1943, en hommage à Federico
Chueca (1846-1908), pianiste
et chef d'orchestre qui
composa de nombreuses
zarzuelas (p. 75), dont *Agua,
azucarillos y aguardiente* et,
avec Joaquín Valverde Sanjuán
(1846-1910), *La Gran Vía*.
   Boutiques et bars entourent
la plaza de Chueca, dont la
Bodega de Angel Sierra *(p. 92)*,
une *taberna* typique qui existe
depuis 1897. À l'extérieur, à
l'angle de la calle San Gregorio
et de la calle de
Gravina, un décor
en carrelage de style
andalou fait la
réclame d'apéritifs,
de bières et de vins.
L'intérieur a
conservé son ancien
long comptoir.
   Le dédale des
ruelles des
alentours est un des
hauts lieux de la vie
nocturne madrilène,
apprécié
notamment par la
communauté
homosexuelle de la
ville. Il renferme de
nombreux bars
branchés et des
restaurants chic.

Iglesia de Santa Bárbara ❹

Calle General Castaños 2. **Plan** 5 C5.
Ⓜ *Alonso Martínez, Colón.*
📞 *91 319 48 11.* 🕐 *9 h-13 h,
17 h-21 h lun.-sam., 10 h-13 h,
17 h-21 h j. fériés.*

C'est Bárbara de Braganza,
l'épouse de Ferdinand VI,
qui commanda la construction
de cette belle église baroque,
et elle ne recula devant aucune
dépense. Elle confia le couvent
attenant (aujourd'hui le
Tribunal Supremo) et son
école destinée aux filles de la
noblesse à l'ordre des
Visitandines, fondé en 1610 à
Annecy par saint François de
Sales et sainte Jeanne de
Chantal, et le sanctuaire est
parfois appelé l'Iglesia de las
Salesas Reales.

François Carlier (1707-1760),
dont le père participa à la
création des jardins de La
Granja de San Ildefonso
(p. 127), en dessina les plans.
Commencés en 1750, les
travaux s'achevèrent en 1757
sous la direction du maître
d'œuvre Francisco de
Moradillo qui ajouta les tours
du toit.

Il faut traverser un agréable
jardin aménagé en 1930 pour
atteindre l'entrée principale.
En médaillon central sur la
façade, Doménico Olivieri a
représenté la *Visitation,* visite
de la Vierge enceinte à sa
cousine Élisabeth, la mère de
saint Jean-Baptiste.

Doménico Olivieri se vit
aussi confier l'exubérante
décoration intérieure.
À droite de l'entrée, une
peinture de Corrado
Giaquinto montre saint
François de Sales et sainte
Jeanne de Chantal. Une
Sainte Famille par Francesco
Cignaroni lui fait face.

À droite de la nef centrale
se trouve le tombeau de
Ferdinand VI, œuvre néo-
classique de Francesco
Sabatini, ornée de rangs
d'anges exécutés par
Francisco Gutiérrez. Un
portrait de Francisco Javier et
Santa Bárbara domine l'autel
voisin. Il est dû à Francesca
de Mora, à l'instar de la
Visitación du maître-autel que
décorent des sculptures de

Intérieur baroque de l'Iglesia de Santa Bárbara

San Fernando et Santa
Bárbara. Jerónimo Suñol
exécuta le tombeau du
général O'Donnell, mort en
1867, qui se trouve à gauche à
côté de la *Reddition de Séville,*
une œuvre du Français
Charles Joseph Flipart. Une
chapelle à droite de l'autel
abrite le tombeau de Bárbara
de Braganza.

Tribunal Supremo ❺

Plaza de la Villa de Paris. **Plan** 5 C5.
📞 *91 397 12 00.* Ⓜ *Alonso
Martínez, Colón.* 🕐 *sur r.-v. en
écrivant au Gabinete Técnico, Plaza de
la Villa de Paris, Madrid 28071 ;*
📠 *91 319 4720.*

C onstruit au XVIIIᵉ siècle par
François Carlier pour
abriter le couvent et l'école
de l'Iglesia de Santa Bárbara
voisine, ce majestueux édifice
baroque resta occupé par
des Visitandines jusqu'à
son expropriation par le
gouvernement en 1870.
Il devint alors le Palais de
justice, mais souffrit de
manque d'entretien,
décrépitude aggravée en 1907
et 1915 par des incendies qui
ne touchèrent heureusement
pas l'église attenante. Joaquin

Rojí dirigea entre 1991 et 1995
la restauration qui permit au
bâtiment d'accueillir la Cour
suprême.

Devant le palais s'ouvre la
vaste plaza de la Villa de
Paris, agrémentée par un
jardin et ornée en son centre
de statues de Ferdinand VI et
de son épouse Bárbara de
Braganza. De l'autre côté se
dresse l'immeuble moderne
de l'Audiencía Nacional (cour
d'État). Au n° 12 de la calle
Marqués de Ensenada, un
bâtiment du début du siècle
abrite l'Institut français.

**Statue de Bárbara de Braganza
sur la plaza de la Villa de Paris**

Le Museo Arqueológico Nacional ❽

Copie d'une peinture rupestre dans la réplique de la grotte d'Altamira

Fondé en 1867 par Isabelle II et couvrant une période allant de la préhistoire au XIXe siècle, le Musée archéologique contient des objets mis au jour dans toute l'Espagne, ainsi que des antiquités égyptiennes, grecques et étrusques. Les collections comprennent des objets de la civilisation andalouse d'El Argar (1800-1100 av. J.-C.), des sculptures ibériques, des mosaïques romaines, etc. Devant l'entrée du musée, des marches conduisent à une réplique de la grotte préhistorique d'Altamira en Cantabrie. Certaines galeries devraient être réaménagées en 2006.

★ Couronne wisigothique
Ce bijou du VIIe siècle en or, perles, saphirs et grenats fut découvert à Guarrazar dans la province de Tolède. L'inscription « RECCESVINTHVS REX OFFERET » révèle qu'il fut offert par le roi Recesvinto.

Sous-sol

Arc maure
Cet arc en stuc du XIe siècle, ayant surtout une fonction décorative, ornait l'Aljafería, palais construit par les musulmans à Saragosse.

Peintures et icônes médiévales

Sous-sol — 9, 10, 18, 17, 16, 12, 15, 15, 14, 27, 28, 35, 29, 30, 31, 33, 32

À NE PAS MANQUER

★ **Dama de Baza**

★ **Mosaïque romaine**

★ **Couronne**

Crucifix en ivoire
Ce petit crucifix sculpté en 1063 et offert à la Basilica de San Isidro de León à sa consécration devint la propriété de Ferdinand Ier. Un vide, à l'arrière, permettait d'y loger une relique de la Vraie Croix.

Épée rituelle
*Découverte à
Guadalajara (p. 131),
cette épée de la culture d'El
Argar (XIXᵉ-XIVᵉ siècles
av. J.-C.) date de l'âge
du bronze et
possède une
poignée en or.*

Mode d'emploi

Calle de Serrano 13. **Plan** 6 D5.
📞 91 577 79 12. ⓜ *Serrano,
Retiro.* 🚌 *1, 9, 19, 51, 74.*
🕐 *9 h 30-20 h 30 mar-sam., 9 h
30-14 h 30 dim.* ● *certains
j. fériés.* 🖼 *(gratuit sam. après-
midi et dim.).* ♿ 🅿 📷 ⭕
🔲 www.man.es

Bols en or
*Ces bols à décor martelé de
la fin de l'âge du bronze
(XIIIᵉ-XIᵉ siècles av. J.-C.)
avaient été cachés à
Axtroki au Pays basque,
probablement par un culte
solaire.*

**Rez-de-
chaussée**

★ Mosaïque romaine
*Sur cette mosaïque du IIIᵉ siècle d'une
villa romaine d'Albacete, des
allégories des mois (ici avril)
entourent le monogramme de la
famille qui habitait la demeure.*

★ Dame de Baza
*Trouvée à Grenade,
cette déesse en pierre
du IVᵉ siècle av. J.-C.
comporte à gauche une
niche destinée aux cendres
mortuaires.*

**Entrée
principale**

**Réplique de la
grotte d'Altamira**

Suivez le guide !
*L'exposition suit l'ordre
chronologique à partir du sous-sol,
consacré à la préhistoire et aux premiers colonisateurs.
Le rez-de-chaussée est dédié à la période allant de
l'occupation romaine à l'Espagne mudéjare, mais abrite
aussi des pièces phéniciennes, puniques et médiévales.
Une nouvelle salle au 1ᵉʳ étage présente des objets royaux
du XVIᵉ au XIXᵉ siècle. La reconstitution de la grotte
d'Altamira se trouve dans le jardin devant le musée.*

Légende

☐ Du paléolithique à l'âge de fer

☐ Grèce antique et Étrurie

☐ Ancienne Égypte, Afrique et Orient

☐ Moyen Âge

☐ Rome antique

☐ Art wisigothique, roman
    et mudéjar

☐ Circulations et services

Museo de Cera **6**

Paseo de Recoletos 41. **Plan** 6 D5.
91 319 26 49. Colón. 10 h-
14 h 30, 16 h 30-20 h 30 lun.-ven.,
10 h-20 h sam.-dim. et j. fériés.
www.museoceramadrid.com

Le musée de Cire de
Madrid abrite quelque
450 mannequins de célébrités
espagnoles et étrangères pour
la plupart mises en situation,
tel Miguel de Cervantes,
l'auteur de *Don Quichotte*,
représenté assis à son bureau
devant une peinture de
moulins. Une autre scène
reproduit la célèbre toile de
Goya, *Le 3 Mai 1808*,
dénonçant la répression
exercée par les troupes
napoléoniennes après une
révolte anti-française à Madrid
(p. 16). D'autres tableaux
illustrent la Cène, le retour du
Nouveau Monde de Christophe
Colomb, l'histoire des colonies
espagnoles ou le Far West
américain.

L'époque contemporaine n'est
pas oubliée avec les effigies de
stars du rock, de vedettes de
Hollywood, d'athlètes ou du
pape. Dans une reconstitution
de café, les visiteurs sont invités
à reconnaître des intellectuels
espagnols du passé et
d'aujourd'hui. Certains tableaux
risquent toutefois de choquer
les enfants, tel cet accident de
corrida où la corne du taureau
crève l'œil du torero.

À l'étage, *Multivision* utilise
simultanément 27 projecteurs
pour résumer en une heure
l'histoire de l'Espagne.

**Mannequin en cire de Miguel de
Cervantes au Museo de Cera**

**Monument moderne à Christophe
Colomb, plaza de Colón**

Plaza de Colón **7**

Plan 6 D5. Serrano, Colón.

De hauts immeubles
construits dans les
années 70, à l'emplacement
de demeures du XIXᵉ siècle,
dominent cette vaste
place dédiée à Christophe
Colomb, qui renferme
les Jardines del
Descubrimiento (« jardins
de la Découverte »).

Au sud, un palais
massif édifié en 1892
abrite la Bibliothèque
nationale et le Musée
archéologique. Au terme
du paseo de la Castellana
s'élève le gratte-ciel post-
moderniste de la société
Heron.

Deux monuments
rendent hommage sur la
place au découvreur du
Nouveau Monde. Le plus
esthétique, et le plus
ancien, une flèche néo-
gothique érigée en 1885,
porte au sommet une
statue de Christophe
Colomb le doigt tendu
vers l'ouest. Le
second, moderne, se
compose de quatre
masses de béton
gravées de silhouettes
et de citations
évoquant le voyage
du célèbre
explorateur.

La circulation qui règne en
permanence sur la plaza de
Colón n'en fait apparemment
pas un lieu adapté aux

**Statue de
Colomb, plaza
de Colón**

manifestations culturelles. Son
sous-sol renferme cependant
le Centro Cultural de la Villa
de Madrid qui comprend le
centre municipal d'art, un
théâtre, un café et des salles
d'exposition et de conférence.

Le terminus des bus pour
l'aéroport *(p. 192)* est aussi
situé au sous-sol.

Museo Arqueológico Nacional **8**

Voir pages 96-97.

Calle de Serrano **9**

Plan 8 D1. Serrano.

Portant le nom d'un
politicien du XIXᵉ siècle,
la plus chic des rues
commerçantes de Madrid
relie la plaza del
Independencia à la plaza
del Ecuador et traverse le
quartier cossu de Salamanca.

Installés dans des
immeubles datant
souvent de la fin du
XIXᵉ siècle, de nombreux
magasins de luxe la
bordent.

Certains des stylistes les
plus en vue du pays, tels
Adolfo Domínguez et
Roberto Verino, ont des
boutiques dans sa partie
nord, près du Museo
Lázaro Galdiano
(p. 100-101), tandis
que les Italiens Versace,
Gucci et Armani ont
ouvert des succursales
dans la calle de José
Ortega y Gasset où on
trouve également
Chanel, Calvin Klein
et Escada. Plus bas
dans la calle de
Serrano, sont installés
deux succursales
d'El Corte Inglès
et du styliste et
maroquinier
Lœwe.

Sur une rue parallèle,
la calle de Claudio
Coello, plusieurs
antiquaires proposent des
meubles et des objets d'art,
aux prix en rapport avec
le standing du quartier.

Statue du marquis de Salamanca dans le quartier qu'il fonda

Salamanca ⑩

Plan 6 E3. Ⓜ *Velázquez, Serrano, Núñez de Balboa, Lista, Príncipe de Vergara, Goya, Diego de León.*

Le barrio de Salamanca porte le nom de l'homme d'affaires qui en dirigea l'aménagement en 1862. José « Pepito » Salamanca (1811-1883), marquis de Salamanca, siégea dès l'âge de 23 ans aux Cortes, le Parlement espagnol. Avocat de formation, il fit preuve d'un grand flair aussi bien en politique que dans le domaine financier, et amassa une grande fortune dans des activités aussi diverses que le commerce de sel, les chemins de fer ou la promotion immobilière. Il est aussi le fondateur de la banque de Isabel II, le précurseur de la banque de España (p. 67).

Après l'achèvement en 1958 d'un superbe palais au n° 10 du paseo de Recoletos (aujourd'hui le Banco Hipotecario), le marquis commença à développer en 1862 le terrain qui s'étendait derrière. Le projet prévoyait un quadrillage de rues orientées nord-sud et est-ouest que borderaient immeubles d'appartements, églises, écoles, hôpitaux et théâtres. Salamanca ouvrit aussi les premières lignes de tramway de Madrid pour relier ce nouveau quartier au centre-ville. Une statue lui rend hommage au croisement d'Ortega y Gasset et de Príncipe de Vergara.

Le quartier, où dominent les immeubles d'appartements de six à huit étages, est aujourd'hui l'un des plus chic de la capitale. Il renferme certains des meilleurs magasins et marchés de Madrid, ainsi que de discrets restaurants gastronomiques. Les *pijos* (riches enfants gâtés) leur préfèrent souvent les *cervecerías* et les bars des alentours de la calle de Goya et de la calle de Alcalá.

Construite en 1884, la plus vieille église du quartier, San Andrés de los Flamencos (n° 99 calle de Claudio Coello), abrite désormais la Fundación Carlos de Amberes, un centre culturel qui a pour vocation d'entretenir les liens entre l'Espagne, les Pays-Bas et la Belgique. Derrière l'autel se trouve une peinture de saint André par Rubens. C'est l'Iglesia de la Concepción (n° 26 calle de Goya), que l'on repère à sa flèche en fer portant une statue de la Vierge, qui fait office d'église paroissiale. Au n° 25 de la calle de Hermosilla se dresse un charmant temple protestant dédié à saint Georges.

À l'angle de Velázquez et de Juan Bravo, le Palacio de Amboage néo-classique, bâti en 1918 par Joaquín Roji, est devenu l'ambassade italienne. Ne manquez pas non plus le restaurant Teatriz du n° 15 calle de Hermosilla dont le designer français Philippe Starck a dirigé la décoration intérieure. Les tables occupent la salle d'un ancien théâtre et cinéma. Sur la scène trône un comptoir de bar en onyx.

Sculpture par Chillida, Fundación Juan March

Fundación Juan March ⑪

Calle de Castelló 77. ☎ 91 435 42 40. Ⓜ *Núñez de Balboa.* ⏰ 10 h-14 h, 17 h 30-21 h lun.-sam., 10 h-14 h dim. et j. fériés. ♿ ⓦ www.march.es

Fondée en 1955 grâce à une dotation du financier Juan March, cette institution culturelle et artistique est surtout connue pour ses expositions et ses concerts. Un immeuble en marbre et en verre du barrio de Salamanca abrite son siège depuis 1975. Elle possède aussi le Museo de Arte Abstracto de Cuenca et une galerie d'art moderne espagnol à Palma de Majorque.

Une boutique se trouve au rez-de-chaussée, occupé par le principal espace d'exposition. La collection permanente compte plus de 1 300 œuvres contemporaines espagnoles. Des concerts gratuits ont lieu dans l'auditorium de 400 places aménagé au sous-sol. On peut aussi écouter de la musique contemporaine aux pupitres installés dans la bibliothèque du 2e étage. Il existe également une bibliothèque consacrée au théâtre et aux arts vivants espagnols d'aujourd'hui.

Inaccessible au public, l'Institut Juan March d'étude et de recherches anime l'un des forums mondiaux du plus haut niveau dans le domaine de la biologie.

Sculpture par Barrocol, près de l'entrée de la Fundación Juan March

Le Museo Lázaro Galdiano ⓬

Pour son mariage, en 1903, avec l'héritière argentine Paula Florido, l'homme d'affaires et éditeur José Lázaro Galdiano (1862-1947) fit construire un somptueux hôtel particulier de style néo-Renaissance. Celui-ci abrite toujours environ 5 000 œuvres et objets d'art patiemment réunis par le collectionneur. La collection, léguée à l'État avec la demeure en 1948, couvre une période allant du VIIᵉ siècle av. J.-C. au XXᵉ siècle, et comprend des pièces archéologiques, des objets religieux, des émaux limousins, des ivoires médiévaux, des armures, de l'argenterie, des bijoux et de nombreuses peintures de grands maîtres.

2ᵉ étage

19

15

16

G2

Atrium

7

14

13

1ᵉʳ étage

Portrait d'une dame
Joshua Reynolds peignit ce portrait à la fin du XVIIIᵉ siècle. Le musée possède aussi des œuvres de Constable, Romney et Hopper.

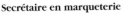

Secrétaire en marqueterie
Les ébénistes d'Augsburg et de Nuremberg du XVIᵉ siècle exportèrent en Espagne beaucoup de meubles très ouvragés comme celui-ci. On sait que Philippe II acheta des secrétaires similaires.

★ Le Sabbat (1798)
Francisco de Goya s'est inspiré pour ce tableau d'une légende de sa province natale, l'Aragon. Il montre deux sœurs qui ont empoisonné leurs enfants pour attirer le diable.

À NE PAS MANQUER

★ **Jarre punique**

★ **Tête de crosse**

★ ***Le Sabbat* par Goya**

SUIVEZ LE GUIDE !
Le rez-de-chaussée abrite des pièces archéologiques, des émaux limousins, des objets religieux des XVᵉ et XVIᵉ siècles, des bijoux et des bronzes français et italiens. Au 1ᵉʳ étage se trouvent les tableaux espagnols, avec une salle consacrée à Goya . Parmi les peintures du 2ᵉ étage figurent des toiles de Jérôme Bosch et du Greco.

Entrée principale

Saint Jean-Baptiste
Au tournant du XVIᵉ siècle, Jérôme Bosch a représenté saint Jean-Baptiste plongé dans la contemplation au sein d'un paysage étrange et d'animaux allégoriques. L'agneau au premier plan symbolise ainsi la vie spirituelle.

MODE D'EMPLOI

Calle Serrano 122. **Plan** 6 E1.
☎ 91 561 60 84. Ⓜ Rubén Darío, Gregorio Marañón.
🚌 9, 12, 16, 19, 51. ⏰ 10 h-16 h30 mer.–lun.
⚫ mar. et j.f. 💶 (gratuit le mer.).
🚫 📷 ♿ 📷
W www.flg.es

Doña Inés de Zúñiga
Juan Carreño de Miranda a peint ce portrait de la comtesse de Monterrey à la fin du XVIIᵉ siècle. Elle porte une imposante robe de mariage espagnole.

Rez-de-chaussée

★ **Tête de crosse**
Fabriqué à Limoges au XIIIᵉ siècle pour orner une crosse d'évêque, ce splendide objet émaillé est décoré de plantes stylisées évoquant l'arbre de vie, et d'un personnage tenant un livre, sans doute saint Matthieu.

★ **Jarre punique**
Ce récipient carthaginois en bronze, à tête de félin, est l'une des plus belles pièces archéologiques de la collection. C'est aussi l'une des plus anciennes : elle date du milieu du VIᵉ siècle av. J.-C.

LÉGENDE DU PLAN

☐ Rez-de-chaussée
☐ Premier étage
☐ Deuxième étage
☐ Circulations et services

Ancienne maison de Joaquín Sorolla devenue un musée

Museo Sorolla ⑬

Paseo del General Martínez Campos 37.
Plan 5 C1. ☎ 91 310 15 84.
🚇 Rubén Darío, Gregorio
Marañón. ⏰ 10 h-15 h mar.-sam.,
10 h-14 h dim. 🎫 sauf dim.
🌐 www.mcu.es/nmuseos/sorolla

Transformée en musée, la
maison où vécut et
travailla l'artiste
valencien Joaquín
Sorolla, édifiée en 1910,
est restée pratiquement
telle qu'elle était à sa
mort en 1923.

Si Sorolla est surtout
connu pour son travail
sur la lumière dans des
scènes de bord de mer
écrasées de soleil (p. 83), les
tableaux exposés au musée
permettent de découvrir
également sa période réaliste et
son talent de portraitiste. La
demeure abrite en outre divers
objets qu'il collectionna durant
sa vie, entre autres des carreaux
et des céramiques. Le peintre
dessina lui-même le jardin de
style andalou qui entoure la
maison, agrémenté de fontaines
et de sculptures.

Museo de Escultura al Aire Libre ⑭

Paseo de la Castellana. **Plan** 6 E2.
🚇 Rubén Darío.

Au début des années 70,
J. Antonio Fernández
Ordóñez et Julio Martínez
Calzón, architectes du pont
de la calle Juan Bravo,
meublèrent l'espace en dessous
de sculptures abstraites
d'artistes espagnols du

xxᵉ siècle. C'est une œuvre du
Basque Eduardo Chillida,
forme de béton suspendue à
quatre barres d'acier, qui
domine le côté situé à
l'est du paseo de la
Castellana. Elle s'intitule
Sirena Varada (« Sirène
échouée ») et date de 1972-
1973. Aux *Toros
Ibéricos* d'Alberto
Sánchez répond un
pingouin par Joan Miró.
Les autres sculpteurs
représentés ici
comprennent Andrés
Alfaro, Julio González,
Rafael Leoz, Mariel
Martí, José María
Subirachs, Francisco
Sobrino, Martín
Chirino et Eusebio Sempere.
Il faut affronter une circulation
toujours intense pour aller
admirer de l'autre côté du
paseo de la Castellana deux
bronzes de Pablo Serrano.

**Toros Ibéricos,
Alberto Sánchez**

Museo Romántico ⑮

Calle de San Mateo 13. **Plan** 5 A4.
☎ 91 448 10 71. 🚇 Tribunal,
Alonso Martínez. ● fermé pour
rénovation jusqu'en 2004/2005.
🌐 www.mcu.es/nmuseos/romantico

Manuel Martín dessina en
1776 cette élégante
demeure néo-classique pour le
marquis de Matallana. Elle fut
transformée en musée en 1924
par le fondateur des paradors
(p. 145), le marquis de la
Vega-Inclán.

Le marquis constitua le
noyau de la collection en
faisant don des peintures,
livres et meubles du xixᵉ siècle

qu'il avait réunis. Racheté par
l'État en 1927, le musée fut
réorganisé pour ressembler à
la maison d'une riche famille
de la période romantique
(milieu du xixᵉ siècle).

L'exposition occupe
20 pièces du 1ᵉʳ étage. Outre de
nombreux objets tels
qu'instruments de musique,
photographies, poupées et
bibelots, elle compte plusieurs
portraits exécutés par de
grands noms de l'époque, dont
celui du *Général Prim* par
Esquivel et *Ferdinand VII* et
Marie-Christine par Salvador
Guttiérrez. Avec
*La Satire d'un suicide
romantique,* Leonardo Alenza
porte un regard plus incisif sur
cette période.

Décorée de tapis provenant
de la Real Fábrica de Tapices
(p. 112), la salle de bal abrite,
sous un plafond peint par
González, un piano Pleyel qui
appartint à Isabelle II (p. 21).

Le musée possède aussi un
bel ensemble de tableaux de
costumbristas – peintres de la
vie quotidienne en Andalousie
et à Madrid. Les amateurs de
peinture espagnole pourront
aussi contempler des tableaux
plus anciens, entre autres le
San Gregorio Magno de Goya
(p. 26).

La salle Mariano José de
Larra est consacrée au grand
écrivain et journaliste satirique
du début du xixᵉ siècle.
Parmi les souvenirs de
ce personnage tourmenté
figure le pistolet de duel avec
lequel il se suicida par dépit
amoureux à l'âge de
vingt-huit ans.

**San Gregorio Magno par Goya,
chapelle du Museo Romántico**

Portail baroque du Museo
Municipal par Pedro de Ribera

Museo Municipal ⓰

Calle de Fuencarral 78. **Plan** 5 A4.
℡ 91 588 86 72. Ⓜ Tribunal.
🕙 9 h 30-20 h mar.-ven., (9 h 30-
14 h, 15 juin-15 sept.) 10 h-14 h
sam.et dim. ● j. fériés. 🦽🖊 sur
demande. 🆆 www.munimadrid.es

Œuvre de Pedro de
Ribera, le majestueux
portail baroque de l'ancien
hospice Saint-Ferdinand, sans
doute le plus beau de Madrid,
justifie à lui seul la visite de
ce musée inauguré en 1929.
    Le sous-sol abrite des
collections archéologiques,
tandis qu'à l'étage de nombreux
documents montrent les
changements radicaux que
connut Madrid au fil des siècles.
Ils comprennent la plus
ancienne carte connue de la
ville, établie en 1656 par Pedro
Texeiro, et une maquette
minutieuse achevée en 1830
par León Gil de Palacio.
    Des témoignages plus
récents sur la vie de la cité
incluent la reconstitution du
bureau de Ramón Gómez de
la Serna, personnage des
réunions littéraires du Café de
Pombo (p. 87). Dans le jardin,
la fontaine de la Renommée,
baroque, est aussi de Ribera.

Malasaña ⓱

Plan 2 E4. Ⓜ Tribunal, Bilbao, San
Bernardo.

Officiellement appelé barrio
de Maravillas
(« quartier des Miracles »)
d'après une église du
XVIIᵉ siècle qui s'y dressait jadis,
le quartier de Malasaña a gardé
beaucoup d'authenticité. Ses
étroites rues pavées

descendent depuis la calle de
Carranza et la calle de
Fuencarral jusqu'à la **plaza des
Dos de Mayos**. La place
occupe l'emplacement
de la caserne de Montéleon
que les Madrilènes défendirent
âprement lors du soulèvement
de 1808 (p. 16). Il ne reste
du bâtiment qu'un arc devant
lequel un monument par
Antonio Solá rend hommage
aux officiers d'artillerie Daoiz
et Velarde.
    Le quartier tomba en
décrépitude dans les
années 40 et 50, mais
ses habitants résistèrent
farouchement à tous les projets
de démolition, et il acquit son
atmosphère bohème dans les
années 60 quand la modicité
des loyers y attira des hippies.
Il devint ensuite, après la mort
de Franco, le pôle
nocturne du
bouillonnement créatif
appelé la Movida (p. 104).
    Des antiquaires et des
jeunes cadres ont
commencé à s'y installer,
mais artistes et écrivains
y vivent toujours.
    La **plaza de San
Ildefonso**, l'une des
nombreuses places que fit
remodeler Joseph
Bonaparte (p. 17),
renferme une jolie
fontaine ornée de
serpents s'enroulant
autour de conques.
Près de l'**Iglesia de San
Ildefonso**, construite
en 1827 dans le style
néo-classique, la crèmerie
Vaquería a peu changé

depuis son ouverture en 1911.
Des vaches encadrent la porte
à l'extérieur et des tableaux
des saisons de style Art déco
ornent l'intérieur.
    Dans la calle de la Puebla,
l'**Iglesia de San Antonio de
los Alemanes** date du
XVIIᵉ siècle. Juan Carreño,
Francisco de Ricci et Luca
Giordano ont paré de fresques
sa nef elliptique. Non loin,
l'**Iglesia de San Placido**, elle
aussi du XVIIᵉ siècle, possède
une coupole peinte par
Francisco Rizzi et des autels
décorés par Claudio Coello.
    Dans l'**Iglesia de San
Martín**, édifiée dans la calle
de San Roque en 1648,
le retable du maître-autel
représente saint Martin
de Tours donnant la moitié de
son manteau à un mendiant.

Maître-autel peint par Claudio Coello,
Iglesia de San Placido à Malasaña

MANUELA MALASAÑA

Fille de Juan Manuel
Malasaña, un artisan qui
s'illustra lors du soulèvement
de 1808, Manuela Malasaña
était une jeune couturière.
Selon la légende, elle fut
exécutée à l'âge de seize ans
par les troupes d'occupation
napoléoniennes qui l'avaient
surprise avec une paire de
ciseaux et accusée de
posséder une arme interdite.
Depuis 1961, une rue parallèle
à la calle de Carranza, entre la
calle de Fuencarral et la calle
de San Bernardo, porte le
nom de cette héroïne locale.

Portail du Cuartel del Conde Duque, dessiné par Ribera

Cuartel del Conde Duque ⓲

Calle del Conde Duque 9-11.
Plan 2 D4. ☏ 91 588 58 61.
Ⓜ Noviciado, San Bernardo.
🕐 sept.-juin : 10 h-14 h, 17 h-21 h mar.-sam., 10 h 30-14 h 30 dim. et j. fériés. ♿ Ⓦ www.munimadrid.es

Ce vaste corps de bâtiments rectangulaire doit son nom à Gaspar de Guzmán (1587-1645), comte-duc d'Olivares, ministre et favori de Philippe IV pendant plus de vingt ans, qui se fit édifier sur le site un immense palais. Celui-ci tomba toutefois peu à peu en ruine après que la noblesse espagnole eut obtenu l'exil d'Olivares en 1643, et la parcelle de terrain finit par être divisée en deux. Sur une partie, Ventura Rodríguez bâtit le Palacio de Liria pour le duc d'Albe, sur l'autre, Pedro de Ribera éleva, entre 1717 et 1730, la caserne de Los Guardias de Corps qu'il dota d'une façade baroque.

La caserne resta en service pendant plus d'un siècle puis tomba à son tour en décrépitude après un incendie en 1869. Le conseil municipal de Madrid décida de restaurer l'édifice en 1969, et il abrite aujourd'hui un poste de police, une bibliothèque et des services municipaux, ainsi qu'un centre culturel comprenant cinq salles d'exposition ainsi que le **Muséo Municipal de Arte Contemporáneo**.

La Movida

Après la mort de Franco en 1975, l'Espagne, et tout particulièrement Madrid, connut avec la liberté retrouvée une période intensément créative. Dans les bars et cafés « branchés », artistes et intellectuels se retrouvaient pour échanger des idées et multiplier les expériences. Rendu célèbre par le succès du réalisateur Pedro Almodóvar, ce mouvement, la *Movida,* n'a plus la même vitalité, mais il a fortement marqué la société espagnole.

Affiche de *Femmes au bord de la crise de nerfs* d'Almodóvar

Ce nouveau musée d'art moderne présente le travail de jeunes artistes espagnols connus ou à découvrir. Le centre organise aussi des festivals de jazz et de flamenco.

Palacio de Liria ⓳

Calle de la Princesa 20. **Plan** 1 C4.
☏ 91 547 53 02. Ⓜ Ventura Rodríguez. 🕐 sur r.-v. un an avant (ⓕⓐⓧ 91 541 03 77).

Après avoir souffert des bombardements nationalistes pendant la guerre civile, l'ancienne résidence de la famille d'Albe, achevée en 1780 par Ventura Rodríguez, a été restaurée et appartient toujours à la duchesse. On ne peut la visiter que sur rendez-vous.

Les pièces ont retrouvé une élégante décoration qui met en valeur la riche collection d'œuvres d'art et de tapisseries flamandes, réunie par la famille au fil des siècles. Elle comprend en particulier des peintures du Greco, de Zurbarán et Velázquez, et le portrait de la duchesse d'Albe peint par Goya en 1795. Les tableaux accrochés aux murs, tendus de soieries, comportent aussi des œuvres de grands maîtres étrangers tels que Titien, Rubens et Rembrandt.

Élégant salon orné de peintures de Goya, Palacio de Liria

Les castizos de Madrid

Le terme *castizo* s'applique aux membres des classes populaires dont les familles habitent depuis des générations les quartiers du vieux Madrid, de Camberí et de Cuatro Caminos. Vers 1850, en pleine période romantique, alors que la bourgeoise était en train de s'approprier l'élan de fierté patriotique qu'avait déclenché la résistance à l'occupation des troupes napoléoniennes, les *castizos* décidèrent de revendiquer leur propre héritage.

Sur un char lors d'une célébration religieuse

Ils donnèrent une nouvelle vie aux fêtes de quartier, fondèrent de nombreuses associations toujours très actives aujourd'hui et, pour affirmer leur identité, réinventèrent des costumes traditionnels. C'est ainsi qu'à toutes les *fiestas* ou *romerías* (pèlerinages) de Madrid, les *manolas* (femmes) arborent fièrement œillets dans les cheveux et longues robes à volant à côté de leurs *chulos* (hommes), aussi appelés *majos* (coquets), portant chemise blanche, gilet et casquette.

Le costume typique de la manola *comporte un foulard arborant au moins un œillet sur le front, une* alfombra *(qui signifie littéralement « tapis »), ou* mantón de Manila, *passé sur les épaules, et une* falda vestida *(robe longue) à volants, couvrant parfois un jupon.*

Œillet dans le foulard

Alfombra aux longues franges

Robe longue (falda vestida)

Parpusa noire et blanche

Barbosa blanche

Alares noirs

La tenue masculine se compose, en argot castizo, *d'une* parpusa *(casquette), d'une* chupa *(veste) et d'*alares *(pantalons) noirs ou à carreaux noirs et blancs que complètent une* barbosa *(chemise) blanche, un* chupín *(gilet) noir, un* safo *(mouchoir blanc), un* peluco *(montre de gousset), un œillet rouge à la boutonnière, des* picantes *(chaussettes) et des* calcos *(chaussures).*

En mai, les castizos *sortent en force pour la fête du Dos de Mayo, puis le 15 pour la procession de la Romería de San Isidro qui part de la Puerta de Toledo pour rejoindre le río Manzanares. Les deux principales* fiestas *suivantes sont celles de San Antonio de la Florida le 13 juin et de la Virgen de Paloma le 15 août. Autres pèlerinages, la Romería de San Blas et la Romería de San Eugenio ont lieu respectivement le 3 février et le 14 novembre.*

EN DEHORS DU CENTRE

Situés à l'écart du centre, d'intéressants musées restent moins connus tels que le Museo de la Ciudad, qui offre un aperçu du développement de la ville illustré par des maquettes d'édifices et de quartiers. Consacré aux anciennes colonies espagnoles, le Museo de América possède de superbes objets d'art précolombien. D'autres bâtiments sont aussi à découvrir en périphérie, depuis le temple égyptien de Debod jusqu'aux gratte-

Mosaïque de Miró au Palacio de Congresos y Exposiciones d'Azca

ciel et immeubles de bureaux du quartier moderne d'Azca, en passant par la Puerta de Toledo, entreprise en 1813 sur ordre de Joseph Bonaparte, ou les arènes néo-mudéjares de la Plaza de Toros de Las Ventas. Si vous souhaitez échapper un moment à la pression urbaine, le vaste espace vert de la Casa de Campo propose à l'ouest du vieux Madrid l'ombre de ses pins, un lac où canoter, un parc d'attractions et un jardin zoologique.

LES SITES D'UN COUP D'ŒIL

Bâtiments historiques
Arco de la Victoria ❷
Estación de Príncipe Pío ⓱
La Corrala ⓫
Puente de Segovia et
 río Manzanares ⓭
Puerta de Toledo ⓬
Real Fábrica de Tapices ❾
Sala del Canal de Isabel II ❸
Templo de Debod ⓰

Église
Ermita de San Antonio de la
 Florida ⓯

Musées
Museo Casa de la Moneda ❽
Museo de América ❶
Museo de Ciencias Naturales ❺
Museo de la Ciudad ❻
Museo Nacional Ferroviario ❿

Quartier, arènes et parc
Azca ❹
Casa de Campo ⓮
Plaza de Toros de Las
 Ventas ❼

0		1 km

LÉGENDE

▢ Principaux quartiers intéressants
▢ Parcs et espaces verts
🚉 Gare ferroviaire
═ Autoroute
═ Route principale
═ Route secondaire

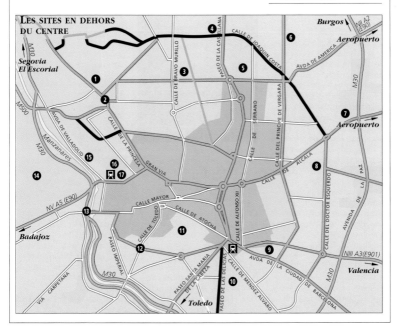

Le Mirador del Faro, près de
la tour du Museo de América

Museo de
América ❶

Avenida de los Reyes Católicos 6.
📞 91 549 26 41. Ⓜ Moncloa.
🕐 10 h-15 h mar.-sam., 10 h-15 h
dim. et j. fériés. ⬤ certains j. fériés
🎫 sauf dim. ♿
🖥 www.mcu.es/nmuseos/america

Situé dans un élégant
bâtiment, ce musée abrite
une collection unique d'objets
liés à la colonisation de
l'Amérique centrale et d'une
partie de l'Amérique du Sud.
Les pièces présentées couvrent
une période allant de la
préhistoire à l'époque actuelle.
Beaucoup arrivèrent en Europe
dans les bagages des premiers
explorateurs du Nouveau
Monde (p. 14), dont les
voyages dans l'Atlantique sont
illustrés par divers documents.

L'exposition comprend des
salles entièrement consacrées à
des thèmes particuliers tels
qu'organisation sociale,
communication et religion. Un
manuscrit maya, illustré de
scènes de la vie quotidienne en
hiéroglyphes, le *Códice Tro-
cortesiano* (1250-1500)
provenant du Mexique,
constitue sans doute le fleuron
de la collection, mais celle-ci
inclut également des ornements
funéraires en or précolombiens,
le trésor des Quimbayas (500-
1000), et des exemples d'art
populaire contemporain.

Arco de
la Victoria ❷

Avenida de la Victoria. **Plan** 1 A1.
Ⓜ Moncloa.

Cet arc de triomphe haut
de 39 m, dominé par un
groupe sculpté en bronze, fut
érigé en 1956 pour célébrer
la victoire des troupes
nationalistes pendant la
guerre civile (p. 18), et le
général Franco passait à
proximité chaque fois qu'il se
rendait à Madrid depuis son
domicile du Palacio de El
Pardo (p. 134). Les
architectes du monument,
Pascual Bravo et Modesto
López Otero, ont aménagé
une salle dans sa partie
supérieure. Elle est fermée
au public mais renferme une
maquette de 25 m² de
l'université voisine et les
plans de l'arc lui-même.

Non loin se dresse le **Faro
de Moncloa**, une tour
d'observation aux lignes
ultramodernes, inaugurée en
1992. Elle mesure 92 m de
hauteur et offre un panorama
exceptionnel de Madrid et de
la sierra de Guadarrama.

Arco de la Victoria

Sala del Canal de
Isabel II ❸

Calle de Santa Engracia 125. 📞 91
545 10 00. Ⓜ Ríos Rosas. 🕐 11 h-14
h, 17 h-20 h 30 mar.-sam., 10 h-14 h
dim. et j. fériés. ⬤ 1ᵉʳ janv. et 25 déc. ♿

Ce château d'eau restauré
accueille des expositions
temporaires de photographie,
mais c'est pour découvrir le
bâtiment que beaucoup de
visiteurs se déplacent.

Sala del Canal de Isabel II,
aujourd'hui lieu d'exposition

À la fin du XIXᵉ siècle,
l'alimentation en eau de
Madrid s'effectuait en majeure
partie selon un shéma
d'approvisionnement appelé
le Canal de Isabel II (p. 21),
entrepris en 1851, nom que
porte également aujourd'hui la
compagnie des eaux
madrilène.

Le premier barrage fut
construit dans la vallée du
Lozoya, à environ 80 km au
nord de la capitale dans la
sierra de Guadarrama, mais il
ne suffit toutefois bientôt plus
et il fallut créer de nouveaux
lacs artificiels pour remplir les
besoins toujours grandissants
de la cité. En 1903, avec le
développement des faubourgs
de Chamberí et Cuatro
Caminos, situés sur des
hauteurs, ces réservoirs se
révélèrent toutefois eux aussi
inadaptés, et l'ingénieur Martín
y Montalvo fut chargé de
construire un château d'eau.

Il dessina une tour d'acier et
de brique obéissant à un plan
au sol hexagonal. Haute de
36 m, elle soutenait un réservoir
de 1 500 m². Sa construction
dura de 1908 à 1911 et coûta
près de 350 000 pesetas. Le
château d'eau resta en service
jusqu'en 1952.

En 1985, le gouvernement
régional de Madrid décida de
restaurer l'édifice en conservant
la citerne. Dans la tour, des
ascenseurs hydrauliques et des
escaliers permettent aujourd'hui
d'atteindre les niveaux
d'exposition. L'un des
principaux réservoirs modernes
du Canal de Isabel II est
toujours enterré à proximité.

Azca ❹

Nuevos Ministerios, Santiago Bernabeú.

Entrepris en 1969, à l'ouest du paseo de la Castellana, pour doter Madrid d'un centre d'affaires situé hors du centre-ville, ce petit Manhattan part du complexe des **Nuevos Ministerios,** au sud, et s'étend jusqu'au **Palacios de Congresos y Exposiciones.** Quelque 30 000 personnes y travaillent aujourd'hui.

Les Madrilènes apprécient aussi ce quartier pour le shopping. El Corte Inglés *(p. 164),* un grand magasin, domine la gare et station de métro Nuevos Ministerios, tandis que le métro Santiago Bernabeú dessert la galerie marchande Moda.

De l'autre côté de la plaza de Lima, l'**Estadio Santiago Bernabeú,** siège du club de football du Real Madrid, date de 1950 mais a connu plusieurs ravalements, en particulier pour la Coupe du monde de 1982.

Azca renferme aussi des hôtels, des cinémas, des restaurants, des bars et des boîtes de nuit. Au centre du quartier, la **plaza Pablo Ruiz Picasso,** piétonne, est aménagée sur plusieurs niveaux agrémentés d'arbres, de bancs et de fontaines. Les voies routières qui courent sous la surface forment un dédale où vous risquez de vous perdre si vous ne savez pas exactement comment atteindre l'endroit où vous comptez vous garer ou ressortir.

Avec ses 46 étages, la **Torre Picasso,** achevée en 1989, est le plus haut immeuble de bureaux de Madrid. Son architecte, Minoru Yamasaki, dessina aussi les tours jumelles du World Trade Center de New York détruite par le terrible attentat du 11 septembre 2001.

Autre édifice marquant, la **Torre Europa,** terminée en 1982 sur des plans de Miguel Oriol e Ybarra, domine la plaza de Lima. Outre 28 étages de bureaux, elle comprend trois niveaux souterrains réservés aux boutiques.

À l'angle sud d'Azca, la **Banque Bilbao Vizcaya,** construite en 1980 par Francisco Javier Sáenz de Oiza, dresse sa façade couleur rouille.

Museo de Ciencias Naturales ❺

Paseo de la Castellana 80. ☎ 91 411 13 28. Ⓜ *Gregorio Marañon, Nuevos Ministerios, Republica Argentina.* ◷ *10 h-18 h mar.-ven., 10 h-20 h sam., 10 h-14 h 30 dim. et j. fériés.* ● *1er janv., 1er mai, 25 déc.* 🎫 ♿ 📷 *sur demande.* Ⓦ *www.mncn.csic.es*

Bâti en 1897, le musée des Sciences naturelles de Madrid renferme, entre autres, 16 400 minéraux, 220 météorites et 30 000 oiseaux et mammifères. L'entrée de gauche mène à la section intitulée « Rythme de

Section consacrée aux origines de la vie du Museo de Ciencas Naturales

la nature ». Elle offre une riche introduction à la zoologie avec des exemples d'animaux rares et exotiques, y compris des oiseaux, des insectes et des papillons. Lions, tigres et cerfs fixent les visiteurs depuis les murs, et lézards, poissons et serpents en bocaux emplissent des rayonnages. Dans une salle, des ordinateurs permettent de découvrir de manière interactive les habitats et les cris de diverses espèces.

Cette partie du musée abrite également une vue en coupe du site archéologique d'Atapuerca, près de Burgos au nord de Madrid, où furent découverts en 1997 les plus anciens fossiles humains d'Europe, vieux de quelque 780 000 ans. Il y a aussi un énorme éléphant africain abattu au Soudan en 1916 par le duc d'Albe, qui expédia la peau en Espagne pour faire naturaliser l'animal.

La section moderne propose des expositions consacrées aux origines de la Terre et de la vie. Elles ont pour fleuron le squelette vieux de 1,8 million d'années d'un *Megatherium americanum,* créature de la fin du cénozoïque évoquant un ours, découvert en Argentine en 1788. Il se trouve à côté d'un glyptodon (tatou géant) provenant lui aussi d'Argentine et d'une reproduction grandeur nature d'un squelette de diplodocus retrouvé au États-Unis.

Le bâtiment renferme également l'École d'ingénieurs industriels. Derrière s'élève le siège du CSIC, un institut scientifique d'État. Devant les entrées du musée, une agréable terrasse de café domine un petit parc.

La Torre Europa, gratte-ciel du quartier d'Azca

Atrium central éclairant les salles du Museo de la Ciudad

Museo de la Ciudad ❻

Calle del Principe de Vergara 140.
[91 588 65 99. ⓜ Cruz del Rayo.
◯ 10 h-14 h, 16 h-18 h (17 h-19 h juil.-août) mar.-ven., 10 h-14 h sam. et dim. ● j. fériés. ♿
Ⓦ www.munimadrid.es

Situé au nord-est de Madrid, le musée de la Ville possède cinq niveaux modernes, autour d'un atrium polygonal que décore une réplique de la *Mariblanca*, la statue de Vénus de la Puerta del Sol *(p. 44)*. Le rez-de-chaussée et le premier étage accueillent des expositions temporaires.

Le deuxième étage décrit les services publics de la capitale. Un sujet intéresse les nombreux écoliers qui visitent le musée : l'alimentation en eau de leur cité depuis les montagnes. Ce niveau renferme également une immense maquette de l'agglomération depuis l'aéroport Barajas jusqu'au terrain d'aviation de Cuatro Ventas.

Au troisième étage, des documents tels que livres et plans, et des maquettes de quartiers anciens, de certains monuments et du Palacio Real *(p. 54-57)* retracent l'histoire de Madrid de la préhistoire aux Bourbons.

Consacré au XIXᵉ et au XXᵉ siècle, le quatrième étage abrite une magnifique maquette de la partie de la ville s'étendant de la plaza de Colón *(p. 94)* à la Torre Europa *(p. 109)*.

Plaza de Toros de Las Ventas ❼

Calle de Alcalá 237. [91 356 22 00.
ⓜ Ventas. ◯ pour les corridas et les concerts. **Museo Taurino** [91 725 18 57. ◯ de mars à oct. : 9 h 30-14 h 30 mar.-ven. et dim. ; nov.-fév. : 9 h 30-14 h 30 lun.-ven. ♿

Quelle que soit votre opinion sur les courses de taureaux, les arènes de Las Ventas font indiscutablement partie des plus belles d'Espagne. Construites en 1929 dans le style néo-mudéjar, elles remplacèrent celles de la Puerta de Alcalá. Elles offrent, avec leurs arcs en fer à cheval et leur parement de brique et d'*azulejos*, un cadre superbe pour assister, entre mai et octobre, à une corrida. Les statues qui ornent l'extérieur commémorent deux matadors renommés : Antonio Bienvenida et José Cubero.

Dans une aile des arènes, le **Museo Taurino** présente une collection de souvenirs comprenant les portraits et sculptures de célèbres toreros, ainsi que les têtes de plusieurs taureaux ayant combattu à Las Ventas. Sa visite permet d'examiner de près banderilles et épées.

Parmi les *traje de luces* (« habits de lumière ») exposés figure celui, taché de sang, que portait le légendaire Manolete lors de la corrida qui lui coûta la vie en 1947. À remarquer également, un costume ayant appartenu à Juanita Cruz, femme matador

des années 30, contrainte à l'exil par les préjugés des Espagnols.

En septembre et octobre, les arènes accueillent des concerts de rock.

Museo Casa de la Moneda ❽

Calle del Doctor Esquerdo 36.
[91 566 65 44. ⓜ O'Donnell.
◯ 10 h-19 h mar.-ven., 10 h-14 h sam. et dim. ● août et j. fériés.
Ⓦ www.fnmt.es/museo

Il faut franchir un détecteur de métaux pour entrer et sortir de la Monnaie espagnole, vaste immeuble de granite où sont également imprimés les timbres-poste. Le musée, situé au nord du bâtiment, retrace l'histoire des supports qu'utilisèrent les hommes pour leurs échanges depuis le sel, les coquillages et les bracelets jusqu'à l'euro.

L'exposition comprend des matrices de billets de banque, des timbres, des médailles et divers documents, mais elle offre surtout de l'intérêt pour les pièces. Des photographies et des cartes complètent les présentoirs de monnaies grecques et romaines. Sur une pièce datant de 78 av. J.-C., l'image de la déesse Cybèle ressemble à la sculpture de la plaza de Cibeles *(p. 67)*. Des pièces frappées par les Wisigoths et les Maures rappellent que ces deux cultures dominèrent chacune un temps la péninsule.

La Plaza de Toros de Las Ventas, splendides arènes de Madrid

La tauromachie

Issue des sacrifices rituels de taureaux pratiqués à l'époque païenne autour de la Méditerranée, et des jeux qui les accompagnaient, la corrida reste, malgré les protestations des défenseurs des animaux, l'un des spectacles préférés des Espagnols, et un élément de leur culture qu'ils considèrent comme fondamental. Elle obéit à des règles fixées au XVIIIᵉ siècle et se déroule en trois phases appelées

Affiche de corrida

tercios. Pendant la première, le *tercio de varas,* le torero, les *picadores* (lanciers à cheval) et les *peones* (assistants) fatiguent le taureau avant que les *banderilleros* ne lui plantent trois paires de banderilles pendant le *tercio de banderillas.* L'*estocada,* mise à mort de l'animal, conclut le *tercio de muleta* où le matador effectue des passes avec sa cape tenue par la *muleta.*

Le toro bravo *(taureau de combat), sélectionné pour son courage et son agressivité, vit en semi-liberté au moins jusqu'à l'âge de quatre ans.*

Manolete, *considéré comme l'un des plus grands matadors de tous les temps, succomba en 1947 à Linares à un coup de corne du taureau Islero.*

Le matador porte un *traje de luces* orné de paillettes dorées.

Joselito, est l'un des plus prestigieux toreros actuels, célèbre pour sa démarche puriste. Il s'était provisoirement arrêté mais est aujourd'hui revenu dans l'arène.

Les banderilles servent à affaiblir le taureau.

L'ARÈNE

Le public de la corrida prend place sur les *tendidos* (gradins) ou aux *palcos* (balcons) qui renferment la *presidencia* (loge du président). En face s'ouvrent l'*arrastre de toros* (sortie des taureaux) et la *puerta de cuadrillas* que franchissent le *matador* et ses aides pour entrer. Ils peuvent se réfugier dans le corridor appelé *callejón* ou derrière les *barreras* ou les *burladeros* (barrières). Les taureaux attendent dans les *corrales.*

Plan d'une arène

LÉGENDE

- Tendidos
- Palcos
- Presidencia
- Puerta de cuadrillas
- Arrastre de toros
- Callejón
- Barreras
- Burladeros
- Patio de caballos
- Corrales

Real Fábrica de Tapices ❾

Calle de Fuenterrabia 2. **Plan** 8 F5.
📞 91 434 05 51. Ⓜ Menéndez
Pelayo. 🕙 10 h-14 h lun.-ven.
🔴 août et Pâques. 🖼
☐ www.realfatapices.com

De toutes les manufactures royales créées par les Bourbons au XVIIIe siècle, seule a survécu celle des tapisseries fondée en 1721 par Philippe V. Elle occupe depuis 1889 le même édifice au sud du Parque del Retiro *(p. 77)*.

Les visiteurs peuvent y assister à la fabrication de tapis et de tapisseries selon des procédés qui ont peu changé depuis l'époque où Goya et son beau-frère Francisco Bayeu réalisaient des cartons pour la manufacture. Celle-ci en a conservé plusieurs, d'autres se trouvent au Prado *(p. 80-83)*. Le Palacio de El Pardo *(p. 134)* et le monastère de El Escorial *(p. 122-125)* abritent des œuvres tissées à partir de ces modèles.

Aujourd'hui, la création et la restauration des superbes tapis de l'hôtel Ritz *(p. 68)* constituent l'une des principales activités de la fabrique.

Museo Nacional Ferroviario ❿

Paseo de las Delicias 61. 📞 91 506 83
33. Ⓜ Delicias. 🕙 10 h-15 h mar.-
dim. 🔴 certains j. fériés. 🖼 (sauf
sam.) ♿ 🎫 réserver à l'avance.
☐ www.ffe.es/delicias

Bien que les premières liaisons en chemin de fer à l'intérieur de l'Espagne datent de 1848, Madrid n'eut de véritable gare qu'en 1880 avec la construction de celle de Delicias. Principal terminus des trains en provenance du Portugal, elle resta en fonction jusqu'en 1971.

Elle offre depuis 1984 un cadre idéal au Musée national ferroviaire, qui présente une collection de trains. Le matériel roulant

**Locomotive TALGO
(1950), Musée ferroviaire**

Café du Museo Nacional Ferrovario, dans un wagon des années 30

exposé sur les rails bordant les quais comprend plus de 30 locomotives à vapeur, diesel et électriques. Des notices explicatives les décrivent et précisent les itinéraires qu'elles desservaient.

Parmi les plus intéressantes figure « La Pucheta », locomotive à vapeur fabriquée en Angleterre par Sharp Stewart en 1884. Installée au-dessus de la chaudière, sa réserve d'eau a la forme d'un chapeau melon. La plus lourde des motrices qu'utilisèrent les Chemins de fer espagnols (RENFE) était aussi la plus longue (environ 25 m). Fabriquée en Espagne en 1931, elle fonctionnait à l'électricité, pesait 150 t et portait le surnom de la « Lionne ».

Les trains express TALGO, mis au point dans les années 50, se révélèrent plus performants. Allégés et dotés de centres de gravité plus bas et de systèmes articulés, garantissant un contact plus sûr des roues avec le rail, ils permirent des déplacements beaucoup plus rapides qu'auparavant. Le modèle présenté circula jusqu'en 1971. La Mikado, fabriquée en 1960 et entièrement démontée pour révéler aux visiteurs les mystères de son mode de propulsion, ne prit sa retraite que quatre ans plus tard en 1975.

Il faut scruter à travers les fenêtres du Coche Salon ZZ-307 de 1928, la voiture plaquée de bois la plus luxueuse de la Compagnie des chemins de fer de l'Ouest, pour en découvrir l'intérieur : une salle à manger à la table dressée avec élégance, des compartiments et un office minuscule.

Un wagon-restaurant ayant conservé son décor des années 30 est en revanche accessible puisqu'il sert de café au musée.

Quatre grandes salles complètent l'exposition. Elles renferment des trains miniatures, des maquettes à l'échelle de gares, des photographies et des souvenirs tels que drapeaux et signaux lumineux.

La Corrala ⓫

Calle de Mesón de Paredes, entre Calle Tribulete et Calle del Sombrerete. **Plan** 4 F5. Ⓜ *Lavapiés.* ⬤ *au public.*

Les *corralas* sont des immeubles d'appartements à ossature en bois entourant une cour intérieure, dominée par des balcons desservant à chaque étage les logements. Ils furent surtout construits au XIXe siècle dans les quartiers de la ville les plus modestes, en particulier celui de Lavapiés.

La Corrala offre un bon exemple de ce type d'habitation. Sa construction commença en 1871 avant l'obtention de toutes les autorisations nécessaires, ce qui explique sans doute pourquoi la moitié du corps de bâtiments semble manquer. Au lieu d'être entièrement fermée, la cour s'ouvre ainsi sur une place, ce qui donne du recul pour regarder l'édifice.

Déclaré monument historique en 1977, l'ensemble connut une entière restauration deux années plus tard et sert désormais de décor, certains soirs d'été, aux

Zarzuela utilisant La Corrala comme décor

représentations en plein air de *zarzuela*, l'opérette madrilène *(p. 75)*, organisées sur la place.

Il existe plusieurs autres *corallas* aux environs immédiats, notamment à l'angle de la calle de Miguel Servet et de la calle del Espino, au n° 12 de la calle de Provisiones et au n° 11 de la calle de la Esperanza.

Puerta de Toledo ⓬

Glorieta de Puerta de Toledo. **Plan** 4 D5. Ⓜ *Puerta de Toledo.*

Commandé en 1813, l'arc de triomphe de la porte de Tolède devait commémorer l'installation sur le trône d'Espagne de Joseph Bonaparte mais celui-ci, bien qu'ayant pris le nom de José Ier, ne put jamais faire oublier la sanglante répression exercée contre le peuple madrilène le 3 mai 1808, et il dut prendre la fuite dès 1814. Ferdinand VII *(p. 17)* retrouva alors sa couronne et c'est à lui que fut dédié le monument à son achèvement, en 1827, par l'architecte Antonio López Aguado.

La Puerta de Toledo est une des deux seules portes symboliques que conserve Madrid. Le groupe sculpté qui domine sa partie centrale représente une personnification de l'Espagne. De part et d'autre l'encadrent des allégories du Génie et des Arts. Ramón Barba et Valeriano Salvatierra exécutèrent ces œuvres en pierre de Colmenar.

Arc de triomphe de la Puerta de Toledo, l'une des deux portes symboliques de Madrid

Puente de Segovia et río Manzanares ⓭

Calle de Segovia. Ⓜ *Puerta del Angel.*

Peu après avoir décidé d'établir sa cour à Madrid, Philippe II *(p. 20)* commanda la construction du pont de Ségovie, majestueux ouvrage d'art en granit franchissant le río Manzanares au pied du Palacio Real *(p. 54-57)*. Le pont devait servir de principal point d'entrée dans la capitale et le souverain en confia la conception à son architecte favori, Juan de Herrera. Les travaux commencèrent en 1582, mais le pont connut une reconstruction en 1682. Entre 1718 et 1732, Pedro de Ribera édifia pour Philippe V le superbe **Puente de Toledo** piéton situé en aval.

Le maigre cours du Manzanares n'a jamais justifié de telles constructions, et la rivière à suscité bien des railleries. Un ambassadeur allemand du nom de Rhebiner affirma même qu'aucune en Europe ne l'égalait, car elle offrait l'avantage d'être « navigable à cheval et en attelage ». Plusieurs barrages ont donné depuis un air plus présentable au cours d'eau, et les poissons et canards qu'on a introduits ont survécu, ce qui prouve qu'il est relativement propre. Il prend sa source dans les montagnes de la sierra de Guadarrama et se jette au sud de Madrid dans le Tage, créant ainsi un lien entre la capitale de l'Espagne et celle du Portugal, Lisbonne.

Casa de Campo ⓮

Avenida de Portugal. **[** *91 463 63 34.* Ⓜ *Batán, Lago, Príncipe Pío, Casa de Campo.*

Boisée, l'ancienne chasse royale de la Casa de Campo offre, à l'ouest de la ville, un espace naturel de 1 740 ha très apprécié des Madrilènes. Ils viennent se promener dans les pinèdes, courir ou profiter d'équipements tels que courts de tennis et piscine. La Casa de Campo renferme aussi un lac où canoter, le **Parque de Attractions** qui propose plus de cinquante attractions et le **Zoo-Aquarium.** En été, le parc accueille des concerts de rock.

Prendre le **Teleférico** qui relie le Parque del Oeste à la Casa de Campo permet d'avoir une vue panoramique de Madrid.

Tigre du zoo de la Casa de Campo

🐾 Zoo-Aquarium
[*91 512 37 70.* Ⓜ *Batán.*
⏰ *10 h au crépuscule t.l.j.* 🎦 &
W *www.zoomadrid.com*
🎡 Parque de Atracciones
[*91 463 29 00.* Ⓜ *Batán.*
⏰ *sept.-avr. : à partir de midi sam. et dim. ; avr.-sept. : à partir de midi t.l.j. tél. pour horaires.* 🎦
W *www.parquedeatracciones.es*
🚠 Teleférico
Paseo del Pintor Rosales.
[*91 541 74 50.* Ⓜ *Argüelles.*
⏰ *oct.-mars : midi-18 h sam., dim. et j. fériés ; avr.-sept. : 11 h- crépuscule t.l.j.*
🎦 &

Ermita de San Antonio de la Florida ⓯

Glorieta San Antonio de la Florida 5.
[*91 542 07 22.* Ⓜ *Príncipe Pío.*
⏰ *10 h-14 h, 16 h-20 h mar-ven., 10 h-14 h sam. et dim.* ⬤ *j. fériés.*
📷 & W *www.munimadrid.es*

Cette chapelle, construite pendant le règne de Charles IV, a conservé le nom d'un pré, la Florida, où furent édifiées les deux premières églises auxquelles elle a succédé. En 1798, Francisco Goya passa quatre mois à décorer sa coupole d'une immense fresque. Elle représente saint Antoine de Padoue ressuscitant la victime d'un assassinat pour prouver l'innocence du père du saint, faussement accusé du meurtre. Considérée par de nombreux critiques comme l'une des plus grandes réussites de l'artiste, l'œuvre frappe par son

Le Puente de Segovia franchissant le río Manzanares

Temple égyptien de Debod avec ses deux portails

réalisme. Ses personnages, gens du peuple, grands bourgeois, élégantes aristocrates ou demi-mondaines dressent un portrait saisissant de la vie quotidienne à Madrid à la fin du XVIIIᵉ siècle.

Goya mourut en exil à Bordeaux en 1828, mais il repose désormais dans la chapelle.

Templo de Debod ⓰

Paseo del Pintor Rosales. **Plan** 1 B5. ☎ 91 366 74 15. Ⓜ *Plaza de España, Ventura Rodríguez.* ◻ *10 h-14 h sam. et dim. ; d'avril à sept. : 10 h-14 h et 18 h-20 h mar.-ven. ; d'oct. à mars : 10 h-14 h et 16 h-18 h mar.-ven.* ● *j. fériés.* ☑ *sam. sur r.-v.* Ⓦ www.munimadrid.es/templo-debod

Édifié au IIᵉ siècle av. J.-C., le temple égyptien de Debod fit partie des monuments sauvés de l'immersion lors de la construction du barrage d'Assouan, sur le Nil. L'Égypte en fit don en 1970 à l'Espagne, en remerciement de sa participation au sauvetage. Précédé de deux de ses trois portails d'origine, il se dresse désormais sur une hauteur dominant le río Manzanares dans les jardins du **Parque del Oeste.** Les reliefs sculptés sur ses flancs évoquent Amen, le dieu thébain à tête de bouc, symbole de la vie et de la fertilité, à qui le sanctuaire était dédié. La colline offre une vue panoramique de la Casa de Campo, portant

jusqu'aux sommets de la sierra de Guadarrama.

Le Parque del Oeste s'étend à l'emplacement de la caserne Montaña que les Madrilènes prirent d'assaut en 1936 pour se procurer des armes. Cette détermination populaire permit à la ville de résister jusqu'en 1939 aux troupes nationalistes du général Franco qui l'assiégeaient.

D'agréables terrasses de café jalonnent le **paseo del Pintor Rosales** qui longe le parc.

Estación de Príncipe Pío ⓱

Paseo de la Florida 2. **Plan** 3 A1. ☎ 90 224 02 02. Ⓜ *Príncipe Pío.*

Également connue sous le nom d'Estación del Norte, cette gare fut inaugurée en 1880 pour servir de terminus aux trains reliant Madrid et l'Espagne du Nord. Les ingénieurs français Biarez, Grasset et Mercier qui la conçurent lui donnèrent une structure principalement métallique.

Des pavillons néo-mudéjars, dessinés par Demetrio Ribes, améliorèrent son apparence en 1915. L'architecte Luis Martínez Ribes ajouta en 1926 la façade d'entrée. Dans le bâtiment principal de l'ancienne gare, il est prévu d'aménager pour 2005 une salle de concert ainsi que des cinémas et des boutiques.

Remaniée, la majeure partie de la gare est devenue une importante correspondance entre trains, métro et bus. Un splendide dais en treillis surplombe les quais.

L'élégante entrée principale de l'Estación de Príncipe Pío

Les environs de Madrid

LES ENVIRONS DE MADRID

Il émane une austère beauté du vaste plateau central de la péninsule Ibérique, où champs de blé et terres ocre s'étendent à perte de vue. Une faune variée peuple ses reliefs, ses forêts et ses lacs, et l'histoire a façonné des villes encore riches de splendides monuments tels que la cathédrale gothique de Tolède, l'aqueduc romain de Ségovie et le château du XVᵉ siècle de Manzanares el Real.

Il est surprenant de voir à quel point on échappe rapidement aux banlieues résidentielles et industrielles de Madrid pour se retrouver en pleine campagne. Des sentiers de randonnée sillonnent les montagnes au nord de la ville où les citadins viennent pratiquer le ski en hiver et les sports nautiques en été. Dans la sierra Norte, les environs de Buitrago del Lozoya, village ceint de remparts maures, sont un paradis pour observer les oiseaux.

Philippe II fit construire sur les contreforts occidentaux de la sierra de Guadarrama le monastère d'El Escorial d'où il dirigea son empire. Non loin se dresse l'immense croix érigée par Franco dans la Valle de los Caídos. Deux palais méritent une visite, celui d'El Pardo, dans la périphérie de la capitale, et celui d'Aranjuez au sud.

L'histoire reste vivace dans des villes et villages tels qu'Alcalá de Henares, lieu de naissance de Cervantes, Sigüenza, qui conserve une cathédrale romane, et Chinchón où les Madrilènes viennent acheter le vin et l'*anís* locaux sous les galeries en bois d'une grand-place médiévale. Ségovie s'emplit les week-ends de visiteurs venus savourer agneau et cochon de lait rôtis, et admirer le plus important vestige romain d'Espagne.

Tolède est une véritable ville-musée. Elle doit son riche héritage architectural et artistique aux nombreux échanges entre les cultures musulmane, chrétienne et juive, au Moyen Âge et à la Renaissance.

Pittoresque monasterio de El Parral à Ségovie

◁ Célébration de la messe dans l'église du Monasterio de Santa María de El Paular

À la découverte des environs de Madrid

La chaîne montagneuse de la sierra de Guadarrama domine au nord la province de Madrid. Elle culmine à 2 430 m d'altitude, et de petites stations permettent d'y skier. Elle offre surtout un vaste territoire à découvrir en randonnée. Les amateurs d'architecture apprécieront sur ses contreforts la ville historique de Ségovie et le palais à la française de La Granja de San Ildefonso, ainsi que le monastère d'El Escorial. Au sud s'étend la *meseta,* l'immense plateau central ibérique. Les rivières descendant des reliefs y creusent des vallées fertiles où pousse l'olivier. Au confluent du Jarama et du Tage, ce sont de splendides jardins qui entourent le palais d'été d'Aranjuez. Le Tage arrose ensuite Tolède, qui se niche dans un de ses méandres.

Casa de los Picos *(p. 128)* du XVᵉ siècle à Ségovie

Paysage typique de la fertile *meseta*

LA RÉGION D'UN COUP D'ŒIL

Casa-Museo de El Greco *(p. 139),* **Tolède**

SEGOVIA ❼ LA GRANJA DE SAN ILDEFONSO ❻ REVENGA MONAS. DE SANTA DE EL PA N603 SIERRA CENTRO DE GUADARRAMA ❹ MANZ. NAVACERRADA GUADARRAMA NVI SANTA CRUZ DEL VALLE DE LOS CAÍDOS ❷ ❶ A6 AP EL ESCORIAL MAJADAH MÓSTOL NV A5(E90) R5 Río Guadarrama IL N403 **TOLEDO** ⑱

CIRCULER

La voiture offre le meilleur moyen d'explorer les environs de Madrid, à condition d'avoir une carte à jour car la numérotation des routes est en train de changer. Six routes à quatre voies gratuites et une autoroute à péage pour Tolède, rayonnent depuis Madrid, reliées par la M30 et la M40, des boulevards circulaires permettant d'éviter la circulation du centre. Il existe aussi des visites organisées en autocar et le train dessert les villes historiques.

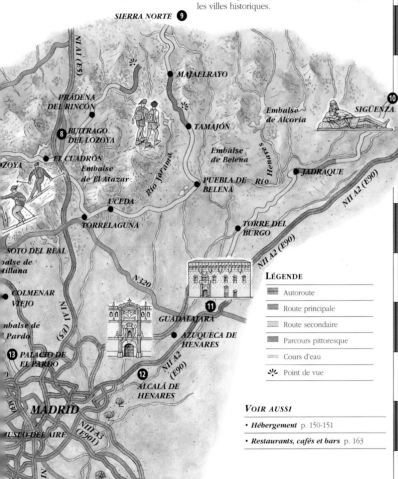

SIERRA NORTE **9**

MAJAELRAYO

PRÁDENA DEL RINCÓN

Embalse de Alcoria

SIGÜENZA **10**

8 BUITRAGO DEL LOZOYA

TAMAJÓN

ZOYA

EL CUADRÓN

Embalse de El Atazar

Embalse de Belena

JADRAQUE

PUEBLA DE BELENA

Río

UCEDA

TORRELAGUNA

TORRE DEL BURGO

NII A2 (E90)

SOTO DEL REAL

balse de tillana

N320

COLMENAR VIEJO

NI A1 (E5)

11

LÉGENDE

	Autoroute
	Route principale
	Route secondaire
	Parcours pittoresque
	Cours d'eau
☼	Point de vue

nbalse de Pardo

GUADALAJARA

AZUQUECA DE HENARES

13 PALACIO DE EL PARDO

NII A2 (E90)

12 ALCALÁ DE HENARES

MADRID

NIII A3 (E901)

VOIR AUSSI

USEO DEL AIRE

- *Hébergement* p. 150-151

- *Restaurants, cafés et bars* p. 163

NIV A4 (E5)

CIEMPOZUELOS

15 CHINCHÓN

PALACIO REAL DE ARANJUEZ

rajo

N400

0   10 km

Les paisibles Montes de Toledo

El Escorial ❶

Fresque par Luca Giordano

Sur les contreforts de la sierra de Guadarrama, l'imposant monastère gris de San Lorenzo de El Escorial a la forme d'un gril, instrument du martyre de saint Laurent à qui il est dédié. Construit de 1563 à 1584, il possède un style austère qui prit le nom de herrerien, ou *desornamentado,* et eut une grande influence sur l'architecture espagnole. Voulue par Philippe II, qui y installa son palais, cette rigueur marque aussi les appartements royaux, dont la simplicité contraste avec la richesse des collections d'art exposées dans les pièces décorées par les Bourbons et dans les musées, les salles capitulaires, l'église, le panthéon royal et la bibliothèque.

★ Panthéon des rois
Il abrite les sépultures de nombreux rois d'Espagne.

Entrée visiteurs

Palais des Bourbons

Musée d'Architecture

Sala de Batallas (fermée)

Basilique
Dans cette immense église, un somptueux retable par Herrera domine le chœur. Les oratoires abritent des statues en bronze doré de Charles Quint et de Philippe II en prière.

Collège Alfonso XII, internat fondé par les moines en 1875.

Patio de los Reyes

Entrée principale

★ Bibliothèque
Constituée à partir de la collection personnelle de Philippe II, la bibliothèque compta jusqu'à 40 000 volumes et de très nombreux manuscrits. Tibaldi décora de portraits allégoriques le plafond de sa longue salle.

À NE PAS MANQUER

★ Panthéon des rois

★ Bibliothèque

★ Musée d'Art

Les appartements de Philippe II, au 2e étage, témoignent de son goût pour le dépouillement. Sa chambre donnait directement sur le maître-autel de la basilique.

★ Musée d'Art
Le Calvaire, *œuvre du XVe siècle par Rogier Van der Weyden, est un des fleurons de ce musée qui présente des tableaux italiens, flamands et espagnols.*

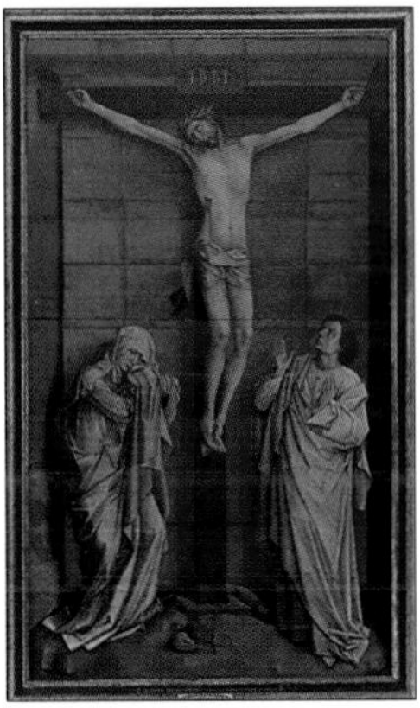

Mode d'emploi

Paseo de Juan de Borbón y Batemberg. 📞 *91 890 59 04.*
🚆 *depuis Atocha ou Chamartín.*
🚌 *661, 664 depuis Moncloa.*
○ *10 h-18 h mar.-dim. (17 h oct.-mars).* ● *j. fériés.* 🎫 ✝ *9 h 30 t.l.j. ; 19 h, 20 h sam. et dim.*
W www.patrimonionacional.es

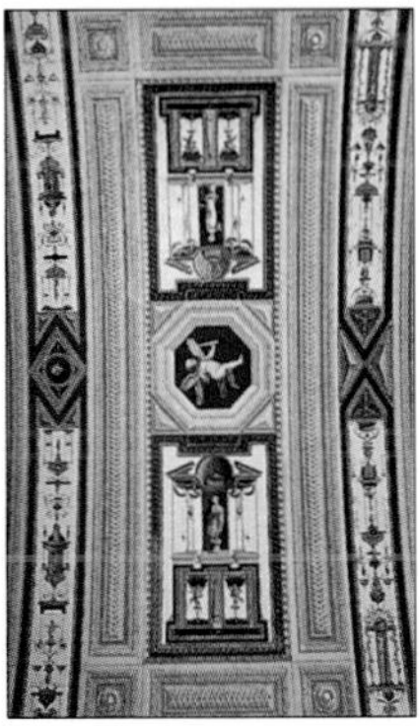

Salles capitulaires
Elles abritent l'autel portable de Charles Quint et des fresques de style grotesque.

Le Patio de los Evangelistas est un temple par Herrera.

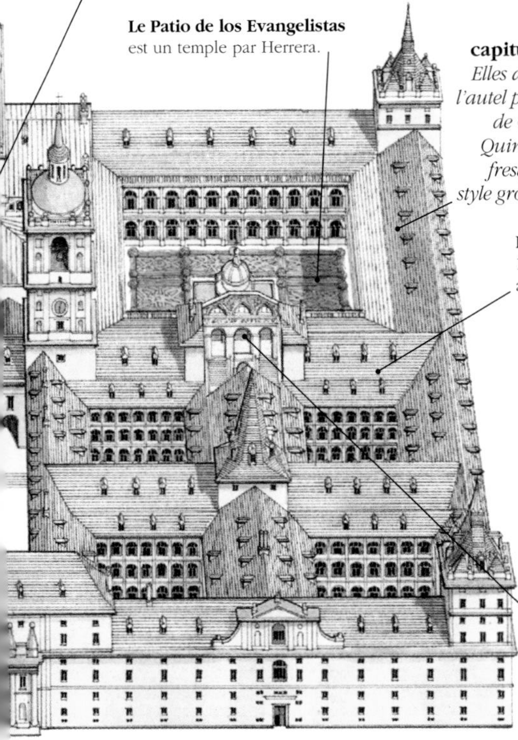

Le monastère, fondé en 1558, est dirigé par des augustins depuis 1885.

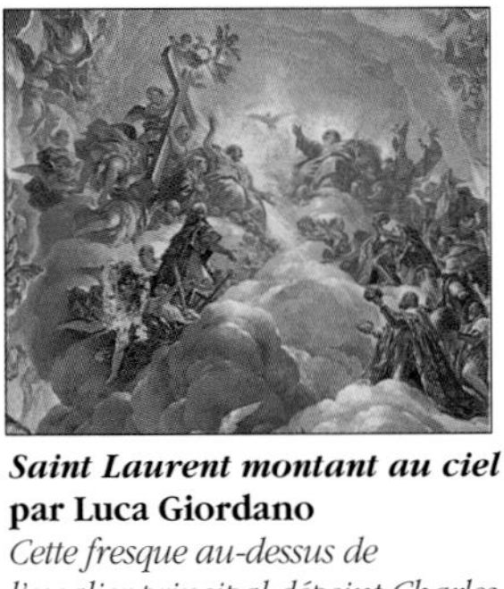

***Saint Laurent montant au ciel* par Luca Giordano**
Cette fresque au-dessus de l'escalier principal dépeint Charles Quint, Philippe II et la construction du monastère.

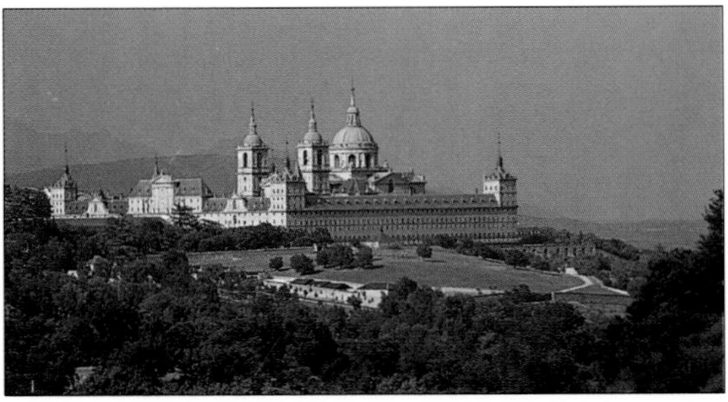

Construction de l'Escorial
Quand le premier architecte du monastère, Juan Bautista de Toledo, mourut en 1567, son élève, Juan de Herrera, poursuivit les travaux. Le style dépouillé qu'il donna au bâtiment prit le nom de desornamentado.

À la découverte d'El Escorial

Roi de Naples, de Sicile, de Milan, des Pays-Bas, d'Espagne et du Nouveau Monde, Philippe II décida de dédier le lieu où allait reposer son père, l'empereur Charles Quint mort en 1556, au saint dont la fête est célébrée le 10 août, date à laquelle il vainquit les Français à Saint-Quentin en 1557. L'architecte Juan de Toledo et son successeur Juan de Herrera édifièrent sur un site, à 1 065 m d'altitude, un immense édifice en granite planifié autour d'une basilique. La visite officielle passe par les Appartements royaux et le panthéon des rois, laissant libre d'explorer le reste à sa guise.

Infanta Isabel Clara de Bartolomé González, **Appartements royaux**

APPARTEMENTS ROYAUX

Jouxtant la basilique, le Palacio de los Austrias, où résidaient les Habsbourg, permettait à l'infante Isabelle, fille de Philippe II, de voir depuis son lit le maître-autel et le prêtre célébrant la messe. Sur le mur de droite, son portrait et celui de sa sœur Catherine, œuvres de Bartolomé González (1564-1627), encadrent celui de leur père peint par Sánchez Coello (1531-1588).

La **Sala de Retratos** abrite d'autres portraits. À partir de celui de Charles Quint accroché au-dessus de la cheminée, copie par Juan Pantoja de la Cruz (1553-1608) d'une peinture de Titien détruite par un incendie en 1604, l'ordre chronologique suit le sens inverse des aiguilles d'une montre avec un *Felipe II* par Antonio

Moro (1519-1576), *Felipe III* par Pantoja de la Cruz, *Felipe IV* jeune par Bartolomé González et *Carlos II* jeune par Juan Carreño de Miranda (1614-1685). Dans un angle, une vitrine protège la chaise à porteurs que la goutte imposait à Philippe II à la fin de sa vie.

De superbes portes allemandes en marqueterie ferment à ses deux extrémités la **Sala de los Paseos.** Des carreaux bleus de Talavera couvrent les murs ornés de fresques représentant de grandes victoires espagnoles, dont la bataille de Saint-Quentin. Des motifs incrustés en 1755 dans le dallage et dans celui de la salle à manger voisine servaient à régler les pendules d'après le soleil.

PANTHÉONS

Le **panthéon des rois,** achevé en 1654, renferme les tombeaux de presque tous les souverains espagnols depuis Charles Ier. C'est une chambre octogonale, revêtue

Autel du panthéon où reposent presque tous les rois espagnols

de jaspe, de marbre et de bronze doré. 23 des 26 sarcophages sont occupés par les rois à gauche de l'autel, et à droite pour les reines, la dernière est la mère de Juan Carlos Ier.

Il existe 8 autres panthéons, dont celui de **Juan de Austria,** demi-frère de Philippe II qui devint un héros en battant la flotte turque à la bataille de Lépante. Surnommé **La Tarta,** le panthéon des infants abrite aussi les sépultures des reines sans succession.

SALLES CAPITULAIRES

Les quatre Salas Capitulares abritent, sous des plafonds décorés de grotesques aux motifs allégoriques, une riche collection de tableaux d'artistes espagnols et italiens tels que le Greco, Ribera, le Tintoret et Véronèse. Elle compte parmi ses fleurons des œuvres de Titien (1490-1576), dont un *Saint Jérôme en prière* et une *Cène* malheureusement retaillée pour un cadre trop exigu. Diego de Velázquez (1599-1660) est représenté par *La Tunique de Joseph,* peinte en 1630 pendant un séjour à Rome. Philippe II appréciait beaucoup le Brabançon Jérôme Bosch (1450-1516), surnommé « El Bosco » en Espagne, et il gardait dans sa chambre *Le Jardin des délices,* exposé aujourd'hui au Prado *(p. 80),* avec *La Charrette de foin,* tableau qu'aurait inspiré un proverbe flamand : « Le monde est comme une charrette de foin et chacun prend ce qu'il peut. » Les salles capitulaires contiennent une copie d'un panneau du *Jardin des délices* et une version de *La Charrette de foin* exécutée par l'atelier de Bosch.

Ne pas manquer non plus le superbe retable en bois doré et émaillé que l'empereur Charles Quint emportait dans ses campagnes militaires.

Retable de Charles Quint, salles capitulaires

Le Martyre de saint Maurice et de la légion thébaine par le Greco

Musées

L'entrée conduit à la salle Saint-Maurice qui abrite *Le Martyre de saint Maurice et de la légion thébaine* par le Greco (1541-1614). Un escalier descend à côté au **musée de l'Architecture** qui présente des plans, des maquettes et des gravures du palais. À l'étage, le **musée d'Art** propose principalement des peintures des XVIᵉ et XVIIᵉ siècles. Après une première salle consacrée aux maîtres italiens, les deux suivantes contiennent des tableaux flamands, notamment par Michel Coxcie (1499-1592), le « Raphaël flamand ». Ne pas manquer le triptyque du *Martyre de saint Philippe*. Un *Calvaire* de Rogier van der Weyden (v. 1400-1464) domine la quatrième salle entre une *Vierge* et un *Saint Jean*, reproduits par Juan Fernández Navaratte (v. 1538-1579). La cinquième salle renferme *Saint Jérôme en pénitence* de José de Ribera (1591-1652) et la *Présentation de la Vierge* de Francisco de Zurbarán (1598-1664).

Bibliothèque

En 1613, Philippe II ordonna par décret qu'une copie de tout ouvrage publié dans son immense empire fût envoyée à la bibliothèque de l'Escorial, et celle-ci abrita jusqu'à 40 000 volumes datant pour la plupart des XVᵉ et XVIᵉ siècles, ainsi que des manuscrits écrits pour les plus anciens au Vᵉ siècle.

La **salle d'imprimerie** possède un sol dallé en marbre, et un plafond voûté que Pellegrino Tibaldi (1527-1596) orna de fresques allégoriques représentant la Philosophie, la Grammaire, la Rhétorique, la Dialectique, la Musique, la Géométrie, l'Astrologie et la Théologie. Juan de Herrera (1530-1597) dessina les rayonnages en bois.

Des portraits de Charles Quint, Philippe II, Philippe III et Charles II sont accrochés sur les principaux piliers. Une sphère ptolémaïque de 1582 place la Terre au centre de l'univers.

Basilique

L'église d'El Escorial était à l'origine réservée à l'aristocratie, et les fidèles du bourg devaient se cantonner au vestibule. Le chœur des Moines, au-dessus, reste fermé au public.

La basilique renferme 44 autels latéraux richement décorés d'œuvres d'art, dont un magnifique *Christ en croix*, sculpté en 1562 dans du marbre de Carrare par Benvenuto Cellini. Il se trouve dans la deuxième chapelle à gauche de l'entrée.

Les cénotaphes de Charles Quint et Philippe II encadrent le maître-autel, au-dessus des portes menant aux chambres royales du Palacio de los Austrias. Œuvres de Pompeo Leoni, les groupes sculptés en bronze doré représentent les souverains et leurs familles.

Juan de Herrera dessina le retable en marbre, jaspe et onyx haut de 30 m. L'exécution du tabernacle central, qu'une fenêtre éclaire par l'arrière, demanda sept ans de travail à l'orfèvre italien Jacoppo da Trezzo (1515-1589). Les peintures sont de Federico Zuccaro (1542-1609) et Pellegrino Tibaldi.

Palais des Bourbons

Très différentes des austères appartements du Palacio de los Austrias, les pièces où résidèrent les Bourbons, aménagées par Charles IV qui régna de 1788 à 1808, abritent un mobilier somptueux et de très nombreuses tapisseries, certaines exécutées à la Real Fábrica de Tapices *(p. 112)* sur des cartons de Goya.

La vaisselle exposée comprend le service qui faisait partie du trousseau de Victoria Eugenia (petite-fille de la reine Victoria) qu'Alphonse XIII épousa en 1906.

Salle à manger du Palacio de los Borbones, décoré de précieuses tapisseries

L'immense croix érigée par Franco dans la Valle de los Caídos

Santa Cruz del Valle de los Caídos ❷

Madrid. Nord d'El Escorial sur la M600. ☎ 91 890 56 11. 🚌 depuis El Escorial. ⬜ oct.-mars : 10 h-17 h mar.-dim. (18 h avr.-sept.). ⬤ certains j. fériés. 🎫 (sauf mer. membres U.E.) ☑ 🌐 www.patrimonionacional.es

C'est à la mémoire des victimes de la guerre civile *(p. 18)* que le général Franco fit ériger, à 13 km au nord du monastère d'El Escorial *(p. 122-125)*, la Sainte Croix de la vallée des Morts. Toutefois, pour de nombreux Espagnols, cette immense croix rappelle surtout la dictature.

Haut de 150 m, le monument s'élève au-dessus d'une basilique creusée dans le rocher par des prisonniers de guerre républicains. Personne ne sait combien moururent pendant les vingt ans que demanda la construction de ce sanctuaire qui s'enfonce de 250 m dans la montagne.

Près de l'autel se trouvent les tombeaux de Franco et de José Antonio Primo de Rivera, le fondateur de la Falange Española. 40 000 autres victimes du conflit, des membres des deux camps opposés dans la guerre civile, reposent dans des ossuaires.

Manzanares el Real ❸

Madrid. 🚶 4 500. 🚉 🛈 Plaza del Pueblo 1 (91 853 00 09). 🚌 mar. et ven. 🎉 Fiesta de Verano (début août) Cristo de la Nave (14 sept.).

L a masse puissante de son château du xvᵉ siècle domine le bourg de Manzanares el Real. Bien que l'édifice présente un aspect de forteresse avec ses remparts crénelés et ses tours à parements gothico-mudéjars, il servit principalement de palais résidentiel aux ducs d'Infantado. En contrebas du château se dressent une église du xviᵉ siècle et un portique Renaissance.

Derrière la ville, le chaos de blocs de granit de la **Pedriza,** très apprécié des grimpeurs, fait désormais partie d'une réserve naturelle.

Aux environs : à 12 km au sud-ouest, **Colmenar Viejo** possède une superbe église gothico-mudéjare.

Sierra Centro de Guadarrama ❹

Madrid. 🚉 Puerto de Navacerrada, Cercedilla. 🚌 Navacerrada, Cercedilla. 🛈 Navacerrada (91 856 00 06).

D epuis les années 20, le train relie Madrid à la partie centrale de la sierra de Guadarrama, et des résidences de villégiature s'accrochent entre les pins à ses pentes granitiques. Anciens villages, les stations de **Navacerrada** et de **Cercedilla** attirent skieurs, grimpeurs et adeptes du VTT et de l'équitation. Cercedilla

Col de Navacerrada dans la sierra de Guadarrama

offre notamment accès à la **Valle de Fuenfría** où des itinéraires de randonnée permettent de découvrir les forêts d'une réserve naturelle et une ancienne voie romaine.

Détail du retable du Monasterio de Santa María de El Paular

Monasterio de Santa María de El Paular ❺

S.-O. de Rascafría sur la M604.
🛈 *91 869 14 25.* **🚌** *Rascafría.* **🕐** *12 h-17 h lun.-sam., 13 h-18 h dim.* **♿**

J ean Iᵉʳ fonda en 1390 la première chartreuse de Castille sur le site d'un pavillon de chasse royal. Bâti dans le style gothique,

le monastère reçut plus tard des ajouts plateresques et Renaissance.

Abandonné en 1836 quand le ministre Mendizábal ordonna la vente des biens monastiques, Santa María de El Paular tomba en décrépitude jusqu'à sa restauration par l'État dans les années 50. Les bâtiments abritent aujourd'hui, dans un cadre aussi beau que paisible, une communauté bénédictine et un hôtel privé *(p. 151).*

Dans l'église, un délicat retable en albâtre de style gothique fleuri (XVᵉ siècle, attribué à des artisans flamands, illustre des épisodes de la vie de Jésus. Francisco de Hurtado dessina en 1718 le somptueux *camarín* (petite chapelle) baroque situé derrière l'autel.

Tous les dimanches, les moines interprètent des chants grégoriens dans le sanctuaire. S'ils sont disponibles, ils vous montreront avec plaisir le cloître aux voûtes en brique mudéjares et son double cadran solaire.

Le monastère offre un bon point de départ pour partir à la découverte des villages de **Rascafría** et **Lozoya** dans la vallée du Lozoya. Au sud-ouest s'étend la réserve naturelle des **Lagunas de Peñalara.**

La Granja de San Ildefonso ❻

Segovia. **🛈** *921 47 00 19.*
🚌 *depuis Madrid ou Ségovie.* **🕐** *mi-oct.-mars : 10 h-13 h 30., 15 h-17 h mar.-sam., 10 h-14 h dim. et j. fériés ; avr.-mi-oct. : 10 h-18 h mar.-dim.* **Jardins 🕐** *mi-oct.-mars : 10 h-18 h ; avr.-mi-oct. : 10 h-21 h.* **💶** *(gratuit mer. membres U.E.)* **♿** **🌐** *www.patrimonionacional.es*

A vec la sierra de Guadarrama en décor de fond, ce somptueux palais occupe l'emplacement d'un pavillon de chasse édifié par Henri IV au XVᵉ siècle. Philippe V entreprit sa construction en 1720, en voulant recréer le palais de Versailles de son grand-père Louis XIV. Un incendie ravagea toutefois une grande partie de l'édifice en 1918. On dépensa 8 millions d'euros pour qu'il retrouve sa splendeur d'origine.

Les appartements privés renferment des tapisseries flamandes et des pièces exécutées d'après les cartons de Goya. Dans la chapelle, la Sala del Panteón renferme le tombeau de Philippe V et de son épouse.

Le splendide jardin abrite des fontaines représentant le roi et la reine en Apollon et Diane. Elles fonctionnent les samedis et dimanches à 17 h 30.

Palais et jardins de La Granja de San Ildefonso, inspirés de Versailles

Ségovie ❼

**Tour de
San Esteban**

L e quartier médiéval de cette petite capitale
provinciale occupe un site spectaculaire sur
un promontoire qu'entourent le río Eresma
et le río Clamores. Sa forme évoque un bateau
dont l'Alcázar, perché sur un rocher, formerait
la proue, l'aqueduc romain le gouvernail
et dont les pinacles et la tour de la cathédrale
dessineraient les mâts. Vu de la vallée, il offre
au coucher du soleil un spectacle magique.
Aisément accessible depuis Madrid en voiture,
en bus ou en train, Ségovie se prête bien,
avec son dédale de rues pittoresques,
à une visite d'un ou deux jours, ce qui en fait
une destination très fréquentée par les visiteurs
le week-end, en particulier l'été.

L'imposante cathédrale gothique de Ségovie

À la découverte de Ségovie

Ségovie est réputée pour ses
églises romanes, dont **San
Juan de los Caballeros** (xie
siècle) au splendide portique
sculpté, **San Esteban** (xiiie
siècle) au gracieux clocher à
cinq étages, et **San Martín** (xie
siècle), remarquable pour ses
magnifiques arcades et
chapiteaux et son autel doré.
Hors les murs, l'**Iglesia de San
Millán** (xiie siècle) possède
une tour mozarabe et un
crucifix gothique du xive siècle.
L'**Iglesia de la Vera Cruz**
polygonale date de 1208 et
appartient à l'ordre de Malte.

🔒 Cathédrale

Plaza Mayor. ☎ 921 46 22 05.
⏰ oct.-mars : 9 h 30-17 h 45 ;
avr.-sept. : 9 h 30-19 h t.l.j. 🎟 gratuit
dim. apr.-midi. ♿
Entreprise en 1522 et
consacrée en 1678, la
cathédrale de Ségovie fut le
dernier grand sanctuaire
gothique bâti en Espagne.

Elle remplaçait une cathédrale
détruite en 1511 lors de la
révolte des villes castillanes et
dont elle a conservé le cloître,
déplacé de son site initial près
de l'Alcázar. De vastes nefs aux
voûtes à nervures donnent au
sanctuaire un intérieur
harmonieux. Sabatini dessina
en 1768 le maître-autel. De
belles grilles en fer forgé
ferment les chapelles. La plus
intéressante, la chapelle de la
Pietà, doit son
nom à une
superbe mise
au tombeau de
Juan de Juni.
Un magnifique
portail gothique
par Juan Guas
donne accès au
cloître.
Exécutées
d'après des
cartons de
Rubens, les
tapisseries
flamandes du

xviie siècle présentées dans
la salle capitulaire illustrent
l'histoire de la reine Zénobie.
Le musée diocésain présente
des peintures, des sculptures,
de l'argenterie, du mobilier,
des livres et des pièces
de monnaie.

🏛 Museo de Segovia

Casa del Sol, Calle Socorro 11. ☎ 921
46 06 13. ⬤ jusqu'en 2004.
Ce musée archéologique
conserve des objets d'époques
et de cultures variées, entre
autres des gravures
néolithiques vieilles de
15 000 ans, des pièces de
monnaie romaines, des
fragments de murs de maisons
arabes, des armes, des outils,
des poteries et, au centre, une
intéressante collection de
boucles de ceinture.
On pense que les deux
énormes taureaux celtes, mis
au jour dans la calle Mayor,
avaient une fonction
protectrice. Dans la province
voisine d'Avila, ces objets sont
liés aux funérailles.

🏚 Casa de los Picos

Derrière une façade du
xve siècle, ornée de reliefs en
pointe de diamant, cette
maison abrite une galerie et
une école d'art.

🏹 Aqueduc

Construit à la fin du Ier siècle
par les Romains qui
transformèrent la colonie de
Segovia en une importante
base militaire, ce splendide
ouvrage d'art en pierre sèche
atteint 28 m. Il alimentait
la ville avec l'eau du río Frío,
filtrée en chemin par
plusieurs réservoirs, et resta
en service jusqu'à la fin
du xixe siècle.

L'élégant aqueduc romain enjambant la vieille ville

L'Alcázar de Ségovie domine la ville depuis un promontoire

♣ Alcázar

Plaza de la Reina Victoria Eugenia
☎ 921 46 07 59. ◯ oct.-mars : 10 h-18 h (19 h avr.-sept.). ● certains j. fériés. 📷 (sauf mar.) ♿
[W] www.alcazardesegovia.com

Au sommet d'un promontoire qu'avaient déjà fortifié les Maures, ce château, édifié par Henri II de Castille entre 1352 et 1358, possède un donjon achevé au XVᵉ siècle pendant le règne d'Henri IV. Un panorama exceptionnel de Ségovie et de la sierra de Guadarrama récompense les visiteurs qui gravissent l'escalier étroit menant à son sommet. Un incendie en 1862 imposa une importante reconstruction, à laquelle l'Alcázar doit une grande partie de son aspect actuel.
De beaux plafonds à caissons ornent plusieurs des salles où meubles anciens, tapisseries,

peintures, céramiques de Talavera et armures recréent une atmosphère médiévale. Le chemin de ronde mène à un petit musée consacré aux armes.

🏛 Palacio Episcopal

Plaza de San Esteban. ☎ 921 46 09 63. ◯ juil.-sept. : mar.-sam. ; oct.-juin : sam. 📷
Les armoiries de l'évêque Murillo, qui en devint propriétaire, dominent la porte de ce palais bâti pour la famille Salcedos au XVIᵉ siècle. Le musée contient des peintures, des sculptures et des pièces d'orfèvrerie.

🏠 Monasterio de El Parral

Subida al Parral 2 ☎ 921 43 12 98.
◯ 10 h-12 h 30, 16 h 30-18 h 30 lun.-sam. ; 10 h-11 h 30, 16 h 30-18 h 30 dim.
Au nord des murs de la cité, le plus vaste monastère de

MODE D'EMPLOI

Segovia. 🚊 54 000. 🚉 🚌 🛈 Plaza Mayor 10 (921 46 03 34). 🛒 mar., jeu., sam. 🎉 San Juan (24 juin), San Pedro (29 juin), San Frutos (25 oct.). [W] www.infosegovia.com

Ségovie fut fondé en 1447. De style isabélin, l'église renferme les tombeaux plateresques du marquis de Villena, et de son épouse María.

🏠 Convento de los Carmelitas

Alameda de la Fuencisla. ☎ 921 43 13 49. ◯ 10 h-14 h, 16 h-19 h (20 h juin-sept) mar.-sam.
Appelé également Convento de San Juan de la Cruz, ce monastère, fondé par saint Jean de la Croix qui en fut prieur de 1588 à 1591, renferme sa sépulture.

La Plaza Mayor

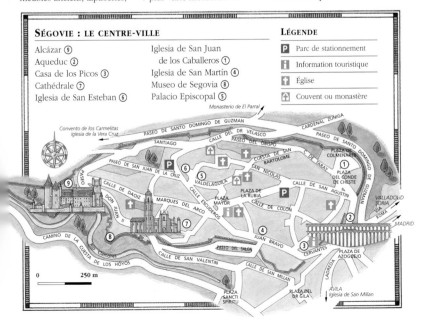

SÉGOVIE : LE CENTRE-VILLE

Alcázar ⑨
Aqueduc ②
Casa de los Picos ③
Cathédrale ⑦
Iglesia de San Esteban ⑥
Iglesia de San Juan de los Caballeros ①
Iglesia de San Martín ④
Museo de Segovia ⑧
Palacio Episcopal ⑤

LÉGENDE

🅿 Parc de stationnement
🛈 Information touristique
🏠 Église
🏠 Couvent ou monastère

Remparts de Buitrago del Lozoya

Buitrago del Lozoya ❽

Madrid. 🏠 1 600. 🚌 ℹ️ *Calle Tahona 11 (91 868 00 56).* 🏛️ *sam.* 🎉 *La Asunción y San Roque (15 août), Cristo de los Esclavos (15 sept.).*

Fondé par les Romains, ce village a conservé au bord d'un méandre du río Lozoya des fortifications arabes bâties au XIᵉ siècle. Il devint au Moyen Âge un marché important. Son château gothico-mudéjar du XIVᵉ siècle est en ruine et sert aujourd'hui aux courses de taureaux et à un festival de musique ancienne en été, mais les portes, des arcs et des pans de ses remparts originels, élevés également par les Arabes, subsistent.

À l'intérieur de l'enceinte fortifiée, le quartier ancien a gardé beaucoup de charme. L'église **Santa María del Castillo,** du XVᵉ siècle, possède une belle tour mudéjare et, dans la sacristie, un plafond provenant de l'ancien hôpital.

Dans la partie plus récente de Buitrago, l'**hôtel de ville** *(ayuntamiento)* abrite une croix de procession du XVIᵉ siècle. Au sous-sol, le petit **Museo Picasso** présente les œuvres collectionnées par Eugenio Arias, ami et coiffeur de l'artiste.

🏛️ **Museo Picasso**
Plaza de Picasso 1. 📞 91 868 00 56. ⬤ *lun.*

Sierra Norte ❾

Madrid. 🚍 *Montejo.* ℹ️ *Calle Real 64, Montejo (91 869 70 58).* 🌐 *www.sierranorte.com*

Jadis appelée la sierra Pobre (« Montagne pauvre »), cette partie la plus sauvage de la province de Madrid recèle des hameaux d'ardoise noire au sein de superbes paysages.

Dans le plus gros village, **Montejo de la Sierra,** un centre d'information propose des promenades à cheval, des locations dans des maisons traditionnelles et des visites de la réserve naturelle voisine : le **Hayedo de Montejo de la Sierra.** Elle protège l'une des forêts de hêtres les plus méridionales d'Europe, vestige d'une époque où les conditions climatiques étaient plus propices aux feuillus. Depuis Montejo, on atteint les hameaux pittoresques de **La Hiruela** et de **Puebla de la Sierra** dont les environs permettent de belles randonnées.

Les collines plus arides du sud s'étagent jusqu'à l'**embalse de Puentes Viejas,** lac aux plages artificielles bordées de résidences d'été.

À l'est de la sierra Norte, le village de **Patones** dut à son isolement d'échapper aux troupes napoléoniennes.

Sigüenza ❿

Guadalajara. 🏠 4 700. 🚌 ℹ️ *Ermita del Humilladero (949 34 70 07).* 🏛️ *sam.* 🎉 *San Juan (24 juin), San Roque (15 août).* 🌐 *www.siguenza.com*

Un parador *(p. 151)* occupe désormais l'imposant château qui domine cette petite ville étagée à flanc de colline. Sa **cathédrale** romane

Tombeau d'El Doncel, le page d'Isabelle de Castille, dans la cathédrale de Sigüenza

entreprise au XIIᵉ siècle reçut, entre autres ajouts, un cloître gothico-plateresque. Une chapelle du transept abrite le tombeau de Martín Vázquez de Arce, dit El Doncel (« le damoiseau »), page d'Isabelle la Catholique *(p. 52)* qui périt en 1486 dans une bataille contre les Maures à Grenade. La sacristie possède un plafond sculpté de rosaces et d'angelots par Covarrubias.

Façade plateresque du Colegio de San Ildefonso, Alcalá de Henares

Guadalajara ⓫

Guadalajara. 🏠 68 200. 🚉 🚌
🛈 Plaza de los Caìlos (949 21 16 26). 🅿
mar., sam. 🎪 Virgen de la Antigua (sept.).
🅆 www.jccm.es/turismo

La riche histoire de Guadalajara marque peu la ville moderne au caractère nettement industriel. Créée par les Romains, la colonie d'Arriaca reçut le nom de Wad-al-Hajarah à l'époque de la domination maure. Conquise par Alphonse VI en 1085, elle prit son essor au XIVᵉ siècle, grâce à la puissante dynastie des Mendoza, ducs de l'Infantado.

Leur château, le **Palacio de los Duques del Infantado** construit entre le XVᵉ et le XVIIᵉ siècle, offre un magnifique exemple d'architecture gothico-mudéjare. De délicates sculptures ornent sa façade à pointes de diamant, dessinée par l'architecte d'origine bretonne Juan Guas, ainsi que son patio à deux étages de galeries. Endommagé pendant la guerre civile, le palais, restauré, abrite aujourd'hui le Museo Provincial. Guadalajara conserve aussi quelques églises intéressantes. L'**Iglesia de Santiago** renferme une chapelle gothico-plateresque par Alonso de Covarrubias, et l'**Iglesia de San Francisco** (XVᵉ siècle), le mausolée de la famille Mendoza. L'**Iglesia de Santa María**, (XIIIᵉ siècle) possède un clocher mudéjar.

À 11 km à l'est, à **Lupiana**, le Monasterio de San Bartolomé remonte au XIVᵉ siècle.

🏛 Palacio de los Duques del Infantado
Avenida del Infantado del Ejército.
🕿 949 21 33 01. **Musée** 🕐 mar.-dim. **Palais** 🕐 t.l.j. 🎫 sauf sam. et dim.

Détail de la façade du Palacio de los Duques del Infantando

Alcalá de Henares ⓬

Madrid. 🏠 176 400. 🚉 🚌 🛈
Callejón Santa María (91 889 26 94).
🅿 lun. et mer.
🎪 Feria de Alcalá (fin août).
🅆 www.alcaladehenares-turismo.com

Désormais entourée d'une ville industrielle, l'**université** d'Alcalá fut l'une des plus renommées d'Espagne au XVIᵉ siècle. Créée en 1499 par le cardinal de Cisneros, elle fonda sa réputation sur l'enseignement des langues et publia en 1517 la première Bible polyglotte d'Europe. Elle eut parmi ses élèves les plus prestigieux le dramaturge Lope de Vega *(p. 26)*.

Transférée en 1836 à Madrid, elle a surtout conservé de ses bâtiments d'origine le **Colegio de San Ildefonso,** doté en 1543 par Rodrigo Gil de Hontañón d'une élégante façade plateresque.

La cité mérite également une visite pour sa cathédrale, la **Casa-Museo de Cervantes,** musée installé dans la maison natale de l'auteur, ainsi que pour le **Palacio de Laredo** édifice néo-mauresque récemment restauré.

🏛 Casa-Museo de Cervantes
Calle Mayor 2. 🕿 91 889 96 54.
🕐 mar.-dim. 🕐 j. fériés.
🏛 Palacio de Laredo
Paseo de la Estación 18.
🕿 918 82 13 54. 🕐 mar.-dim.
🎫 🗐

MIGUEL DE CERVANTES

Miguel de Cervantes y Saavedra, figure majeure de la littérature espagnole *(p. 26)*, naquit à Alcalá de Henares en 1547. Blessé à la bataille de Lépante en 1571, il est capturé par les Turcs en 1575 et reste détenu plus de cinq ans. Il ne connaît le succès qu'à près de 60 ans, après la publication en 1605 de la première partie de *Don Quichotte*. Il peut alors se consacrer à l'écriture jusqu'à sa mort à Madrid le 23 avril 1616, le jour où s'éteignit également Shakespeare.

Fine tapisserie du XVIIIᵉ siècle ornant le Palacio de El Pardo

Palacio de El Pardo ⑬

El Pardo, N.-O. de Madrid sur la N605.
☏ 91 376 15 00. 🚌 depuis Moncloa.
🕐 10 h 30-18 h lun.-sam. (17 h oct.-avr.), 9 h 30-13 h 30 dim. et j. fériés.
● visites royales. 📷 (sauf mer.)
🌐 www.patrimonionacional.es

Au cœur d'un parc boisé, le général Franco habita pendant 35 ans dans ce palais où les rois venaient chasser. Il sert aujourd'hui à l'accueil des chefs d'État étrangers. Une visite guidée parcourt l'aile originale, édifiée sous les Habsbourg, et l'agrandissement réalisé au XVIIIᵉ siècle par Francesco Sabatini. Des fresques, des moulures dorées et plus de 200 tapisseries, dessinées pour certaines par Goya, composent une riche décoration intérieure.

Autour du palais et de l'élégant village d'El Pardo s'étend une immense forêt de chênes verts. On y trouve un restaurant mais on peut aussi y pique-niquer.

Museo del Aire ⑭

Carretera de Extremadura, km 10,5. ☏ 91 509 16 90. 🚌 depuis Estación del Príncipe Pío (Norte) tous les bus vers Alcorcón ou Móstoles. 🕐 10 h-14 h mar.-dim. ● 1ᵉʳ janv., jeu. de Pâques et ven. saint, 10 et 25 déc. 📷 (sauf mer.) ♿

Ce musée de l'Aviation compte parmi ses plus belles machines volantes un Vilanova-Acedo de 1911, l'un des plus anciens aéroplanes fabriqués en Espagne, le Breguet XIX *Jesús del Gran Poder*, le premier avion sur lequel un pilote espagnol traversa l'Atlantique en 1929, et l'unique Henkel 111, un appareil de guerre allemand, jamais sorti d'usine. À mi-chemin de l'avion et de l'hélicoptère, *La Cierva* ne manque pas non plus d'intérêt.

Certains aéronefs sont liés à un personnage historique. Ainsi du De Havilland *Dragon Rapide* qu'emprunta en 1936 le général Franco pour venir des Canaries à Tetuán donner le départ de la guerre civile, d'un Bell 47G que le roi Juan Carlos pilota seul et du T-Mentor sur lequel le prince Felipe fit son premier vol sans moniteur. Il y a aussi le Trener Master qui permit à Tomás Castaños de remporter le Championnat du monde d'acrobatie aérienne en 1964, et un F-104 Starfighter sur lequel des pilotes espagnols volèrent 10 000 heures sans accident, un record.

Sur la piste, vous verrez peut-être *Guppy,* le Boeing boursouflé qui sert au transport jusqu'à l'usine de montage en France d'éléments d'Airbus, fabriqués aux environs.

L'exposition comprend aussi des maquettes et des documents tels que photographies, plans de vol, films et vidéos.

Vieil appareil allemand au Museo del Aire

Chinchón

Madrid. 🏘 4 300. 🚉 🛈 *Plaza Mayor 3 (91 894 00 84).* 🚌 *sam.* 🎭 *Semana Santa (sem. de Pâques), San Roque (12-18 août).* 🖥 *www.ciudadchinchon.com*

Voici sans doute la ville la plus pittoresque de la province de Madrid. Entourée de maisons à plusieurs étages de galeries, sa Plaza Mayor typiquement castillane reste le lieu où se déroulent en août les courses de taureaux. À Pâques, les habitants de Chinchón y interprètent la Passion *(p. 34).* L'église du XVIe siècle qui domine la place eut comme prêtre un frère de Goya et l'artiste peignit l'*Assomption de la Vierge* ornant l'autel. Près de la **Plaza Mayor,** un monastère augustinien du XVIIIe siècle abrite un parador. Le château du XVe siècle en ruine situé à l'ouest est fermé au public, mais la colline qu'il couronne offre une belle vue de la ville et de ses alentours.

Le week-end, Chinchón s'emplit de Madrilènes qui viennent déguster dans ses tavernes les spécialités réputées de la région comme l'*anís (p. 157)* et l'excellent chorizo.

Palacio Real de Aranjuez 🔟

Plaza de Parejas, Aranjuez. 📞 91 891 13 44. 🚉 🚉 ◻ *avr.-sept. : 10 h-18 h 15 mar.-dim. (17 h 15 oct.-mars) ; jardins jusqu'à 20 h 30 (18 h 30 oct.-mars), sur r.-v. pour Casa de Labrador.* 🎟 🖼 *(sauf mer.).* ♿

Construit au confluent du Tage et de la rivière Jarama sur le site d'un pavillon de chasse médiéval, ce palais d'été apprécié des Habsbourg subit plusieurs incendies. L'édifice actuel, en pierre et en brique, date du XVIIIe siècle.

Une visite guidée traverse de nombreuses pièces de style baroque ou rococo. Parmi les plus remarquables figurent la salle du Trône, le charmant salon de Porcelaine et le fumoir aménagé à l'imitation d'une salle de l'Alhambra de Grenade. D'une superficie de 3 km², les magnifiques jardins inspirèrent à Joaquín Rodrigo

le célèbre *Concierto de Aranjuez.* Le petit jardin du Parterre à la française et le Jardín de la Isla, aménagé sur une île entre deux bras du Tage, existaient déjà au XVIe siècle.

Le long du fleuve s'étend le jardin du Prince dessiné au XVIIIe siècle, planté de hauts arbres des Amériques. La Casa de Marinos y abrite une collection de barques utilisées par la famille royale. Au fond du parc, à l'est, la Casa del Labrador, bâtie par Charles IV, possède une décoration encore plus riche que celle du palais.

La qualité des produits des maraîchers de la région, a fondé la renommée des restaurants de la ville. En été, un train à vapeur, mis en service au XIXe siècle pour

Le palais royal d'Aranjuez, au bord du Tage

acheminer les fraises vers les marchés de la capitale, relie Aranjuez à Madrid *(p. 196).*

Illescas 🔟

Toledo. 🏘 12 000. 🚉 🛈 *Plaza Mayor 1 (925 51 10 51).* 🚌 *jeu.* 🎭 *Fiesta de Milagro (11 mars), Fiesta Patronal (31 août).*

Proche de la voie rapide Madrid-Tolède, Illescas servit de résidence d'été de la cour de Philippe II *(p. 15).* La vieille ville a perdu de sa splendeur mais conserve deux églises intéressantes : la **Parroquial de la Asunción** élevée entre le XIIIe et le XVIe siècle, qui possède une tour mudéjare caractéristique, et l'église de l'**Hospital de Nuestra Señora de la Caridad** qui abrite une importante collection d'art. Elle comprend cinq tableaux majeurs du Greco *(p. 139),* notamment *Saint Ildefonse écrivant sous la dictée de la Vierge,* *L'Annonciation* et *Le Couronnement de la Vierge.* Dans la chapelle des Reliques se trouve un portrait de Francisco Pacheco de Toledo par Pantoja de la Cruz. Un *Ecce Homo* par Luis de Morales orne la sacristie.

🛈 **Hospital de Nuestra Señora de la Caridad**
Calle Cardenal Cisneros 2. 📞 925 54 00 35. ◻ *t.l.j.* 🖼 ♿

Tolède pas à pas ⑱

Coffret de Tolède damasquiné

Occupant un site magnifique dans un méandre du Tage, Tolède recèle dans le lacis de ruelles encloses dans son enceinte fortifiée maints témoignages de sa riche histoire. Ancienne colonie romaine dont la forteresse occupait l'emplacement de l'actuel Alcázar, elle devint au vie siècle la capitale des Wisigoths qui ont laissé plusieurs églises. Creuset où se métissèrent au Moyen Âge les cultures chrétienne, juive et musulmane, la cité se para au xiiie siècle de son plus prestigieux monument : la cathédrale. La ville conserve aussi de nombreuses œuvres du Greco.

Dans l'Iglesia de San Román d'origine wisigothique, un musée évoque la Tolède des Wisigoths.

Puerta de Valmardón

0 _____ 100 m

Vers escalier

CALLE

CARDENAL LORENZANA

CALLE DE SAN ROMÁN

CALLE DE ALFONSO X

★ Iglesia de Santo Tomé
Cette église à la belle tour mudéjare abrite L'Enterrement du comte d'Orgaz *par le Greco.*

CALLE DE ALFONSO XII

CALLE DE LA TRINIDAD

Sinagoga de Santa María la Blanca et Monasterio de San Juan de los Reyes

Sinagoga del Tránsito et Casa-Museo de El Greco

CALLE

Plaza del Ayuntamiento

Palais de l'archevêque

Taller del Moro
Un musée de céramique mudéjare occupe ce palais également mudéjar qui servit d'atelier aux maçons de la cathédrale.

À NE PAS MANQUER

★ **Iglesia de Santo Tomé**

★ **Museo de Santa Cruz**

★ **Cathédrale**

La Puerta del Sol a un double arc mudéjar et deux tours.

Ermita del Cristo de la Luz
Cette petite mosquée bâtie en 980 est le seul édifice musulman à avoir subsisté.

Office de tourisme, Estación de Autobuses et RENFE

La plaza de Zodocover, grand-place de la ville bordée de boutiques et de cafés, doit son nom au marché arabe dont elle occupe le site.

ALFILERITOS

PLAZA DE ZOCODOVER

CALLE DEL COMERCIO

COSTA DE CARLOS V

★ Museo de Santa Cruz
Sa riche collection d'art comprend 18 toiles du Greco et plusieurs tapisseries flamandes, dont cette représentation des signes du zodiaque datant du XVᵉ siècle.

SIXTO RAMÓN PARRO

NAL CISNEROS

LÉGENDE

– – – Itinéraire conseillé

★ Cathédrale
Bâtie sur le site d'une cathédrale wisigothique transformée en mosquée, c'est l'un des plus grands sanctuaires chrétiens (p. 140-141). Un retable de style gothique flamboyant (1504) orne le maître-autel.

Alcázar
À l'intérieur de la forteresse, une statue de Carlos V représente le roi dominant un Maure. L'original est visible au musée du Prado.

Le quartier médiéval de Tolède dominé par la cathédrale

À la découverte de Tolède

Tolède est une cité qu'il est préférable de découvrir à pied, et plutôt en semaine que le week-end, pour éviter la foule. Il vous faudra au moins deux jours pour une visite complète mais il est possible d'explorer les vieux quartiers en une matinée prolongée. C'est à la tombée de la nuit, surtout en été, que la ville acquiert toute sa magie.

♣ Alcázar

Cuesta de Carlos V. (925 22 30 38. ○ jusqu'en 2005.

Sur un site où Romains, Wisigoths et Arabes élevèrent successivement une forteresse, cet imposant château aux lignes sévères a retrouvé l'aspect que lui donnèrent Charles Quint et Philippe II. Il n'en restait pourtant pratiquement que des ruines en 1936, après que les cadets de l'Académie d'infanterie y eurent résisté pendant soixante-dix jours aux républicains qui tenaient la ville. Le bâtiment fut toutefois restauré selon les plans d'origine et on y ouvrit un musée de l'Armée. Celui-ci est fermé en attendant le transfert du Museo del Ejército (p. 77) de Madrid sur le site de l'Alcázar.

La **bibliothèque** abrite la collection Borbón-Lorenzana comprenant 100 000 volumes du XVIᵉ et XIXᵉ siècle.

⛪ Museo de Santa Cruz

Calle Cervantes 3. (925 22 10 36. ○ t.l.j. 🖼️ (gratuit sam. apr.-m. et dim. apr.-m. membres de l'U.E.)

Fondé au XVIᵉ siècle par le cardinal Mendoza, représenté au-dessus de l'entrée agenouillé devant la croix, l'ancien hôpital qu'occupe ce musée conserve de superbes éléments plateresques, notamment le portail, le patio et l'escalier. Disposées en croix grecque, les quatre ailes principales abritent une collection particulièrement riche en tapisseries, peintures et sculptures du Moyen Âge et de la Renaissance. Elle comprend également près de 20 œuvres du Greco dont le magnifique retable de

L'Assomption (1613) par le Greco au Museo de Santa Cruz

L'Assomption (1613). Des armes et des armures damasquinées (incrustées de fils d'or) sont exposées. Une partie du musée est en travaux, les salles rénovées ouvriront à l'automne 2005.

⛪ Iglesia de Santo Tomé

Plaza del Conde 4. (925 25 60 98. ○ t.l.j. 🖼️ (sauf mer. membres de l'U.E.)

Les origines de cette église remonteraient au XIIᵉ siècle, et sa tour offre un des meilleurs exemples d'architecture mudéjare de la ville. Elle abrite le chef-d'œuvre du Greco : *L'Enterrement du comte d'Orgaz*. Ce noble finança au XIVᵉ siècle une grande partie de la construction du sanctuaire actuel, et le tableau, commandé par un prêtre en son hommage, n'a jamais quitté son emplacement.

Il dépeint l'apparition miraculeuse de saint Augustin et de saint Étienne aux funérailles du comte, un ange emportant l'âme du défunt vers l'assemblée céleste réunie autour du Christ. L'artiste s'est figuré à droite, levant les yeux au ciel. Le page dont le mouchoir porte la signature de l'œuvre pourrait être le fils du peintre, Jorge Manuel.

Non loin, la **Pastelería Santo Tomé** est réputée pour ses pâtes d'amande (*marzipans*) fabriquées à Tolède.

♨ Sinagoga de Santa María la Blanca

Calle de los Reyes Católicos 4.
🔲 925 22 72 57. 🔲 t.l.j. 📷
Fondée au XIIᵉ siècle, la plus ancienne et la plus vaste des huit synagogues que compta la ville devint en 1405 une église de l'ordre militaire de Calatrava. Une restauration lui a rendu, autant que possible, son aspect initial : la blancheur des arcs en fer à cheval met en valeur la finesse des sculptures des chapiteaux et des ornements muraux. Un retable platéresque (XVIᵉ siècle) décore la chapelle principale. En 1391, un massacre de juifs dans la synagogue marqua la fin de la tolérance religieuse à Tolède.

Arcs mudéjars dans la Sinagoga de Santa María la Blanca

♨ Sinagoga del Tránsito

Calle Samuel Leví. 🔲 925 22 36 65.
⬤ fermé pour rénovation
🔲 www.ddnet.es/sefardi
Derrière une façade sans attrait particulier, cette ancienne synagogue, construite au XIVᵉ siècle par Samuel Ha-Leví, le trésorier de Pierre le Cruel, cache le plus riche intérieur mudéjar de la ville. Dans la salle de prière au plafond à caissons incrusté d'ivoire, une frise associe motifs gothiques, arabes et hébraïques.
Un musée attenant propose une intéressante exposition consacrée à la culture séfarade. Certains des manuscrits et objets rituels présentés sont postérieurs à l'expulsion des juifs d'Espagne à la fin du XVᵉ siècle.

Plafond à caissons au Monasterio de San Juan de los Reyes

🔒 Monasterio de San Juan de los Reyes

Calle de los Reyes Católicos 17.
🔲 925 22 38 02. 🔲 t.l.j. 📷
Merveilleux exemple d'art isabélin où se marient style gothique et influences mudéjares, ce monastère commandé par les Rois Catholiques après leur victoire en 1476 sur les Portugais à Toro, près de Salamanque, devait à l'origine recevoir leurs sépultures. Ils reposent en fait dans la Capilla Real de Grenade. Achevée en 1492, l'église à nef unique présente un décor intérieur d'une étonnante richesse, sculpté principalement par Juan Guas. Dans le cloître de style gothique flamboyant (1510), l'un des plus beaux d'Espagne, un plafond polychrome mudéjar orne la galerie supérieure. Près de l'église subsiste une portion du mur d'enceinte du quartier juif.

🏛 Casa-Museo de El Greco

Calle Samuel Leví. 🔲 925 22 40 46. 🔲 mar.-dim. 📷 (sauf sam. ap.-m. et dim. mat.).
🔲 www.geocities.com/soho/museum
Le Greco ne vécut peut-être pas dans cette maison au cœur du quartier juif, mais seulement à proximité. Transformée en musée, la demeure abrite une importante collection de ses œuvres, dont une *Vue de Tolède* offrant un tableau détaillé de la ville au Siècle d'or, et la magnifique série du *Christ et des douze apôtres*.
Au rez-de-chaussée, sous le musée, une ancienne chapelle privée renferme des peintures de membres de l'école de Tolède tels que Luis Tristán.

🔒 Iglesia de Santiago del Arrabal

Calle Arrabal.
Voici l'un des plus beaux monuments mudéjars de Tolède. La tour, Calle Arrabal, daterait d'avant la reconquête de la ville en 1085. Édifiée peu après, l'église possède un magnifique plafond en bois. La sobriété du décor intérieur met en valeur un retable platéresque et une chaire gothico-mudéjare (XIVᵉ siècle).

♨ Puerta Antigua de Bisagra

Le Cid Campeador accompagnait Alphonse VI lorsqu'il entra par cette porte dans Tolède après sa reconquête en 1085. Flanquée de tours massives coiffées d'un corps-de-garde, elle est la seule porte qui subsiste de l'enceinte érigée par les Maures au IXᵉ siècle.

EL GRECO

Né en Crète en 1541, Dhomínikos Theotokópoulos, dit « le Grec », achève sa formation en Italie, notamment auprès de Titien. Il vient à Tolède en 1477 pour peindre le retable du couvent Santo Domingo el Antiguo. Séduit par la ville, où il se marie et peint pour d'autres églises, il y travaillera jusqu'à sa mort en 1614, créant une œuvre profondément originale, marquée par la ferveur religieuse.

Dhomínikos Theotokópoulos, dit El Greco

La cathédrale de Tolède

L'imposante cathédrale de Tolède s'élève sur le site d'une église fondée au VIIᵉ siècle par le roi wisigoth Reccared Iᵉʳ et par saint Eugène, le premier évêque de la ville, puis transformée par les Maures en mosquée. Sa construction commença en 1226 en pur gothique français, mais ne s'acheva qu'en 1493, le style évoluant au fil des siècles pour prendre un caractère plus spécifiquement espagnol. Les œuvres qu'elle abrite en font un véritable musée d'art sacré. On continue d'y célébrer la messe selon le rite mozarabe, liturgie d'origine wisigothique que préservèrent pendant l'occupation arabe les chrétiens de Tolède.

Sacristie
Outre Le Christ dépouillé de ses vêtements *par le Greco, au-dessus du maître-autel, elle abrite aussi des œuvres de Titien, Van Dyck et Goya.*

Le cloître, entrepris en 1389, occupe l'emplacement d'un ancien marché juif.

Vue de la cathédrale de Tolède
C'est le parador (p. 151) qui offre la meilleure vue de la ville et de sa cathédrale dont la tour domine l'extrémité ouest de la nef.

La tour renferme la Gorda (« la Grosse »), cloche de 17 t.

À la Puerta del Mollete, entrée principale sur la façade ouest, on distribuait du pain blanc *(mollete)* aux pauvres.

★ Custode
Le trésor comprend une custode gothique en argent doré (XVIᵉ siècle) de plus de 3 m de haut. Elle est portée en procession dans les rues pour la Fête-Dieu (p. 34).

À NE PAS MANQUER

★ **Custode**

★ **Transparente**

★ **Retable**

★ **Chœur**

★ **Transparente**
Mise en valeur par son éclairage naturel, cette composition baroque de Narciso Tomé tranche sur son environnement gothique.

Capilla de Santiago

La Capilla de San Ildefonso renferme le superbe tombeau plateresque du cardinal Alonso Carrillo de Albornoz.

Salle capitulaire
Sous un plafond à caissons mudéjar, elle abrite des fresques du XVIᵉ siècle par Jean de Bourgogne.

★ **Retable du maître-autel**
De style gothique flamboyant, il illustre des épisodes de la vie du Christ.

Puerta de los Leones

Puerta Llana (entrée)

La puerta del Perdón présente au tympan un relief où la Vierge apparaît à saint Ildefonse.

La Capilla Mozárabe possède une belle grille Renaissance (1524) par Juan Francés.

★ **Chœur**
Surmontée de personnages bibliques sculptés dans l'albâtre, la partie inférieure des stalles, en bois, décrit la chute de Grenade.

LES BONNES ADRESSES

HÉBERGEMENT

Modeste bourg rural avant que Philippe II y établisse sa cour en 1561, Madrid dut rapidement se doter d'auberges et d'hôtelleries pour accueillir les visiteurs venant des provinces et de l'étranger. Elle prit pourtant du retard sur les autres capitales européennes au cours du XIXᵉ siècle et Alphonse XIII, embarrassé que les invités à son mariage en 1906 n'aient pu loger

Portier d'hôtel

dans des hôtels aussi chic que ceux des autres capitales européennes, décida de créer le Ritz et le Palace, deux établissements qui n'ont aujourd'hui rien perdu de leur luxe.

Toutefois, on trouve aussi des hôtels plus modestes, quelquefois aménagés dans d'anciennes demeures et, pour les petits budgets, de très nombreuses *pensiones* offrant un hébergement bon marché.

L'élégant Reina Victoria *(p. 147)* vu de la plaza de Santa Ana

OÙ CHERCHER ?

Le centre de Madrid offre, près des principaux sites touristiques, un très large choix dans toutes les catégories de prix, mais certains quartiers tels que la Gran Vía et les environs de la Puerta del Sol sont bruyants de jour comme de nuit. Mieux vaut les éviter, à moins de prendre une chambre insonorisée. Il est difficile de se garer dans le centre, et si vous venez en voiture prévoyez un établissement disposant de places de stationnement.

Si vous aspirez à la tranquillité et ne craignez pas d'avoir à prendre un taxi ou le métro pour vos visites, vous apprécierez les quartiers résidentiels de Salamanca (à l'est) et de Chamberí (au

nord). Les luxueux hôtels modernes bordant le paseo de la Castellana et la partie est du boulevard périphérique (M 30), vers l'aéroport, s'adressent surtout à des voyageurs d'affaires.

CLASSEMENT DES HÔTELS ET SERVICE

Les hôtels espagnols (signalés par un H sur une plaque bleue) sont classés de une à cinq étoiles. Madrid

Salon d'une suite du Ritz, l'un des plus luxueux palaces de Madrid *(p. 148)*

renferme treize établissements de cette dernière catégorie, aussi appelée Gran Lujo (GL) : parmi lesquels le Ritz, le Palace *(p. 148)* et le Villamagna *(p. 149)*.

Cette classification dépend toutefois de critères techniques tenant compte des prestations et des installations disponibles, et les trois étoiles incluent aussi bien des établissements sans âme ni charme que des établissements exceptionnels au personnel chaleureux et au décor recherché. Les quatre et cinq étoiles offriront tous un haut niveau de standing et un large éventail de commodités, mais sans atteindre le confort de leurs équivalents, à prix égal, installés en zones rurales. Peu possèdent un jardin ou une piscine.

Bien que très simples, les hôtels de une et deux étoiles louent de plus en plus des chambres équipées de la télévision, du téléphone, d'une salle de bains individuelle et, dans les meilleurs, de la climatisation, un avantage important en été.

Dans les *hostal-residencias* (HR) seul le petit déjeuner est servi. Appelées *hostales* (Hs) ou *pensiones* (P), sans qu'il y ait de grande différence entre les deux, les pensions proposent un hébergement simple et économique.

Si vous voyagez seul, une *habitación doble uso individual,* chambre double utilisée par une seule personne, vous permettra de disposer de plus d'espace pour un prix légèrement supérieur à une chambre simple. Les places de stationnement donnent lieu à un supplément, parfois très élevé.

Les pensions proposent un hébergement simple et bon marché

PARADORS

Hôtels de trois à cinq étoiles gérés par le gouvernement, les paradors ont une réputation méritée. Les plus agréables occupent des édifices historiques qui justifient une visite. S'il n'en existe pas à Madrid, plusieurs se trouvent à distance raisonnable de la capitale, dont l'un dans un palais du XVIIe siècle à Chinchón *(p. 150)* et un autre dans un château maure à Sigüenza *(p. 151)*. Celui de Ségovie *(p. 151)* offre calme, piscine et grand luxe.

Chambre sobrement décorée du spacieux Crowne Plaza *(p. 146)*

RÉSERVER UNE CHAMBRE

Même dans une ville aussi bien dotée en possibilités d'hébergement que Madrid, réserver, directement par fax, par téléphone, par mail ou en passant par une agence de voyages, permet d'avoir le choix et d'éviter les périodes d'affluence. Il peut être ainsi difficile de trouver une chambre lors des grandes foires commerciales. Pensez à préciser tout de suite vos préférences, chambre avec des lits jumeaux ou un grand lit, par exemple, ou donnant sur la rue ou l'arrière. Peu d'établissements exigent des arrhes ou un numéro de carte bancaire, mais votre réservation ne restera valable que jusqu'à une certaine heure précisée par le réceptionniste. À votre arrivée, il vous faudra présenter une pièce d'identité.

Les chambres doivent en général être libérées avant midi, mais l'hôtel peut garder vos bagages si vous prévoyez un départ plus tardif.

PAIEMENT ET RÉDUCTIONS

Pratiquement tous les hôtels acceptent les cartes de crédit. Sauf exception, les prix affichés n'incluent pas la taxe à la valeur ajoutée (IVA), d'un montant de 7 %. Beaucoup d'établissements, en particulier ceux visant une clientèle d'affaires, proposent des réductions en été et le week-end. Les sociétés peuvent bénéficier d'un tarif spécial *(precio de empresa)* allant jusqu'à 30 % de réduction.

VOYAGEURS HANDICAPÉS

Certains des hôtels les plus récents disposent de rampes d'accès, d'ascenseurs et d'aménagements adaptés aux personnes en fauteuil roulant, mais il vaut toujours mieux se renseigner avant de réserver.

NON-FUMEURS

Seuls quelques établissements de Madrid, tous des quatre ou cinq étoiles, proposent des chambres non-fumeurs.

APPARTEMENTS

Les hôtels louant des appartements sont appelés *hotel apartamentos* ou *apart-hotels*. Les établissements qui ne proposent que cette forme d'hébergement portent le nom d'*apartamentos turísticos* et sont en général réservés aux séjours d'au moins une semaine.

AVEC DES ENFANTS

La majorité des hôtels de Madrid, dans toutes les catégories de prix, installeront pour un jeune enfant un berceau ou un lit de plus dans la chambre des parents, souvent sans supplément. Seuls certains des plus chers proposent un service de baby-sitting, les Espagnols ayant tendance à emmener partout leurs enfants.

AUBERGES DE JEUNESSE

Il existe deux auberges de jeunesse *(albergues juveniles)*. Une est située sur Calle de Santa Cruz de Marcenado dans le centre, l'autre dans la Casa de Campo *(p. 114)*. La capacité d'hébergement est limitée. Pour être sûr d'avoir une place, réservez à l'avance sur www.madrid.org/inforjoven ou auprès de l'Instituto de Albergues Juveniles au n°10 Gran Via, 1er étage [C] 91 720 11 82.

Le Ritz *(p. 148)*, donnant sur la plaza Canovas del Castillo

Choisir un hôtel

Présentés par quartiers et dans l'ordre alphabétique par catégorie de prix, ces établissements ont été sélectionnés en fonction de leur situation ou de la qualité de leurs prestations. Beaucoup possèdent un bon restaurant, un joli jardin ou des chambres dotées de balcons. Pour plus de détails sur les restaurants, voir pages 152-163.

	CARTES BANCAIRES	NOMBRE DE CHAMBRES	PARKING PRIVÉ	PISCINE	JARDIN OU TERRASSE
VIEUX MADRID					
HOSTAL BUENOS AIRES. Plan 2 D5. € Gran Vía 61, 28013. 91 542 01 02. FAX 91 542 28 69. Cette pension économique, bien située sur la Gran Vía, abrite des pièces communes au décor agréable et des chambres toutes dotées d'un balcon ou d'une petite terrasse.	DC MC V	25			
CARLOS V. Plan 4 E2. W www.bestwestern.es/carlosy €€€ Calle Maestro Vitoria 5, 28013. 91 531 41 00. FAX 91 531 37 61. Dans une rue piétonne proche de la Puerta del Sol, le Carlos V propose des chambres communicantes, des chambres familiales, des chambres avec balcon et, au dernier étage, certaines avec solarium.	AE DC MC V	67			
REGENTE. Plan 4 F1. W www.hotelregente.com €€ Calle de Mesonero Romanos 9, 28013. 91 521 29 41. FAX 91 532 30 14. Cet hôtel conjugue équipement moderne et mobilier au cachet ancien. Les chambres sur la Gran Vía peuvent se révéler bruyantes.	AE DC MC V	145			
PUERTA DE TOLEDO. Plan 3 C5. W www.hotel-puertadetoledo.com €€€ Glorieta Puerta de Toledo 4, 28005. 91 474 71 00. FAX 91 474 07 47. Cet hôtel fonctionnel, aux tarifs raisonnables, se trouve près du marché aux puces d'El Rastro, à une courte distance à pied du Palacio Real et des tavernes typiques des rues de la Cava Alta et de la Cava Baja.	AE DC MC V	152	■		■
REGINA. Plan 7 A2. W www.hotelreginamadrid.com €€€ Calle de Alcalá 19, 28014. 91 521 47 25. FAX 91 522 40 88. Cet établissement moderne et élégant est à la fois proche de la Real Academia de Bellas Artes et de la Puerta del Sol.	AE DC MC V	142	■		
REYES CATÓLICOS. Plan 3 C4. W www.hotelreyescatolicos.com €€€ Calle del Ángel 18, 28005. 91 365 86 00. FAX 91 365 98 67. Cet hôtel moderne très fréquenté accueille volontiers les enfants. Des fenêtres à double vitrage assurent l'insonorisation des chambres. Une terrasse, sur le toit, offre une large vue.	AE DC MC V	38	■		■
AROSA. Plan 4 F1. W www.bestwestern.com/es/arosa €€€€ Calle de la Salud 21, 28013. 91 532 16 00. FAX 91 531 31 27. Les clients en voyage d'affaires apprécient cet établissement du centre pour ses chambres confortables et insonorisées.	AE DC MC V	134	■		
CROWNE PLAZA. Plan 2 D5. W www.madrid_citycentre.crowneplaza.com €€€€€ Gran Vía 84, 28013. 91 547 12 00. FAX 91 548 23 89. Récemment rénové, cet hôtel à l'américaine fait face à la plaza de España dans l'Edificio de España. Les chambres et les parties communes sont spacieuses.		306	■		
HOTEL GAUDÍ. Plan 7 A1. W www.hoteles-catalonia.es €€€€ Gran Vía 9, 28013. 91 531 22 22. FAX 91 531 54 69. Cet hôtel situé dans un édifice moderniste des années 1920 affiche quelques détails décoratifs dus à Gaudí. Les suites du dernier étage possèdent des balcons et des jacuzzi.		185	●		
SANTO DOMINGO. Plan 4 D1. W www.hotelsantodomingo.com €€€€ Plaza de Santo Domingo 13, 28013. 91 547 98 00. FAX 91 547 59 95. Cet hôtel de standing datant des années 90 se trouve au sud de la Gran Vía, près de la Puerta del Sol et du Teatro Real. Décor intérieur moderne et chambres non-fumeurs.		120	■		■
TRYP CAPITOL. Plan 4 E1. W www.solmelia.com €€€€ Gran Vía 41, 28013. 91 521 83 91. FAX 91 521 77 29. Au cœur de l'action sur la Gran Vía, près de la plaza Callao, le Tryp Capitol propose des chambres rénovées en 1998, dans l'un des plus intéressants bâtiments modernes de Madrid.	AE DC MC V	143			

Catégories de prix pour une chambre double, petit déjeuner, taxes et service compris.

€ moins de 60 euros
€€ de 60 à 100 euros
€€€ de 100 à 130 euros
€€€€ de 130 à 160 euros
€€€€€ plus de 160 euros

CARTES BANCAIRES
Cartes acceptées : American Express (AE), Diners Club (DC), Mastercard/Access (MC) et Visa (V).

PARC DE STATIONNEMENT
Possibilité de garer son véhicule, parfois en payant un supplément, dans un parking ou un garage appartenant à l'hôtel ou se trouvant à proximité.

PISCINE
Piscine à ciel ouvert sauf indication contraire.

JARDIN
L'hôtel possède un jardin, une cour intérieure ou une terrasse, où les repas sont parfois servis.

	Cartes bancaires	Nombre de chambres	Parking privé	Piscine	Jardin ou terrasse
TRYP GRAN VÍA. Plan 4 F1. www.solmelia.com €€€€ Gran Vía 25, 28013. 91 522 11 21. FAX 91 521 24 24. Une partie du mobilier de cet hôtel de chaîne dominant la Gran Vía évoque les années 60 et 70.	AE DC MC V	175			
TRYP MENFIS. Plan 2 D5. www.solmelia.com €€€€ Gran Vía 74, 28013. 91 547 09 00. FAX 91 547 51 99. Tout près de la plaza de España, un immeuble récent abrite des chambres entièrement refaites en 1997.	AE DC MC V	115			
TRYP REX. Plan 4 E1. www.solmelia.com €€€€ Gran Vía 43, 28013. 91 547 48 00. FAX 91 547 12 38. Ce Tryp occupe un édifice ancien entre la plaza del Callao et la plaza de España près d'un vaste parking public. Les pièces communes sont spacieuses et les chambres toutes équipées d'un coffre-fort.	AE DC MC V	145			
HESPERIA MADRID. Plan 6 D1. www.hesperia-madrid.com €€€€€ Paseo de la Castellana, 57, 28046. 91 210 88 00. FAX 91 210 88 99. Un hôtel récent et bien équipé, situé dans un bâtiment moderne non loin du quartier des affaires et des boutiques chic de la Calle de Serrano. Certaines suites ont un balcon et un jacuzzi. Le restaurant Saintceloni est recommandé.	DC MC V	171	■		
TRYP AMBASSADOR. Plan 4 D1. www.solmelia.com €€€€€ Cuesta de Santo Domingo 5, 28013. 91 541 67 00. FAX 91 559 10 40. Près du Palacio Real, les hôtes profitent ici du confort moderne et de vastes chambres dans un palais du XIXe siècle. Des plantes tropicales poussent dans le jardin d'hiver où il y a un bar.	AE DC MC V	182			
TRYP REINA VICTORIA. Plan 7 A3. www.solmelia.com €€€€€ Plaza de Santa Ana 14, 28012. 91 531 45 00. FAX 91 522 03 07. Ce gracieux édifice historique où logea Ernest Hemingway a une importante clientèle d'amateurs de corrida.	AE DC MC V	201	■		

MADRID DES BOURBONS

	Cartes bancaires	Nombre de chambres	Parking privé	Piscine	Jardin ou terrasse
HOSTAL-RESIDENCIA LISBOA. Plan 7 A2. hostalisboa@inves.es € Calle de Ventura de la Vega 17, 28014. 91 429 46 76. FAX 91 429 46 76. Une pension impeccable, située près de la plaza de Santa Ana et à quelques pas de la calle Echegaray.	AE DC MC V	27			
MEDIODÍA. Plan 7 C4. € Plaza del Emperador Carlos V 8, 28012. 91 527 30 60. FAX 91 527 30 66. D'un excellent rapport qualité/prix, cet hôtel propose, dans un immeuble du XIXe siècle proche du Centro de Arte Reina Sofía, un service chaleureux et des chambres confortables.	AE MC V	170			
MORA. Plan 7 C4. € Paseo del Prado 32, 28014. 91 420 15 69. FAX 91 420 05 64. Bénéficiant d'une situation centrale près du Jardín Botánico et du Prado, et doté d'une jolie entrée, de chambres et d'équipements fonctionnels, cet hôtel des années 30 reste toutefois bon marché.	AE DC MC V	75			
SANTANDER. Plan 7 A3. € Calle de Echegaray 1, 28014. 91 429 46 44. FAX 91 369 10 78. Ouvert dans les années 20, ce petit établissement accueillant offre des chambres propres et confortables. Situé près de la Puerta del Sol, il est pratique pour rejoindre les sites du centre.		35			
INGLÉS. Plan 7 A3. Comercial@hotelingles.com €€ Calle de Echegaray 8, 28014. 91 429 65 51. FAX 91 420 24 23. D'un bon rapport qualité-prix, cet hôtel familial a son propre garage. Les chambres sur la rue sont ensoleillées, celles de derrière plus calmes.	AE DC MC V	58	■		

Catégories de prix pour une chambre double, petit déjeuner, taxes et service compris.

€ moins de 60 euros
€€ de 60 à 100 euros
€€€ de 100 à 130 euros
€€€€ de 130 à 160 euros
€€€€€ plus de 160 euros

CARTES BANCAIRES
Cartes acceptées : American Express (AE), Diners Club (DC), Mastercard/Access (MC) et Visa (V).
PARC DE STATIONNEMENT
Possibilité de garer son véhicule, parfois en payant un supplément, dans un parking ou un garage appartenant à l'hôtel ou se trouvant à proximité.
PISCINE
Piscine à ciel ouvert sauf indication contraire.
JARDIN
L'hôtel possède un jardin, une cour intérieure ou une terrasse, où les repas sont parfois servis.

	CARTES BANCAIRES	NOMBRE DE CHAMBRES	PARKING PRIVÉ	PISCINE	JARDIN OU TERRASSE
EL PRADO. Plan 7 B3. W www.green-hotels.com €€€€ Calle del Prado 11, 28014. 91 369 02 34. FAX 91 429 28 29. Ce petit hôtel bien tenu borde une rue étroite près de la plaza de Santa Ana. Chambres spacieuses et service affaires. 📺	AE DC MC V	45	■		
AGUMAR. Plan 8 E5. W www.h-santos.es €€€€ Paseo de la Reina Cristina 7, 28014. 91 552 69 00. FAX 91 433 60 95. Proche des grands musées, l'Agumar possède sa propre collection de peintures et de tapis de la Real Fábrica de Tapices. 📺	AE DC MC V	245	■		
NH ALCALÁ. Plan 8 E1. W www.nh-hoteles.com €€€€ Calle de Alcalá 66, 28009. 91 435 10 60. FAX 91 435 11 05. Une rue sépare cet hôtel à l'atmosphère chaleureuse du Parque del Retiro. Les chambres de derrière donnent sur un joli jardin. 📺	AE DC MC V	146	■		■
SUECIA. Plan 7 B2. W www.hotelsuecia.com €€€€ Calle del Marqués de Casa Riera 4, 28014. 91 531 69 00. FAX 91 521 71 41. La terrasse du Suecia permet de prendre le soleil au 7ᵉ étage, à quelques pas de la plaza de Cibeles. 📺	AE DC MC V	128	■		■
SUITE PRADO. Plan 7 A3. W www.suiteprado.com €€€€ C/ Manuel Fernández y González 10, 28014. 91 420 23 18. FAX 91 420 05 59. Cet établissement loue des suites luxueuses à courte distance du Prado et du Museo Thyssen-Bornemisza. 📺	AE DC MC V	18			
VILLA REAL. Plan 7 B2. W www.derbyhotels.es €€€€ Plaza de las Cortes 10, 28014. 91 420 37 67. FAX 91 420 25 47. Meubles en acajou et broderies décorent les pièces communes de cet hôtel chic, construit au XIXᵉ siècle près du Prado. 📺	AE DC MC V	115	■		
HOTEL PALACE. Plan 7 B2. W www.luxurycollection.com/palacemadrid €€€€€ Plaza de las Cortes 7, 28014. 91 360 80 00. FAX 91 360 81 00. Ce gracieux établissement Belle Époque (p. 69), agrémenté d'une verrière, a reçu dans ses chambres élégantes aussi bien des hommes d'État que Mata Hari. Le service est prévenant. 📺 ♿	AE DC MC V	465	■		
HOTEL RITZ. Plan 7 C3. W www.ritz.es €€€€€ Plaza de la Lealtad 5, 28014. 91 521 28 57. FAX 91 532 87 76. Inauguré en 1910 pour accueillir une clientèle aristocratique, le Ritz (p. 68) demeure un des palaces les plus luxueux d'Espagne. Les hôtes y prennent le thé en musique et jouissent d'un jardin en terrasse. 📺	AE DC MC V	158	■		■
NH NACIONAL. Plan 7 C4. W www.nh-hoteles.com €€€€€ Paseo del Prado, 28014. 91 429 66 29. FAX 91 369 15 64. Cette demeure du XIXᵉ siècle rénovée est située près du Prado (p. 80-83) et du musée Thyssen-Bornemisza (p. 70-73). 📺	AE DC MC V	214			

AUTOUR DE LA CASTELLANA

	CARTES BANCAIRES	NOMBRE DE CHAMBRES	PARKING PRIVÉ	PISCINE	JARDIN OU TERRASSE
HOSTAL SANTA BÁRBARA. Plan 5 B4. € Plaza de Santa Bárbara 4, 28004. 91 446 93 08. FAX 91 446 23 45. Pension propre et bon marché dans un des quartiers les plus animés de Madrid. Certaines chambres ont des balcons avec vue. 📺	AE DC MC V	15			
HOSTAL SIL. Plan 5 A5. @ info@silserranos.com € Calle de Fuencarral 95, 28004. 91 448 89 72. FAX 91 447 48 29. Situé dans un quartier vivant, l'hôtel dispose de chambres et de salles de bains au mobilier de qualité, à des prix qui demeurent abordables. 📺	MC V	50			
DON DIEGO. Plan 6 F4. W www.hotelsearch.com €€ Calle de Velázquez 45, 28001. 91 435 07 60. FAX 91 431 42 63. Dans cet hôtel accueillant de l'élégant quartier de Salamanca, certaines chambres ont des balcons, celles de l'intérieur sont plus calmes. 📺	AE DC MC V	58			

GALIANO. Plan 6 D4. W www.hotelgaliano.com €€
Calle de Alcalá Galiano 6, 28010. (91 319 20 00. FAX 91 319 99 14.
Ce petit hôtel surprenant, aménagé dans un immeuble néo-classique
proche de la plaza de Colón, est doté de chambres spacieuses.
| AE DC MC V | 29 |

MÓNACO. Plan 7 B1. €€
Calle de Barbieri 5, 28004. (91 522 46 30. FAX 91 521 16 01.
Le Mónaco joue sans vergogne la carte du kitsch, et ses chambres
rappellent par certains traits que c'est une ancienne maison close.
| AE DC MC V | 34 |

NH ZURBANO. W www.nh-hoteles.com €€€€
Calle de Zurbano 79-81. (91 441 45 00. FAX 91 441 32 24.
Situé tout près de La Castellana dans une rue calme, cet établissement
moderne et confortable, quelque peu impersonnel, a surtout la faveur
d'une clientèle d'affaire.
| AE DC MC V | 267 |

CASTELLANA INTERCONTINENTAL. Plan 6 D1. €€€€€
Paseo de la Castellana 49, 28046. (91 700 73 00. W www.madrid.interconti.com
L'Intercontinental a surtout une clientèle d'hommes d'affaires. Les hôtes y
ont le choix entre deux restaurants.
| AE DC MC V | 307 |

MELIÁ (FENIX). Plan 6 D4. W www.solmelia.com €€€€€
Calle de Hermosilla 2, 28001. (91 431 67 00. FAX 91 576 06 61.
Cet établissement parmi les plus élégants de Madrid possède des parties
communes aménagées avec goût. La plupart des chambres ont vue sur le
paseo de la Castellana ou la plaza de Colón.
| AE DC MC V | 215 |

NH SANVY. Plan 6 D4. W www.nh-hoteles.com €€€€€
Calle de Goya 3, 28001. (91 576 08 00. FAX 91 575 24 43.
Cet hôtel très moderne et fonctionnel, dans une rue débouchant sur la plaza
de Colón, s'adresse à une clientèle d'hommes d'affaires qui y disposent de
salles de réunion. Il y a aussi des chambres non-fumeurs.
| AE DC MC V | 149 |

OCCIDENTAL MIGUEL ÁNGEL. Plan 6 D1. W www.occidental-hoteles.com €€€€€
Calle de Miguel Ángel 31, 28010. (91 442 81 99. FAX 91 442 53 20.
Le Miguel Ángel associe confort moderne et classicisme près du paseo de
la Castellana. L'un des deux restaurants de l'hôtel propose des dîners
dansants qui durent jusqu'à 3 h du matin.
| AE DC MC V | 263 |

SANTO MAURO. Plan 5 C2. W www.ac-hoteles.com €€€€€
Calle de Zurbano 36, 28010. (91 319 69 00. FAX 91 308 54 77.
Ce palace, construit en 1894 dans une des rues les plus élégantes de
Madrid, a abrité des ambassades. Il possède en sous-sol une piscine au
plafond voûté. Un restaurant occupe l'ancienne bibliothèque.
| AE DC MC V | 51 |

TRYP STYLE ESCULTOR. Plan 6 D2. W www.solmelia.com €€€€€
Calle de Miguel Ángel 3, 28010. (91 310 42 03. FAX 91 319 25 84.
Pour un hôtel moderne de cette catégorie, situé non loin du paseo de la
Castellana dans le prospère quartier de Chamberí, les tarifs restent
raisonnables. Toutes les chambres possèdent un balcon.
| AE DC MC V | 63 |

VILLAMAGNA. Plan 6 D3. W www.madrid.hyatt.com €€€€€
Paseo de la Castellana 22, 28046. (91 587 12 34. FAX 91 431 22 86.
Entouré de jardins et apprécié des voyageurs d'affaires, le Villamagna
conjugue confort moderne et décor du XVIIIe siècle.
| AE DC MC V | 180 |

WELLINGTON. Plan 8 F1. W www.hotel-wellington.com €€€€€
Calle de Velázquez 8, 28001. (91 575 44 00. FAX 91 576 41 64.
Ce rendez-vous d'amateurs de corrida, proche du Parque del Retiro, date
du début des années 50.
| AE DC MC V | 260 |

EN DEHORS DU CENTRE

RAMÓN DE LA CRUZ. W www.hotelramondelacruz.com €€
C/ de Don Ramón de la Cruz 94, 28006. (91 401 72 00. FAX 91 402 21 26.
Dans une rue paisible partant de la plaza Manuel Becerra, au bout de la
calle de Alcalá près des arènes, de grandes chambres bien meublées et au
sol en parquet offrent un excellent rapport qualité-prix.
| MC V | 103 |

GRAN ATLANTA. W www.arrakis.es/hatlanta €€€
Calle del Comandante Zorita 34, 28020. (91 553 59 00. FAX 91 533 08 58.
Un grand hall lumineux et décoré avec goût accueille les visiteurs dans cet
hôtel moderne, situé au cœur du quartier des affaires et près de certains
des plus célèbres restaurants de Madrid.
| AE DC MC V | 180 |

Légende des symboles, voir rabat de couverture

<table>
<tr><td colspan="2">
Catégories de prix pour une chambre double, petit déjeuner, taxes et service compris.

€ moins de 60 euros
€€ de 60 à 100 euros
€€€ de 100 à 130 euros
€€€€ de 130 à 160 euros
€€€€€ plus de 160 euros
</td><td colspan="2">
CARTES BANCAIRES
Cartes acceptées : American Express (AE), Diners Club (DC), Mastercard/Access (MC) et Visa (V).
PARC DE STATIONNEMENT
Possibilité de garer son véhicule, parfois en payant un supplément, dans un parking ou un garage appartenant à l'hôtel ou se trouvant à proximité.
PISCINE
Piscine à ciel ouvert sauf indication contraire.
JARDIN
L'hôtel possède un jardin, une cour intérieure ou une terrasse, où les repas sont parfois servis.
</td></tr>
</table>

	Prix	CARTES BANCAIRES	NOMBRE DE CHAMBRES	PARKING PRIVÉ	PISCINE	JARDIN OU TERRASSE
TIROL. W www.hotel-tirol.com Calle del Marqués de Urquijo 4, 28008. 91 548 19 00. FAX 91 541 39 58. Des prix intéressants pour des chambres spacieuses et propres, à quelques pas de la plaza de España et près du quartier étudiant. 🛏 ▤ TV	€€€	AE DC MC V	110			
ARISTOS. W www.elchaflan.com Avenida de Pio XII 34, 28016. 91 345 04 50. FAX 91 345 10 23. Ce charmant petit hôtel, dans un quartier résidentiel et verdoyant, séduira ceux qui attachent plus d'importance au cadre qu'à la proximité du centre. Cuisine méditerranéenne moderne au restaurant. 🛏 ▤ TV	€€€€	AE DC MC V	23	▪		▪
COLÓN. W www.fiesta-hotels.com Calle del Doctor Esquerdo 119, 28007. 91 573 59 00. FAX 91 573 08 09. Situé dans un immeuble, le Colón abrite salle de gymnastique et équipement d'affaires entre le Parque del Retiro et le Parque de Roma. 🛏 ▤ TV	€€€€	AE DC MC V	359	▪		
CONDE DE ORGAZ. W www.zenithhoteles.com Avenida del Moscatelar 24, 28043. 91 748 97 60. FAX 91 388 00 09. Vastes chambres confortables et modernes, près de l'aéroport et du centre d'expositions du campo de las Naciones. 🛏 ▤ TV ♿	€€€€	AE DC MC V	91	▪		
NH BALBOA. W www.nh-hoteles.com Núñez de Balboa 112, 28006. 91 563 03 24. FAX 91 562 69 80. À l'angle de Núñez de Balboa et de General Oráa, près des boutiques de luxe du quartier huppé de Salamanca, cet établissement moderne et confortable offre un service efficace. 🛏 ▤ TV ♿	€€€€€	AE DC MC V	122	▪		
RAFAEL VENTAS. W www.rafaelhoteles.com Calle de Alcalá 269, 28027. 91 326 16 20. FAX 91 326 18 19. Dans un bâtiment de quatre étages à parement de marbre édifié en 1994, cet hôtel bien tenu offre un accès rapide à l'aéroport et attire surtout une clientèle d'affaires. 🛏 ▤ TV ♿	€€€€€	AE DC MC V	111	▪	●	▪
TRYP MONTE REAL. W www.solmelia.com Camino del Arroyo del Fresno 17, 28035. 91 316 21 40. FAX 91 316 39 34. Cet imposant hôtel moderne jouit d'une atmosphère paisible dans un quartier résidentiel, proche du golf Puerta de Hierro. Ses balcons dominent la piscine et le jardin. 🛏 ▤ TV	€€€€	AE DC MC V	80	▪		
BAUZA. W www.hotelbauza.com Calle de Goya 79, 28001. 91 435 75 45. FAX 91 431 09 43. À courte distance de la plaza de Colón et du Parque del Retiro, un hall dont le décor pastiche le style hawaiien donne le ton du Pintor. 🛏 ▤ TV	€€€€€	AE DC MC V	177	▪		
CUZCO. W www.hotelcuzco.net Paseo de la Castellana 133, 28046. 91 556 06 00. FAX 91 556 03 72. Dans un gratte-ciel du quartier des affaires de la Castellana, près du stade Santiago Bernabeu, cet hôtel à l'américaine abrite un centre de remise en forme, un sauna et de vastes pièces communes. 🛏 ▤ TV	€€€€€	AE DC MC V	330	▪		

LES ENVIRONS DE MADRID

	Prix	CARTES BANCAIRES	NOMBRE DE CHAMBRES	PARKING PRIVÉ	PISCINE	JARDIN OU TERRASSE
GUADALAJARA : *España* @ hegu@he.e.telefonica.net Calle Teniente Figueroa 3, 19001. 949 21 13 03. FAX 949 21 13 05. Cette demeure du XIXe siècle du centre-ville possède un intérieur moderne, avec quelques touches originales. 🛏 TV ♿	€	AE DC MC V	40	▪		
TOLÈDE : *La Almazara* W www.hotelalmazara.com Carretera Toledo-Argés km 3.4, 45080. 925 22 38 66. FAX 925 25 05 62. Cette résidence de campagne du XVIe siècle domine la ville depuis une colline boisée. Les chambres sont simples et les prestations limitées, mais le personnel est prévenant et amical. 🛏 ♿	€	AE DC MC V	28	▪		

ALAMEDA DEL VALLE : *La Posada de Alameda* W www.laposadadealameda.com €€ — MC V — **22**
Calle Grande 34, 28749. (*91 869 13 37.* FAX *91 869 01 63.*
Cette ferme restaurée de la calme vallée du Lozoya, à environ une heure
de voiture de Madrid, propose des chambres bien équipées, dont
certaines avec vue de la campagne. 🛏 TV

PEDRAZA DE LA SIERRA : *La Posada de Don Mariano* €€ — AE DC MC V — **18**
Calle Mayor 14, 40172 (Segovia). (*921 50 98 86.* FAX *921 50 98 86.*
Papier peint à fleurs, lit à baldaquin et antiquités donnent leur cachet à
toutes les chambres de ce charmant hôtel. 🛏 TV

PEDRAZA DE LA SIERRA : *El Hotel de la Villa* W www.elhoteldelavilla.com €€€ — AE DC MC V — **38**
Calle Calzada 5, 40172 (Segovia). (*921 50 86 51.* FAX *921 50 86 53.*
Difficile de choisir le meilleur hôtel de ce village. Toutes les chambres ici
semblent sorties d'un magazine. 🛏 🍽 TV

SAN LORENZO DE EL ESCORIAL : *El Botánico* W www.valdesimonte.com €€ — AE DC MC V — **20**
Timoteo Padrós 16, 28200. (*91 890 78 79.* FAX *91 890 81 58.*
Ce petit hôtel agréable, proche d'El Escorial, est situé en face d'un golf.
🛏 🍽 TV

SÉGOVIE : *Infanta Isabel* W www.hotelinfantaisabel.com €€ — AE DC MC V — **27**
Plaza Mayor, 40001. (*921 46 13 00.* FAX *921 46 22 17.*
Ce bâtiment moderne de style fin XIXᵉ siècle possède un décor typique de
Ségovie et des chambres douillettes. 🛏 🍽 TV

SÉGOVIE : *Los Linajes* W www.estancias.com €€ — AE DC MC V — **53**
Calle Doctor Velasco 9, 40003. (*921 46 04 75.* FAX *921 46 04 79.*
Derrière une façade à colombage, cet établissement moderne accroche à
flanc de colline ses huit étages près des remparts. Plus la chambre est en
hauteur, plus elle offre une belle vue. 🛏 TV ♿

SIGÜENZA : *Parador de Sigüenza* W www.parador.es €€ — AE DC MC V — **81**
Plaza del Castillo, 19250 (Guadalajara). (*949 39 01 00.* FAX *949 39 13 64.*
La silhouette massive de son château se dresse au-dessus du village sur
une hauteur. Les Rois Catholiques y séjournèrent et le mobilier est
majestueux. Les chambres entourent une cour intérieure. 🛏 🍽 TV ♿

TOLÈDE : *Hostal del Cardenal* W www.hostaldelcardenal.com €€ — AE DC MC V — **27**
Paseo de Recaredo 24, 45004. (*925 22 49 00.* FAX *925 22 29 91.*
Aujourd'hui transformé en hôtel près des remparts, l'ancien palais
épiscopal date du XVIIIᵉ siècle et a conservé de splendides plafonds
sculptés et de jolies cours intérieures en brique. 🛏 🍽 TV

TOLÈDE : *Pintor El Greco* W www.hotelpintorelgreco.com €€ — AE DC MC V — **33**
Calle Alamillos del Tránsito 13, 45002. (*902 15 46 45.* FAX *925 21 58 19.*
Une maison du XVIIᵉ siècle de l'ancien quartier juif a été discrètement
agrandie derrière la façade et le patio originaux. Ferronneries et
céramiques traditionnelles donnent du cachet au décor. 🛏 🍽 TV ♿

CHINCHÓN : *Parador de Chinchón* W www.parador.es €€€ — AE DC MC V — **38**
Avenida del Generalísimo 1, 28370. (*91 894 08 36.* FAX *91 894 09 08.*
Fresques, carreaux et antiquités décorent ce monastère du XVIIᵉ siècle
construit autour d'une spacieuse cour intérieure. 🛏 🍽 TV

RASCAFRÍA : *Santa María de El Paular* W www.sierranorte.com/paular €€€ — **44**
Carretera M604 km 26.5, El Paular, 28740. (*91 869 10 11.* FAX *91 869 10 06.*
L'hôtel occupe une partie d'un couvent bénédictin de la sierra de
Guadarrama. On peut aussi se restaurer au bar. ● *Jan.* 🛏 TV

SAN LORENZO DE EL ESCORIAL : *Victoria Palace* W www.hotelvictoriapalace.com €€€ — AE DC MC V — **87**
Calle Juan de Toledo 4, 28200. (*91 896 98 90.*
À courte distance à pied du palais d'El Escorial, les chambres de cet hôtel
élégant offrent de beaux panoramas. 🛏 TV

SÉGOVIE : *Parador de Segovia* W www.parador.es €€€ — AE DC MC V — **113**
Carretera de Valladolid, 40003. (*921 44 37 37.* FAX *921 43 73 62.*
Juste à la sortie de la ville, le parador de Ségovie comprend une piscine
couverte. Le jardin offre une vue splendide. 🛏 🍽 TV ♿

TOLÈDE : *Parador de Toledo* W www.parador.es €€€ — AE DC MC V — **76**
Cerro del Emperador, 45002. (*925 22 18 50.* FAX *925 22 51 66.*
Le panorama de Tolède qui s'ouvre depuis la terrasse de ce parador
justifie son succès auprès des photographes *(p. 140).* 🛏 🍽 TV

Légende des symboles, voir rabat de couverture

RESTAURANTS, CAFÉS ET BARS

Même si Madrid ne possédait pas de tels musées, palais et monuments, ses restaurants et ses cafés à l'atmosphère incomparable justifieraient à eux seuls une visite. Les Madrilènes y passent d'ailleurs beaucoup de temps avec des amis ou des collègues, que ce soit pour y prendre un petit déjeuner, un apéritif accompagné de *tapas (p. 30-31)* ou le repas de midi tardif. Les visiteurs mettent d'ailleurs par-

Décor de La Chata, un bar de la calle de la Cava Baja

fois du temps à s'habituer aux horaires espagnols. La gamme d'établissements servant des spécialités régionales va des modestes *casas de comidas* à de grandes tables gastronomiques en passant par de pittoresques *tabernas (p. 28-29)*. Toutes, quelle que soit leur catégorie de prix, offrent un minimum de qualité. Dans une capitale où les nouvelles circulent vite, un restaurant trop médiocre a peu de chance de rester ouvert longtemps.

Comptoir poli du bar El Espejo (p. 160), paseo de Recoletos

RESTAURANTS ET BARS

Les employés de bureau qui travaillent et vivent dans la capitale espagnole constituent la clientèle principale des restaurants. Ils veulent une cuisine de qualité et un service rapide et aiment prolonger les repas. En effet, le déjeuner et la *sobremesa*, la conversation détendue qui le conclut, sont sacrés à Madrid.

Les plus chic des tables gastronomiques proposent souvent de la cuisine basque, la plus réputée du pays, mais vous pourrez aussi déguster des spécialités de toutes les autres régions de la péninsule. Madrid compte également des restaurants étrangers, des japonais aux russes, mais ils restent plus rares que dans les autres grandes capitales d'Europe occidentale.

La majorité des établissements se plient à

l'agenda professionnel de leur clientèle et ferment le dimanche, parfois aussi le samedi midi, et souvent tout le mois d'août.

FAST-FOODS

Malgré la tradition des bars à *tapas*, la majorité des grandes multinationales spécialisées dans les hamburgers ont ouvert des succursales à Madrid. Il existe aussi des chaînes spécifiquement espagnoles telles que Pans & Co (sandwichs), Telepizza (pizzas, sandwichs et salades) et le Mueso del Jamón, spécialisé dans la charcuterie *(p. 161)*.

LES HEURES DE REPAS

La plupart des visiteurs ont un peu de mal à s'adapter aux horaires de repas tardifs des Madrilènes : vers 14 h-15 h pour le déjeuner et 22 h-23 h pour le dîner.

Les Espagnols prennent deux petits déjeuners *(desayunos)*. Le premier, à la maison, peut se limiter à un simple café. Le deuxième, vers 10 h ou 11 h, souvent au bar, comprendra classiquement des *churros* (beignets) à tremper dans un café et une part d'omelette aux pommes de terre *(tortilla)* ou un sandwich *(bocadillo)*.

La pause déjeuner commence traditionnellement dans un bar pour une *tapa* accompagnant une bière ou une *copa* (verre de vin), avant de rejoindre un restaurant pour le repas appelé *comida* ou *almuerzo*.

En fin d'après-midi, salons de thé et pâtisseries se remplissent pour la *merienda*, collation de sandwichs, de viennoiseries ou de gâteaux servis avec du thé, du café ou du jus de fruit. Elle permettra de tenir jusqu'aux *tapas* du soir. Pris plutôt en famille, le dîner *(cena)* commence tard, en particulier l'été.

L'élégante Hostería Pintor Zuloaga à Pedraza de la Sierra *(p. 163)*

Moment de repos à la terrasse d'un café du paseo de Recoletos

LIRE LA CARTE

Pour commencer le repas, la *carta* (menu) offre le choix entre des *sopas* (soupes), des *entremeses* (hors-d'œuvre), des *ensaladas* (salades), des *huevos y tortillas* (œufs et omelettes) et des *verduras y legumbres* (légumes). Le plat principal *(plato principal)* sera sélectionné parmi une liste de *pescados y mariscos* (poissons et coquillages) ou de *carnes y aves* (viandes et volailles). L'éventail de *postres* (desserts) reste généralement réduit.

Outre l'intéressant menu de trois plats à prix fixe, quelques restaurants gastronomiques proposent un *menú de degustación* permettant de goûter à plusieurs de leurs spécialités. Une fois par semaine, certains établissements servent aussi un plat traditionnel tel que le *cocido madrileño (p. 155)*.

LES PRIX ET LE POURBOIRE

La loi impose à tous les restaurants espagnols de proposer un *menú del día* à prix fixe composé d'une entrée, d'un plat et d'un dessert, mais certains ne le présentent que sur demande.

Le coût précis de certains mets, poissons et fruits de mer en particulier, n'apparaît pas toujours sur la carte. Il peut en effet être fixé *según peso* (en fonction du poids) ou *según mercado* (selon le marché), et demander une estimation évitera les mauvaises surprises. La TVA de 7 % et le service

augmentera la *cuenta* (note). Les Espagnols laissent aussi un pourboire d'environ 5 % du coût du repas. Beaucoup de restaurants acceptent les cartes Mastercard et Visa.

L'historique Bodega de Angel Sierra, plaza de Chueca *(p. 92)*

RÉSERVER

Arriver tôt ne garantit pas de trouver une table dans un restaurant madrilène, surtout pour le déjeuner. Toutefois, il suffit généralement de téléphoner quelques heures à l'avance pour réserver, sauf dans les établissements les plus en vogue, où mieux vaut appeler au moins la veille.

ÉTIQUETTE ET CIGARETTE

Les Espagnols aiment s'habiller pour sortir, surtout le soir, et les tables les plus chic imposent le port de la tenue de ville. Très peu d'établissements ont des tables pour non-fumeurs.

AVEC DES ENFANTS

Si les menus spéciaux et les chaises hautes restent rares, les enfants sont bien accueillis dans tous les restaurants de Madrid, même les plus huppés.

VOYAGEURS HANDICAPÉS

Les équipements pour handicapés restent rares dans les restaurants espagnols, et, avant de vous déplacer, mieux vaut téléphoner pour savoir si l'établissement choisi est adapté à vos besoins.

LES VINS

Excellent en apéritif *(aperitivo)*, le xérès peut être *fino*, c'est-à-dire sec et léger, à boire avec quelques olives ou *tapas*, ou bien *oloroso*. Il a alors plus de corps et accompagne bien le *jamón serrano*. L'Espagne produit aussi une vaste gamme de vins de table *(p. 156-157)*. Bien que les restaurants appliquent une importante majoration, ils restent d'un prix raisonnable, notamment le *vino de la casa* (vin de la maison).

VÉGÉTARIENS

L'Espagne compte peu de restaurants végétariens, et même les salades ou les plats de légumes ou d'œufs peuvent contenir des morceaux de charcuterie ou de poisson.

Le Combarro, un restaurant galicien *(p. 162)*

Que manger à Madrid ?

La gastronomie espagnole reste une cuisine de terroirs, et la capitale, où les provinciaux affluent depuis des siècles en apportant avec eux leurs recettes, est la ville qui permet d'en avoir l'image la plus complète. Outre le *cocido madrileño* ou le *besugo a la madrileña* (daurade), vous pourrez y déguster des fruits de mer aussi frais qu'en Galicie et une paella aussi goûteuse qu'à Valence, ainsi que le rafraîchissant *gazpacho* andalou, la riche *fabada* des Asturies, le cochon de lait castillan et les subtils mets basques. Malgré un vaste choix de soupes, d'entrées et de plats de viande et de poisson, il vous faudra souvent vous contenter pour le dessert d'un fruit, d'un flan ou d'une crème glacée.

Tresse d'ail

La *fritura de pescado*, *mets typique de Cadix et Málaga, marie poissons et fruits de mer frits, servis avec des quartiers de citron.*

Les produits de la mer *entrent dans la composition de nombreux plats et tapas espagnols, et même dans une ville aussi distante de la mer que Madrid, trouver poisson (pescado) et coquillages (mariscos) frais ne pose pas de problème. Les prix se ressentent toutefois de cet éloignement.*

Saint-Jacques (veneras)

Araignée (centollo)

Les pimientos rellenos *de Navarre sont des poivrons rouges farcis au poisson, aux fruits de mer ou à la viande (carne).*

Crevettes (gambas)

Riz au safran (arroz con azafrán)

Moules (mejillones)

La *fabada* *des Asturies, associe des fèves (fabes), du porc salé (tocino), du jambon, du boudin (morcilla) et du chorizo.*

Poivron (pimientos)

La paella
Cette célèbre spécialité valencienne cuit dans une poêle spéciale. Ses ingrédients mijotent avec un riz rond parfumé au safran et peuvent être très variés : fruits de mer, poulet, lapin (conejo), porc (cerdo), tomates, poivrons ou haricots.

Le *pisto* *originaire de la Manche, version espagnole de la ratatouille, a pour ingrédients poivrons, tomates, oignons, courgettes et ail.*

LE COCIDO MADRILEÑO

Le *cocido* est un pot-au-feu très répandu en Espagne, et de nombreuses régions en offrent de multiples déclinaisons. Il occupe cependant une place particulière dans le cœur, et sur les tables, des Madrilènes. Pour obtenir un bon *cocido madrileño*, les ingrédients, *garbanzos* (pois chiches), chou, pommes de terre, *nabos* (navets), *zanahorias* (carottes), saucisses diverses, bœuf, poulet, panse de porc et *jamón serrano* (jambon cru de montagne) doivent mijoter très longtemps ensemble avec des aromates tels que laurier et clous de girofle. Le bouillon sert d'entrée avant la viande et les légumes. La préparation et la cuisson de ce mets de choix sont si longues que beaucoup de restaurants ne le proposent qu'un seul jour par semaine, souvent le jeudi.

La *sopa de ajo* est une soupe à l'ail, épaissie avec du pain. Les Espagnols la mangent souvent enrichie d'un œuf poché et de paprika.

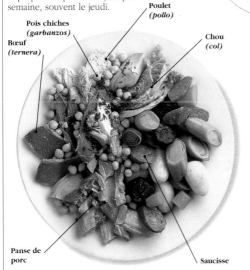

Pois chiches
(garbanzos)
Bœuf
(ternera)
Poulet
(pollo)
Chou
(col)
Panse de porc
Saucisse

Le *rabo de toro*, queue de bœuf braisée au vin rouge, fait partie des plats les plus réussis parmi ceux utilisant la viande de taureau.

Le *pollo al ajillo*, poulet à l'ail grillé, prend toute sa saveur dans son jus de cuisson déglacé au vin blanc ou au xérès.

Poivrons rouges   *Gazpacho*
Croûtons
Concombre

Le *gazpacho*, soupe froide souvent servie garnie, est constitué de mie de pain écrasée avec de l'ail, de tomates, de poivrons et de concombre. L'huile d'olive la rend crémeuse et un peu de vinaigre encore plus rafraîchissante.

Le *tocino de cielo*, riche flanc au caramel dont le nom signifie « lard du ciel », est un des meilleurs desserts proposés dans les restaurants madrilènes.

Que boire à Madrid ?

Surtout connue pour le xérès d'Andalousie et le *cava*, un mousseux de Catalogne, l'Espagne, un des plus grands pays viticoles du monde, produit aussi d'autres très bons crus. On y fabrique de la bière et Madrid compte de nombreuses *cervecerías*. Certaines servent du cidre *(sidra)*, une spécialité du nord de la péninsule. Bars et cafés proposent un large éventail de boissons non alcoolisées, dont la *horchata* typique de Valence. Les spiritueux tels que le *coñac* et l'*anís* peuvent aussi bien être bus en apéritif qu'après le café à la fin du repas.

Apéritif en terrasse avant le déjeuner

Chocolat chaud

Churros (beignets)

Café con leche

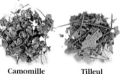

Camomille   Tilleul

BOISSONS CHAUDES

Les bars servent généralement des cafés noirs *(café solo)* à l'italienne, mais les Espagnols apprécient aussi le *café americano* plus doux et, au petit déjeuner, le *café con leche* (au lait) ou *cortado* (noir avec une pointe de lait). Des *churros* (beignets) accompagnent à merveille un chocolat chaud. Outre le thé, les infusions les plus répandues comprennent la camomille *(manzanilla)* et le tilleul *(tila)*.

BOISSONS FRAÎCHES

L'eau du robinet est potable à Madrid, mais ses habitants lui préfèrent l'eau minérale *(agua mineral)* plate *(sin gas)* ou gazeuse *(con gas)*. Spécialité de la province de Valence, la *horchata* est un lait d'amandes de terre *(chufas)*. La *granizado de limón* est à base de citron et de glace pillée. Les Espagnols étanchent également leur soif avec des boissons comme le *zumo de naranja* (jus d'orange) et la limonade *(gaseosa)*. Ils mélangent parfois celle-ci avec du vin rouge pour obtenir du *tinto de verano*.

Eaux minérales gazeuses et plates

Horchata, lait de *chufas*

VINS ESPAGNOLS

L'Espagne produisait déjà du vin avant l'arrivée des Romains, et certains crus, tels ceux de la Rioja, sont très renommés. Équivalent de l'appellation d'origine contrôlée française, la *Denominación de Origen (DO)* garantit qu'un vin est entièrement issu d'un même terroir. Le *Vino de la Tierra* est un vin fabriqué avec du raisin provenant au moins à 60 % d'une région spécifique. Le *Vino de Mesa* est un simple vin de table. *Brut* ou *semi-seco* (légèrement sucré), les mousseux les plus vendus *(cavas)* sont le Freixenet et le Codorníu. Les restaurants proposent le vin au verre, en bouteille, en demi-bouteille et parfois en carafe quand il s'agit de celui de la maison.

Vin blanc de Penedès   **Vin rouge (Rioja)**   **Mousseux *(cava)***

SPIRITUEUX ET LIQUEURS

L es vignes espagnoles ne servent pas uniquement à la fabrication de vin. Une grande partie de leur production part en distillerie pour fournir l'alcool qui est à la base de nombreux spiritueux tels que l'*anís* au goût tantôt sucré *(anís dulce)* et tantôt très sec *(seco* ou *orujo)*. Les Espagnols le boivent aussi en digestif, à l'instar du cognac *(coñac)* de Jeréz, obtenu à partir de vin et vieilli en fût. Son prix varie selon sa qualité. Il existe également des liqueurs de fruit, dont le populaire *pacharán* navarrais à base de prunes. L'Espagne, principalement les îles Canaries, distille son propre rhum *(ron)* à partir de la canne à sucre cultivée dans le Sud. Minorque, que les Anglais occupèrent au XVIIIe siècle, possède sa variante, très parfumée, du gin. Il ne faut pas la confondre avec la *ginebra* (genièvre). Le whisky compte aussi beaucoup d'adeptes, à l'instar du *cuba libre*, mélange de cola et de rhum particulièrement apprécié par les jeunes.

Anís   *Pacharán*

BIÈRE

L es bières Mahou sont surtout blondes. Les bars servent la *cerveza del barril* (bière à la pression) dans une *caña* (petit verre) ou une *jarra* plus importante, ou encore en bouteille d'un litre *(litronas)*. La plupart prososent aussi des bouteilles de bière sans alcool *(sin alcohol)*.

Bière en bouteille

XÉRÈS

L e vin viné (additionné d'alcool) appelé xérès provient uniquement des *bodegas* de Jérez de la Frontera, Sanlúcar de Barrameda et El Puerto de Santa María en Andalousie.

Montilla, près de Cordoue, produit des crus similaires mais qui n'ont pas l'appellation. Sec et léger, le *fino* fait un excellent apéritif. L'*amontillado* et l'*oroso*, vieillis plus longtemps, ont plus de corps.

Deux xérès *fino*

Vin rouge et limonade

Sangría

COCKTAILS

D ans la composition de la sangria entrent non seulement du vin, des fruits et du sucre, mais aussi de la *gaseosa* (limonade) et de la liqueur. Autre boisson typique, l'*Agua de Valencia* associe mousseux et jus d'orange. Parmi les nombreux cocktails disponibles dans les bars, deux des plus populaires restent le rouge limé *(tinto de verano)* et le rhum-cola.

Cuba-libre   *Tinto de verano*

LIRE L'ÉTIQUETTE

S 'il s'agit d'une *Denominación de Origen*, en plus du nom du cru et de son producteur l'étiquette doit préciser la région de production et le millésime, ou année de la récolte *(cosecha)*. Les termes *crianza* ou *reserva* s'appliquent à des vins ayant vieilli au minimum trois ans, dont une partie en fût de chêne. L'étiquette indique aussi la contenance, la teneur en alcool et, parfois, le cépage. Les vignes espagnoles fournissent une large gamme de rouges *(tintos)*, de rosés *(rosados)* et de blancs *(blancos)*. Selon sa douceur, un blanc sera *seco, semi-seco* ou *dulce*.

Marque   Blason du producteur

Contenance

Mise en bouteille à la propriété

Denominación de Origen

Millésime   Symbole de la région

Choisir un restaurant

Présentés par quartier et dans l'ordre alphabétique pour chaque catégorie de prix, les restaurants de cette sélection ont été choisis dans un large éventail de tarifs pour leur bon rapport qualité-prix, la qualité de leur cuisine et l'attrait de leur emplacement. Certains servent en plein air ou proposent des menus spéciaux.

VIEUX MADRID

	Prix	CARTES BANCAIRES	BAR À TAPAS	MENU À PRIX FIXE	BONNE CARTE DES VINS	TABLES EN TERRASSE
MALACATÍN. Plan 4 E4. Calle de la Ruda 5. 91 365 52 41. Ce vieux bar au centre du Rastro n'a qu'un plat à la carte : le *cocido madrileño*, servi en trois temps. Le prix comprend le vin et le dessert. Mieux vaut réserver au moins la veille. ● *dim. et août.* ▤	€	V	●	▪		
LA TRUCHA. Plan 7 A3. Calle de Núñez de Arce 6. 91 532 08 90. À quelques pas de la plaza de Santa Ana, ce restaurant bon marché propose des plats espagnols simples, notamment de la truite *(trucha)*. Sa *verbena de ahumados* (assortiment de poissons fumés) est réputée. ● *dim. et lun.* ▤	€	AE DC MC V	●	▪		
LA BARRACA. Plan 7 A1. Calle de la Reina 29. 91 532 71 54. Les clients de la Barraca ont le choix entre dix paellas et plats de riz valenciens et de bons desserts maison. ▤	€€	AE DC MC V		▪	●	
LA BOLA. Plan 4 D1. Calle de la Bola. 91 547 69 30. Ouvert en 1870, ce véritable bastion du pot-au-feu madrilène a changé peu de choses dans la préparation du *cocino madrileño (p. 155)*, servi uniquement au déjeuner. ● *sam. soir et dim. en juil., et août.* ▤ ♿	€€			▪		
CASA CIRIACO. Plan 3 C3. Calle Mayor 84. 91 548 06 20. Cette taverne traditionnelle proche du Palacio Real est réputée pour sa *gallina en pepitoria*, une fricassée de poulet au safran. ● *mer. et août.* ▤ ♿	€€	DC MC V	●	▪		
CASA PATAS. Plan 7 A3. Calle de Cañizares 10. 91 369 04 96. La Casa Patas est renommée pour ses spectacles de flamenco le soir. Bon bar à *tapas* et menu à prix fixe imbattable. ● *dim.* ▤ ♿	€€	AE DC MC V	●	▪	●	
CORNUCOPIA. Plan 4 E2. Calle de la Flora 1. 91 547 64 65. En face du monastero de las Descalzas Reales, ce restaurant offre une cuisine imaginative d'influence américaine. ● *lun.* ▤	€€	AE DC MC V		▪		
RASPUTIN. Plan 3 C2. Calle de San Nicolás 8. 91 366 39 62. Avec ses rideaux en dentelle, ses tentures et ses tapis, ce restaurant russe très connu évoque une époque révolue. ● *lun.* ▤	€€	MC V		▪		
TABERNA BILBAO. Plan 4 D3. Calle Costanilla de San Andrés 8. 91 365 61 25. Sur la place médiévale Plaza de la Paja, cette taverne propose des spécialités basques dont notamment plusieurs plats à base de morue *(bacalao)* et des calmars à l'encre. ● *lun.* ▤ ♿	€€	MC V	●			●
ASADOR FRONTÓN. Plan 4 F3. Tirso de Molina 7. 91 369 23 25. Cette vieille *asador* (rôtisserie) traditionnelle basque propose, dans un décor simple, des mets de poissons et une énorme *chuletón de buey* (côte de bœuf) que l'on peut partager. ● *dim. soir et dim. toute la journée en juil.-août.* ▤	€€€	AE DC MC V				
CASA LABRA. Plan 4 F2. Calle de Tetuán 12. 91 531 00 81. Le parti socialiste fut fondé dans ce petit établissement renommé pour ses croquettes de morue. On y déguste aussi d'autres spécialités espagnoles dans une salle aux boiseries de chêne. ● *dim. et août.* ♿	€€€	AE MC V	●	▪		

Catégorie de prix par personne pour un dîner avec entrée et dessert, une demi-bouteille de vin de la maison, taxes et service compris.

€ moins de 20 euros
€€ de 20 à 30 euros
€€€ de 30 à 40 euros
€€€€ plus de 40 euros

CARTES BANCAIRES
Cartes acceptées : American Express (AE), Diners Club (DC), Mastercard/Access (MC) et Visa (V).
BAR À TAPAS
En plus de la salle principale, un bar sert des tapas *(p. 30-31)* et des *raciones* (parts plus importantes).
MENU À PRIX FIXE
Le menu est d'un bon rapport qualité-prix.
BONNE CARTE DES VINS
Large choix de crus ou intéressante sélection.
TABLES EN TERRASSE
Repas servis en terrasse ou dans une cour ou un jardin.

	CARTES BANCAIRES	BAR À TAPAS	MENU À PRIX FIXE	BONNE CARTE DES VINS	TABLES EN TERRASSE
EL SCHOTIS. Plan 4 D4. €€€ Calle de la Cava Baja 11. 91 365 32 30. Ce bar doté d'un restaurant rustique a pour spécialité le steak cuit à la table des convives. Vous en arrêtez la cuisson à votre guise. ● *dim. soir, 15-31 août.*	AE DC MC V	●	■		
EL SOBRINO DEL BOTÍN. Plan 4 E3. €€€ Calle de los Cuchilleros 17. 91 366 42 17. Ouvert en 1725, ce restaurant, qui se prétend le plus vieux du monde, a conservé un four à bois où rôtissent agneaux et cochons de lait. Le menu reste d'un prix raisonnable.	AE DC MC V		■	●	
CAFÉ DE ORIENTE. Plan 3 C2. €€€€ Plaza de Oriente 2. 91 547 15 64/91 541 39 74. Mieux vaut réserver pour venir savourer l'inventive cuisine basque française de ce restaurant, situé face au Palacio Real. Il y a aussi un vaste bar-cafétéria. ● *dim. et août.*	AE DC MC V	●	■	●	■
CASA LUCIO. Plan 4 D3. €€€€ Calle de la Cava Baja 35. 91 365 32 52. Cette taverne historique sert d'excellentes spécialités castillanes comme les œufs poêlés aux pommes de terre et le gâteau de riz. ● *sam. midi, août.*	AE DC MC V	●		●	
EL GRILL DE LA OPERA. Plan 4 D2. €€€€ Vergara 3. 91 548 18 05. Aussi appelé Chez Margot, ce petit restaurant français, proche de la plaza Isabel II, reste encore peu connu des gastronomes locaux malgré des classiques comme le pâté de foie gras. ● *dim.*	AE DC MC V				
JULIÁN DE TOLOSA. Plan 4 D3. €€€€ Calle de la Cava Baja 18. 91 365 82 10. Une courte carte où sont proposés des plats de poisson à côté de spécialités tels que poivrons rôtis et côte de bœuf. Brique et bois composent un décor rustique. ● *dim.*	AE DC MC V			●	
LHARDY. Plan 4 F2. €€€€ Carrera de San Jerónimo 8. 91 521 33 85. Fondé en 1839, le Lhardy a conservé son cachet avec ses lustres, ses miroirs et ses boiseries sombres. Il prépare ce qui est sans doute un des plus traditionnels *cocino madrileño (p. 155)*. ● *dim. soir et août.*	AE DC MC V	●	■		
LA POSADA DE LA VILLA. Plan 4 D4. €€€€ Calle de la Cava Baja 9. 91 366 18 60. Dans un bâtiment datant de 1642, ce restaurant bigarré offre un large choix. Une des salles abrite un four à bois où rôtissent agneaux et cochons de lait. ● *dim. soir et août.*	AE DC MC V		■		

MADRID DES BOURBONS

	CARTES BANCAIRES	BAR À TAPAS	MENU À PRIX FIXE	BONNE CARTE DES VINS	TABLES EN TERRASSE
CHAMPAGNERÍA GALA. Plan 7 B3. € Calle Moratín 22. 91 429 25 62. Appréciez le patio, les lustres et un menu généreux comprenant des spécialités catalanes à prix incroyablement raisonnables.		●	■		■
MUSEO THYSSEN-BORNEMISZA. Plan 7 C2. € Paseo del Prado 8. 91 429 27 32. Le restaurant installé au sous-sol du musée Thyssen-Bornemisza propose une petite sélection de plats simples, certains avec une touche catalane, d'un surprenant bon rapport qualité-prix. ● *lun.*	AE DC MC V	●	■		
EDELWEISS. Plan 7 B2. €€ Calle de Jovellanos 7. 91 532 33 83. Il faut arriver tôt pour obtenir une table dans ce restaurant allemand fondé en 1939, repaire présumé d'espions pendant la guerre. ● *dim. soir.*	AE DC MC V	●	■	●	

<table>
<tr><td colspan="2">

Catégorie de prix par personne pour un dîner avec entrée et dessert, une demi-bouteille de vin de la maison, taxes et service compris.

€ moins de 20 euros
€€ de 20 à 30 euros
€€€ de 30 à 40 euros
€€€€ plus de 40 euros

</td><td>

CARTES BANCAIRES
Cartes acceptées : American Express (AE), Diners Club (DC), Mastercard/Access (MC) et Visa (V).
BAR À TAPAS
En plus de la salle principale, un bar sert des tapas (p. 30-31) et des *raciones* (parts plus importantes).
MENU À PRIX FIXE
Le menu est d'un bon rapport qualité-prix.
BONNE CARTE DES VINS
Large choix de crus ou intéressante sélection.
TABLES EN TERRASSE
Repas servis en terrasse ou dans une cour ou un jardin.

</td></tr>
</table>

	CARTES BANCAIRES	BAR À TAPAS	MENU À PRIX FIXE	BONNE CARTE DES VINS	TABLES EN TERRASSE
NICOLÁS. Plan 8 D1. €€€ Calle de Villalar 4. ☎ 91 431 77 37. Cet établissement moderne et intime au personnel attentif offre, à des prix raisonnables, des classiques espagnols comme le *rabo de toro (p. 155)* et les *kokotxas de bacalao* (bouchées de morue). ● *dim., lun. et août.* 🍴 ⅙	AE DC MC V			●	
PALACIO DE LINARES. Plan 8 D1. €€€€ Paseo de Recoletos 2. ☎ 91 575 45 40. Dans un palais historique *(p. 66)*, ce restaurant élégant propose des mets catalans et méditerranéens de qualité. ● *sam. midi, dim. et jours fériés.* 🍴	AE DC MC V			●	■
PARADIS. Plan 7 B2. €€€€ Calle del Marqués de Cubas 14. ☎ 91 429 73 03. La cuisine est méditerranéenne dans cette succursale d'une chaîne catalane. Les légumes grillés sont une délicieuse entrée. ● *sam. midi, dim. et jours fériés.* 🍴 ⅙	AE DC MC V			●	
VIRIDIANA. Plan 8 D2. €€€€ Calle de Juan de Mena 14. ☎ 91 523 44 78. Des plats espagnols inventifs, et souvent renouvelés, ainsi qu'une riche carte des vins justifient les tarifs du Viridiana. Des clichés du film de Buñuel dont il porte le nom ornent la salle. ● *dim. et août.*	AE MC V			●	
AUTOUR DE LA CASTELLANA					
TONY ROMA'S. Plan 5 C4. € Calle de Génova 17. ☎ 91 310 14 88. Ce grill à l'américaine décontracté, prisé des jeunes Madrilènes, sera aussi apprécié par les enfants. 🍴	AE MC V				
BOCAÍTO. Plan 7 B1. €€ Calle de la Libertad 4-6. ☎ 91 532 12 19. Le bar et la cuisine dominent ce petit restaurant bruyant. Bonnes *tapas*. Les repas sont servis dans l'arrière-salle. ● *sam. midi et dim.* 🍴	MC V DC	●	■		
CARMENCITA. Plan 7 B1. €€ Calle de la Libertad 16. ☎ 91 531 66 12. Fréquentée à l'origine par des intellectuels sans le sou, cette taverne fondée en 1850 est devenue une adresse chic à la cuisine raffinée. Le menu est d'un excellent rapport qualité-prix. ● *sam. midi et dim.* 🍴	AE DC MC V		■		
EL PUCHERO. Plan 5 A4. €€ Calle de Larra 13. ☎ 91 445 05 77. Une adresse sans prétention, mais dont le jambon aux jeunes fèves, le cochon de lait rôti, les ragoûts de gibier et les serveuses grincheuses sont devenus légendaires. ● *dim. et août.* 🍴	AE MC V			●	
CENTRO RIOJANO. Plan 6 E5. €€€ Calle de Serrano 25. ☎ 91 575 03 37. Ce restaurant d'une association de Madrilènes originaires de la Rioja est ouvert au public. Prix intéressants, bons vins et généreuses portions de plats du terroir. Bondé à midi. ● *dim. soir.* 🍴 ⅙	DC MC V		■		
EL ESPEJO. Plan 6 D5. €€€ Paseo de Recoletos 31. ☎ 91 308 23 47. Avec ses miroirs, le café possède un décor d'influence Art déco. L'établissement comprend une salle où déguster une cuisine internationale et un restaurant en véranda. 🍴	AE DC MC V	●	■		■
PIMIENTO VERDE. Plan 6 F4. €€€ Calle Lagasca 46. ☎ 91 576 41 35. Une taverne animée proposant une grande variété de tapas. Le restaurant basque attenant, au décor de cidrerie, sert des plats à base de poisson et de viandes. ● *dim.* 🍴	AE MC V	●		●	

TEATRIZ. Plan 6 E4.
Calle de Hermosilla 15. [91 577 53 79.
On déguste ici, dans la salle d'un ancien théâtre *(p. 99)*, des mets
d'inspiration italienne tels que *carpaccio* de saumon ou de sole.
● *sam. et dim. en juil. et août.* ▤ 🅖
€€€ — AE DC MC V

ALKADE. Plan 6 E5.
Calle Jorge Juan 10. [91 576 33 59.
Dans la salle comme dans le bar à *tapas*, essayez les spécialités basques
comme la soupe d'araignée de mer, les *chipirones* (encornets cuits dans leur
encre) ou les coquillages à l'ail et au vin blanc. ● *sam. et dim. en juil. et août.* ▤
€€€€ — AE DC MC V

AL MOUNIA. Plan 6 D5.
Calle de Recoletos 5. [91 435 08 28.
Le meilleur restaurant marocain de Madrid prépare d'authentiques
couscous et tajines. Gardez de la place pour le dessert de la maison au
miel, aux amandes et à la fleur d'oranger. ● *dim., lun. ; août et Pâques.* ▤
€€€€ — AE DC MC V

EL AMPARO. Plan 6 E5.
Callejón de Puigcerdá 8. [91 431 64 56.
Une nouvelle cuisine basque dans un cadre considéré par beaucoup
comme le plus agréable de Madrid, avec la lucarne permettant de
contempler les étoiles. ● *sam. midi, dim. ; août et jours fériés.* ▤
€€€€ — AE MC V

ARCE. Plan 5 A5.
Calle de Augusto Figueroa 32. [91 522 04 40.
Cette table élégante à la cuisine inventive et à la carte des vins
intéressante est plus intime le soir. ● *sam. midi et dim.* ▤
€€€€ — AE MC V

LA GASTROTECA DE STEPHANE Y ARTURO. Plan 5 B5.
Plaza de Chueca 8. [91 532 25 64.
Dans ce restaurant original, décoré de couleurs sombres et d'art moderne,
le propriétaire aide volontiers les clients à choisir parmi les plats créatifs
préparés par sa femme. ● *sam. midi, dim. en août et jours fériés.* ▤ 🅖
€€€ — AE DC MC V

JOCKEY. Plan 6 D4.
Calle de Amador de los Ríos 6. [91 319 10 03.
La carte saisonnière du Jockey, l'un des cinq meilleurs restaurants
de Madrid, comprend de délicieux plats de volaille et de gibier.
La cave est d'une grande richesse. Tenue de ville de rigueur.
● *sam. midi, dim. ; août et jours fériés.* ▤ 🅖
€€€€ — AE DC MC V

LA TRAINERA. Plan 6 F4.
Calle de Lagasca 60. [91 576 80 35.
Il règne une vive animation dans cet étroit restaurant, qui sert
exclusivement des produits de la mer. ● *dim. et août.* ▤
€€€ — AE DC MC V

EN DEHORS DU CENTRE

CASA MINGO. Plan 3 A1.
Paseo de la Florida 2. [91 547 79 18.
On a le seulement le choix entre poulet rôti, salades et saucisses braisées,
mais les clients se serrent aux longues tables de cet établissement bruyant,
où ils peuvent boire du cidre des Asturies.
€

MUSEO DEL JAMÓN
Calle de Alcalá 155. [91 431 72 96.
D'innombrables jambons de montagne pendent aux poutres du « musée
du jambon ». Il y a un grand bar et une salle séparée pour les repas. ▤
€ — AE MC V

PAULINO
Calle de Alonso Cano 34. [91 441 87 37.
Surnommé le « Zalacaín du pauvre », le Paulino propose une cuisine
créative à prix raisonnables, aux saveurs surprenantes. ● *dim. et août* ▤ 🅖
€€ — AE DC MC V

LA TABERNA DE LA DANIELA
Calle del General Pardiñas 21. [91 575 23 29.
En dehors des nombreux *tapas* servies au bar, on ne peut manger ici
à midi qu'un *cocino madrileño (p. 155)*. Bons desserts maison. ▤
€€ — AE MC V

ALBORÁN
Calle de Ponzano 39–41. [91 399 21 50.
Au nord-ouest de Madrid, ce restaurant décoré avec goût apprête les
produits de la mer à la mode andalouse. ● *dim. soir.* ▤ 🅖
€€€ — AE DC MC V

Légende des symboles, voir rabat de couverture

Catégorie de prix par personne pour un dîner avec entrée et dessert, une demi-bouteille de vin de la maison, taxes et service compris.

€ moins de 20 euros
€€ de 20 à 30 euros
€€€ de 30 à 40 euros
€€€€ plus de 40 euros

CARTES BANCAIRES
Cartes acceptées : American Express (AE), Diners Club (DC), Mastercard/Access (MC) et Visa (V).
BAR À TAPAS
En plus de la salle principale, un bar sert des tapas (p. 30-31) et des raciones (parts plus importantes).
MENU À PRIX FIXE
Le menu est d'un bon rapport qualité-prix.
BONNE CARTE DES VINS
Large choix de crus ou intéressante sélection.
TABLES EN TERRASSE
Repas servis en terrasse ou dans une cour ou un jardin.

	CARTES BANCAIRES	BAR À TAPAS	MENU À PRIX FIXE	BONNE CARTE DES VINS	TABLES EN TERRASSE
BADEN — Calle General Rodrigo 17. 91 553 87 96. Tout à la fois bar à *tapas* animé et agréable restaurant, le Baden sert les meilleures pizzas de Madrid. €€€	AE DC MC V	●			
EL BUEY — Calle del General Pardiñas 7-10. 91 431 44 92. Ce petit restaurant a pour spécialité les steaks, mais propose aussi du poisson. De l'autre côté de la rue, son bar à *tapas* sert du vin de Ribera del Duero et connaît un vif succès. ● dim. soir. €€€	AE DC MC V	●	■		
CASA RICARDO — Calle de Fernando El Católico 31. 91 447 61 19. Bons plats traditionnels tels que la soupe à la queue de bœuf et les encornets cuits dans leur encre. ● dim. soir. €€€	DC MC V			●	
DON SANCHO — Calle de Bretón de los Herreros 58. 91 441 37 94. Athmosphère détendue pour cet établissement du paisible quartier de Chamberí, il possède une carte réduite mais variée. ● dim. et lun. soir ; août, Pâques et j. fériés. €€€	AE DC MC V		■		
SACHA — Calle de Juan Hurtado de Mendoza 11 (entrada posterior). 91 345 59 52. Décoré comme un bistro intime, le Sacha propose des classiques espagnols tels que la perdrix au riz et aux champignons. ● dim. ; août et jours fériés. €€€	AE DC MC V			●	■
EL BARRIL DE GOYA — Calle de Goya 86. 91 578 39 98. Cet établissement spécialisé dans le poisson et les fruits de mer attire une importante clientèle. Le bar et la salle à manger, dotée de fenêtres panoramiques, sont souvent bondés. ● dim. soir. €€€€	AE DC MC V	●			
CABO MAYOR — Calle de Juan Ramón Jiménez 37. 91 350 87 76. Vins et desserts sont excellents dans ce restaurant de poisson parmi les meilleurs de Madrid. Essayez la salade de pâtes aux crevettes ou la baudroie aux champignons. ● sam. midi, dim. et jours fériés. €€€€	AE DC MC V		■	●	■
COMBARRO — Calle de la Reina Mercedes 12. 91 554 77 84. Détendu mais chic, et réputé pour ses plats de poisson galiciens, le Combarro affiche en devanture les spécialités du jour. ● dim. soir , Pâques et août. €€€€	AE DC MC V	●			
CURRITO — Pabellon Vizcaya, Casa del Campo. 91 464 57 04. Le Currito occupe un pavillon de la Casa del Campo que complète une vaste terrasse. Il sert des spécialités basques traditionnelles : viandes et poissons grillés au charbon de bois. ● dim. soir. €€€€	AE DC MC V			●	■
GOIZEKO KABI — Calle del Comandante Zorita 37. 91 533 01 85. Un décor raffiné met en valeur des spécialités basques traditionnelles. Délicieux desserts. ● dim. juil. et août, sam au déj. €€€€	AE DC MC V			●	
EL OLIVO — Calle del General Gallegos 1. 91 359 15 35. De la cuisine méditerranéenne de haut vol. Le patron vous conseillera l'huile d'olive, parmi un choix de 40 variétés, la mieux adaptée à vos plats. ● dim., lun., fin août et Pâques. €€€€	AE DC MC V		■	●	
PEDRO LARUMBE. Plan 6 E3. Calle de Serrano 61. 91 575 11 12. Ce restaurant chic et spacieux propose une cuisine inventive. Les plats de poisson sont particulièrement fins. ● sam. midi et dim. €€€€	AE MC V		■	●	

ZALACAÍN   €€€€   AE DC MC V
Calle de Álvarez de Baena 4. ☎ 91 561 48 40.
Le Zalacaín entretient sa réputation de meilleur restaurant de Madrid avec un cadre luxueux, un service attentif et, surtout, une succulente cuisine d'influence basque. Tenue de ville de rigueur. ● sam. midi, dim., Pâques, août et jours fériés. ▤ ♿

LES ENVIRONS DE MADRID

ARANJUEZ : *Casa José.*   €€   AE MC V
Calle Abastos 32. ☎ 91 891 14 88.
Un restaurant prisé pour sa cuisine internationale utilisant les produits frais du terroir. ● lun.

CHINCHÓN : *Mesón de la Virreina.*   €€   AE DC MC V
Plaza Mayor 28. ☎ 91 894 00 15.
On vient savourer ici dans un édifice du XVIᵉ siècle des recettes castillanes comme l'agneau rôti et la *sopa castellana* à l'ail et aux pois chiches. En digestif, essayez l'*anís* local. ▤ ♿

LA GRANJA DE SAN ILDEFONSO : *Hilaria.*   €€   AE DC MC V
Carretera Madrid-Valladolid km 124, Valsaín (Segovia). ☎ 921 47 02 92.
La famille qui tient le Hilaria possède sa propre recette de ragoût aux haricots. Délicieux agneau et cochon de lait rôtis. ● lun., 12-22 juin. ▤ ♿

PEDRAZA DE LA SIERRA : *Hostería Pintor Zuloaga.*   €€   AE DC MC V
Calle Matadero 1 (Segovia). ☎ 921 50 98 35.
Ce restaurant occupe une maison qui a appartenu à l'Inquisition. Cuisine castillane, avec de solides ragoûts notamment. ● mar. ▤

SAN LORENZO DE EL ESCORIAL : *Taberna La Cueva.*   €€   MC V
Calle San Antón 4. ☎ 91 890 15 16.
Juan de Villanueva, l'architecte du Prado, dessina cette auberge du XVIIIᵉ siècle qui compte parmi ses spécialités les *huevos a la cueva* (œufs au plat et jambon dans un nid de pommes paille). ● lun.

TOLEDO : *Hostal del Cardenal.*   €€   AE DC MC V
Paseo de Recaredo 24. ☎ 925 22 08 62.
L'ancienne résidence d'été du cardinal Lorenzana (XVIIIᵉ siècle) a conservé son jardin enclos dans les remparts. La carte propose des plats traditionnels et la célèbre *mazapán* (pâte d'amande) de Tolède. ▤

ARANJUEZ : *Casa Pablo.*   €€€   AE MC V
Calle Almíbar 42. ☎ 91 891 14 51.
Cette taverne du centre-ville sert une solide cuisine familiale. Asperges, faisan aux raisins et fraises feront un excellent repas. ● août. ▤ ♿

GUADALAJARA : *Amparito Roca.*   €€€   AE MC V
Calle Toledo 19. ☎ 949 21 46 39.
Dans une demeure décorée avec goût, le chef imaginatif décline des classiques espagnols avec, par exemple, l'aloyau de venaison aux champignons ou des œufs brouillés au saumon. ● dim. et 15-31 août. ▤ ♿

SEGOVIA : *Mesón de Cándido.*   €€€   AE DC MC V
Plaza del Azoguejo 5. ☎ 921 42 81 03.
Voici l'endroit où manger à Ségovie. Le Mesón de Cándido offre une belle vue de l'aqueduc romain et propose des plats locaux comme l'agneau et le cochon de lait rôtis. ▤ ♿

SIGÜENZA : *El Motor.*   €€€   AE DC MC V
Avenida Juan Carlos I, 2 (Guadalajara). ☎ 949 39 08 27.
El Motor reste fidèle à de grands classiques castillans comme la soupe à l'ail *(sopa castellana)* et l'agneau et le cochon de lait rôtis. ▤ ♿

TOLEDO : *Adolfo.*   €€€   AE DC MC V
Calle de Granada 6. ☎ 925 22 73 21.
Au cœur du quartier juif, des antiquités meublent une salle au splendide plafond à caissons mudéjar du XVᵉ siècle. Le chef apprête des truites sortant tout juste du Tage et, en hiver, du gibier. ● dim. soir et fin juil. ▤ ♿

TOLEDO : *La Lumbre.*   €€€   AE DC MC V
Calle Real de Arrabal 3. ☎ 925 22 03 73.
Dans une charmante vieille maison aux poutres apparentes près de la Puerta de Bisagra, les plats de viande et le gâteau au fromage blanc *manchego* sont particulièrement réussis. ● dim. et juil. ▤

Légende des symboles, voir rabat de couverture

FAIRE DES ACHATS À MADRID

Du xérès aux sucreries appelées *turróns,* les spécialités culinaires vendues dans les magasins d'alimentation et sur les nombreux marchés de la ville seront de bons souvenirs de votre séjour. Vous trouverez les meilleures caves et épiceries fines dans le vieux Madrid. Éventails et châles traditionnels restent appréciés de beaucoup de visiteurs, mais la capitale espagnole renferme aussi de superbes boutiques de mode. L'élégant quartier de Salamanca *(p. 99)* regroupe la plupart des magasins de luxe. Celui de Chueca *(p. 94)* offre le dernier cri en matière de prêt-à-porter espagnol pour les jeunes. Les boutiques du centre proposent des vêtements plus classiques. En matière d'artisanat, ce sont la maroquinerie et la céramique qui présentent le plus d'intérêt. Enfin, ne manquez pas de chiner au célèbre marché aux puces d'El Rastro *(p. 61).*

Sigle du grand magasin
le plus connu

HEURES D'OUVERTURE

L'Espagne a des heures d'ouverture sans équivalent ailleurs en Europe et la plupart des boutiques ouvrent de 10 h à 14 h et de 17 h à 20 h, les grands magasins étant les seuls à ne pas fermer à l'heure du déjeuner. Les petits commerces ferment souvent le samedi après-midi. En dehors de la période commençant avant Noël et se terminant le 5 janvier pour l'Épiphanie, il n'y a guère que les boutiques touristiques, les grands magasins et les traiteurs qui ouvrent le dimanche.

MODES DE PAIEMENT

Contrairement aux chèques, rarement acceptés, les principales cartes bancaires permettent de régler ses achats dans la plupart des commerces. Il faut parfois présenter une pièce d'identité.

Quelques magasins continuent cependant de les refuser et ne prennent que le liquide. Certaines boutiques touristiques acceptent les devises étrangères telles que le dollar américain.

TVA

Le taux le plus répandu de taxe à la valeur ajoutée (IVA) est de 16 %, et est appliqué entre autres sur des biens comme les vêtements. Les produits alimentaires sont taxés à 7 %, sauf les aliments de base, comme le fromage et les fruits, qui bénéficient d'un taux réduit de 4 %, à l'instar des livres, des journaux et des équipements pour handicapés. Certains magasins permettent aux visiteurs résidant hors de l'Union européenne de récupérer l'IVA sur les achats importants *(p. 184).*

SOLDES

Il y a deux périodes de soldes en Espagne. La première commence le 6 janvier pour l'Épiphanie et dure jusqu'en février. Les soldes d'été débutent en juillet, et on peut y acheter des vêtements à bon prix, d'autant plus qu'il fait chaud jusqu'en septembre. Surveillez aussi attentivement sur les vitrines les panneaux annonçant *Rebajas, Traspaso* ou *Liquidación.*

Shopping sur la calle de Serrano,
la rue des boutiques de luxe

CENTRES COMMERCIAUX

Les *centros comerciales* se sont rapidement développés ces dernières années à Madrid. Tous deux situés à Salamanca, le **Jardín de Serrano** et **ABC Serrano** font partie des plus réputés pour le prêt-à-porter de luxe. Dans le même quartier, on trouve boutiques de luxe et également celles des plus grands stylistes internationaux surtout Calle de Serrano et aux alentours. Immense, **La Vaguada**, dans les quartiers nord, réunit toutes sortes de commerces.

Institution nationale, la chaîne de grands magasins **El Corte Inglés** possède des succursales dans toute la ville où on trouve à peu près tout. On peut même y faire développer des photos et réparer des chaussures.

Madrid renferme également quelques hypermarchés, pour la plupart en bordure du boulevard périphérique M30.

Entrée du Museo del Jamón *(p. 170)*

Éventaire de céramique artisanale à Tolède

MARCHÉS

Le célèbre marché aux puces **El Rastro** se tient le dimanche et les jours fériés. Il s'étend entre la plaza de Cascorro et les rues partant de la calle de la Ribera de Curtidores. N'espérez pas tomber sur un tableau de Velázquez, mais vous y jouirez d'un immense choix, depuis des antiquités de valeur jusqu'à de la fripe, des bijoux, des disques, des objets de collection, du matériel d'escalade et des nains de jardin. C'est le seul marché de Madrid où il est possible de faire baisser de deux tiers le premier prix annoncé. Beaucoup de boutiques et d'étals ouvrent également en semaine.

Organisé lui aussi le dimanche, le **Mercadillo de Sellos y Monedas,** un petit marché aux monnaies, aux timbres et aux cartes postales, s'installe sous les arcades de la Plaza Mayor. Les amateurs de vieux livres apprécieront le **Mercado del Libro** dans la partie sud du Real Jardín Botánico *(p. 84)*. La plupart des éventaires ouvrent en semaine en plus du dimanche et vendent également des ouvrages neufs.

FOIRES ANNUELLES

Plusieurs grandes foires commerciales, souvent en plein air, rythment le calendrier madrilène.

Grand marché de l'art contemporain, l'**ARCO** se déroule en février. Même sans intention d'acheter, cette manifestation permet de rester informé des dernières tendances. Pendant la semaine précédant le 15 mai et le début des Fiestas de San Isidro *(p. 34),* le quartier animé de Malasaña *(p. 103)* accueille la **Feria de la Ceramica,** l'occasion d'acheter ustensiles de cuisine et carafes en poterie. Peu après, à la fin du mois, la **Feria del Libro** annonce l'arrivée de l'été : éditeurs et libraires dressent pour deux semaines des centaines d'étals le long des allées ombragées du Parque del Retiro *(p. 77)*.

La **Feria de Artesanos** du paseo de Recoletos se tient en décembre. On y trouve des objets artisanaux, des bijoux aux soieries en passant par la verrerie, la céramique et les articles de cuir, qui font d'excellents cadeaux de Noël. Pendant tout le mois, la Plaza Mayor accueille le **Mercado de Artículos Navideños.** Outre des sapins, on peut y acquérir tout le nécessaire à la confection d'une crèche, y compris le *caganer* catalan, santon représentant un berger pantalon baissé. Il se place derrière la mangeoire.

Un dimanche matin au marché aux puces d'El Rastro

CARNET D'ADRESSES

CENTRES COMMERCIAUX

ABC Serrano
Calle de Serrano 61.
Plan 6 E3.
📞 91 577 50 31.
🌐 www.abcserrano.com

El Corte Inglés
Calle de Preciados 1-3.
Plan 4 F2.
📞 91 379 80 00.
🌐 www.elcorteingles.es
Nombreuses succursales.

Jardín de Serrano
Calle de Goya 6-8.
Plan 6 E4.
📞 91 577 00 12.
🌐 www.jardindeserrano.es

La Vaguada
Avenida Monforte de Lemos 36.
📞 91 730 10 00.
🌐 www.enlavaguada.com

MARCHÉS

El Rastro
Calle de la Ribera de Curtidores.
Plan 4 E4.

Mercadillo de Sellos y Monedas
Plaza Mayor. **Plan** 4 E3.

Mercado del Libro
Calle de Claudio Moyano.
Plan 8 D4.

FOIRES ANNUELLES

Informations municipales (pour les foires en plein air) :
📞 010.

ARCO
Parque Ferial Juan Carlos I.
📞 91 722 51 80.
🌐 www.ifema.es

Feria de Artesanos
Paseo de Recoletos.
Plan 6 D5.

Feria de Cerámica
Plaza de las Comendadoras.
Plan 2 D4.

Feria del Libro
Paseo de Coches del Retiro, Parque del Retiro. **Plan** 8 F1.

Mercado de Artículos Navideños
Plaza Mayor.
Plan 4 E3.

Qu'acheter à Madrid ?

Éventail traditionnel

Si vous n'appréciez pas les fanfreluches pseudo-andalouses ou les taureaux miniatures, vous trouverez, notamment parmi les spécialités alimentaires, safran, huile d'olive ou bons crus, qui feront des cadeaux appréciés. Les articles en cuir sont d'un excellent rapport qualité-prix, notamment les chaussures. Les sacs Loewe sont réputés dans le monde entier. S'il devient difficile de dénicher certains articles d'artisanat traditionnels comme la vannerie, on peut trouver partout d'intéressantes céramiques à des prix raisonnables. La mode espagnole ne manque pas non plus d'intérêt.

Poupées Chulapo
Ces poupées à la moue caractéristique portent la tenue traditionnelle des castizos madrilènes (p. 105).

Sweat-shirt Phineas
Ses motifs originaux ont assuré la popularité de la marque de prêt-à-porter Phineas (p. 169).

Maroquinerie
Les sacs à main de qualité, comme ceux que propose Piamonte (p. 168), *proviennent de Majorque dans les Baléares.*

Mantón de Manila
Très répandus, ces châles brodés existent dans un vaste choix de couleurs.

Turrón
Casa Mira (p. 170) *propose ces sucreries qui ressemblent au nougat dans d'élégantes boîtes en bois.*

Safran (*azafrán*)
Introduite par les Maures, l'épice la plus chère du monde, issue du crocus, exige un délicat ramassage à la main.

Queso Manchego
Le manchego, *fabriqué avec du lait de brebis, est considéré comme le meilleur fromage d'Espagne. En fin de repas, il est servi avec de la gelée de coing (*membrillo*).*

Barquillera
Vendues entre autres par El Corte Inglés et Mallorca (p. 170), ces boîtes de biscuits sont souvent très gaies, telle cette barquillera *portant sur son couvercle une roulette d'enfant.*

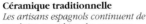

Éventail moderne

Éventail
Les boutiques de Madrid offrent un large choix d'éventails, depuis les plus classiques, délicatement brodés, jusqu'à des modèles modernes. Celui-ci provient de Tucán.

Céramique traditionnelle
Les artisans espagnols continuent de produire aussi bien des carreaux émaillés à la main que de la vaisselle reprenant des motifs anciens.

Vaisselle décorative

Panneau de céramique

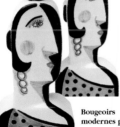

Bougeoirs modernes peints

Céramique moderne
À côté des formes traditionnelles, les boutiques de céramique madrilènes proposent aussi une vaste gamme de souvenirs d'une facture plus actuelle.

SAUCISSES ET JAMBONS

La charcuterie tient un rôle de premier plan dans l'alimentation espagnole et la *matanza*, la mise à mort du cochon, restait encore il y a peu une date importante du calendrier et l'occasion de se réunir en famille. La production est néanmoins devenue principalement industrielle. Le *jamón serrano*, le jambon cru de montagne, coupé en dés, entre dans de nombreuses recettes et constitue, servi en tranches fines, une *tapa* très répandue. Les porcs ibériques à sabots noirs, élevés en plein air, donnent le meilleur et le plus cher, appelé *ibérico*. Il existe de nombreuses sortes de saucisses sèches comme le *salchichón*, le *chorizo* parfumé au paprika, la *longaniza* longue et fine et les petites *chistorras* basques souvent flambées. Le boudin, ou *morcilla*, incorpore du riz, des oignons ou des pommes de terre. La longe de porc s'appelle *caña de lomo*.

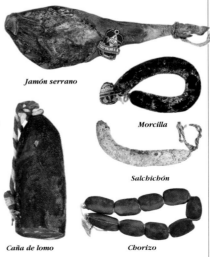

Jamón serrano

Morcilla

Salchichón

Caña de lomo

Chorizo

Vêtements et accessoires

Les Espagnols accordent une grande importance à l'élégance, et jamais une Madrilène ne sortira en tenue négligée même pour aller simplement au marché. L'exubérance de la *Movida* a peu touché la mode, en dehors de quelques créateurs excentriques, et les coupes les plus appréciées restent fondamentalement classiques, les accessoires raffinés rehaussant les tenues, discrètes, qui respectent la silhouette. Les boutiques de prêt-à-porter proposent aussi, bien entendu, toutes les grandes marques internationales.

CHAUSSURES

Les meilleures chaussures espagnoles sont fabriquées à Majorque, et une marque comme Yanko allie qualité et classicisme tout en offrant un tel confort que l'on croit porter des pantoufles. Elle est notamment distribuée dans les boutiques **Bravo** avec, entre autres, Lotusse et Barratts.

Autre fabricant de Majorque, **Camper,** qui fabrique des chaussures également très confortables, s'adresse à une clientèle plus jeune et possède des points de vente partout dans la capitale. En plus de sa propre gamme, la chaîne **Geltra** commercialise également cette marque.

Farrutx propose des modèles sophistiqués à des prix élevés. Pour des créations plus audacieuses, essayez **Excrupulus Net,** une enseigne catalane.

Si vous avez oublié vos tennis, ou cherchez simplement à vous chausser bon marché, vous trouverez sans doute votre bonheur dans la calle de Fuencarral ou à **Los Guerrilleros** au cœur du « kilomètre 0 », le quartier autour de la Puerta del Sol. On trouve partout des espadrilles, mais **Casa Hernanz,** près de la Plaza Mayor, a gardé une atmosphère d'une autre époque.

MAROQUINERIE

Fondée il y a plus d'un siècle par un tanneur d'origine allemande, la plus prestigieuse des marques espagnoles d'articles de cuir, **Loewe,** diffuse aujourd'hui ses sacs à main dans le monde entier. Sa boutique de la calle de Serrano permet de les admirer à défaut de pouvoir s'en offrir un. À l'angle de la rue, **Lotusse** vend aussi bien portefeuilles et vestes que chaussures. À quelques pas, une autre enseigne de Majorque, **Boxcalf,** propose également un séduisant assortiment de vêtements et d'accessoires de qualité.

Réputé pour ses sacs à prix abordables, **Piamonte,** dans le quartier de Chueca, propose aussi des ceintures et des bijoux. Pour une pointe d'élégance andalouse, passez à **El Caballo.**

Manuel Herrero ressemble à un bazar bondé de clients et de vendeurs persuasifs mais offre un bon rapport qualité-prix. Comme son nom l'indique, **Guante Varade** a pour spécialité les gants et stocke un large choix malgré sa petite taille.

BIJOUX

Pour beaucoup d'Espagnoles, un bijou doit être en or et le plus lourd possible, et la Gran Vía abonde en petites boutiques dont les vitrines étincellent de boucles d'oreilles, de bracelets et de chaînes. Les grands joailliers préfèrent quant à eux le quartier de la calle de Serrano. Les perles sont aussi très prisées, naturelles, cultivées, ou fabriquées (appelées alors *majorica*). **Las Perlas,** sur la Gran Vía, en propose de toutes sortes, à tous les prix.

Visiter **Del Pino,** dans la calle de Serrano, se révèle amusant pour sa large gamme de bijoux fantaisie. Ne manquez pas non plus le catalan **Tous.**

Les créations de **Joaquín Berao** lui ont valu une reconnaissance internationale, et son magasin ressemble à une galerie d'art miniature dédiée au goût et à la discrétion. À **La Oreja de Plata,** Chus Burés expose ses propres œuvres et celles d'autres joailliers qu'il a découverts. **Helena Rohner** commence aussi à être connue. **Piamonte** *(voir Maroquinerie)* diffuse ses bijoux en bronze, en argent et en émail. On peut visiter son atelier, mais mieux vaut téléphoner avant.

MODE FÉMININE

Les boutiques de mode les plus chic de Madrid se trouvent dans le quartier de la calle Jose Ortega y Gasset et de la calle de Serrano où **Roberto Verino** et **Adolfo Domínguez,** le doyen de la ligne minimaliste madrilène, offrent un bon rapport qualité-prix. C'est à Chueca, dans la calle del Almirante et aux alentours, que vous avez le plus de chance de découvrir les créations de jeunes stylistes dans des magasins comme **Ararat.** Pour les dernières tendances de la rue, essayez **Glam,** sur la calle de Fuencarral que bordent de nombreuses enseignes visant une clientèle jeune.

Les amateurs de tenues excentriques ne manqueront pas, dans le paseo de la Castellana, la boutique d'**Agatha Ruiz de la Prada.** Elle travaille aussi pour les enfants. Pour les vêtements de jeunes stylistes, allez chez **Mezcla,** et pour du cuir et des vêtements griffés chez **Loewe,** mais vous paierez un prix élevé.

La cape **Seseña,** création exclusive de l'enseigne madrilène du même nom, est devenue un classique, mais la marque en décline des versions plus modernes. Le succès de la chaîne **Zara,** qui propose à bon prix des vêtements faciles à porter pour les hommes, les femmes et les enfants, tient du phénomène national.

Une *corsetería* (lingerie fine) madrilène comme **¡Oh que luna!** mérite une visite pour ses pyjamas et ses chemises de nuit.

MODE MASCULINE

L es hommes s'habillent à Madrid dans les mêmes quartiers que les femmes et souvent dans les mêmes magasins. Pour les allécher, beaucoup d'enseignes portent des noms à consonance anglaise ou italienne, alors qu'elles ne vendent en fait que des vêtements fabriqués dans le pays.

Très haut de gamme,

Loewe décline sa propre vision des grandes tendances du moment. **Roberto Verino, Adolfo Domínguez** et **Zara** *(voir Mode féminine)* restent très chic, mais à des tarifs plus accessibles.

Dans la calle del Almirante, **Pedro Morago** propose une ligne à la fois élégante et confortable, et a su conserver des tarifs abordables malgré son succès auprès des jeunes stars du cinéma et du sport espagnols. Antonio Miró a fondé sa réputation sur ses chemises. Elles sont en vente à **Gallery**, à côté de vêtements de grandes marques internationales.

Plus décontracté, **Phineas,** qui commercialise aussi du prêt-à-porter féminin, a acquis une grande popularité par les motifs originaux et la riche palette de coloris de ses cotonnades. Il possède des points de vente dans toute la ville. Un autre spécialiste du coton, portugais malgré le nom de **Throttleman,** a ouvert une succursale à Madrid. Il y vend notamment des caleçons fantaisie.

Pour le grand air, de la simple promenade dans un jardin public au safari, **Coronel Tapioca** offre à la fois le choix, le confort et des prix raisonnables.

Antiquités, artisanat et souvenirs

Les boutiques d'antiquités de Madrid et le célèbre marché aux puces d'El Rastro (p. 61) offrent un large choix d'objets authentiques, intéressants à rapporter chez soi. Si l'artisanat reste abordable, notamment la céramique, beaucoup de styles traditionnels ruraux sont en voie de disparition. L'âme des terroirs espagnols demeure toutefois vivace dans des spécialités culinaires comme la charcuterie et le vin. D'excellents musiciens réussissent aussi à conserver leurs racines sans renier leur époque, en mariant par exemple jazz et flamenco.

ANTIQUITÉS

La calle Claudio Coello regroupe dans l'élégant quartier de Salamanca les antiquaires les plus chic, tandis que les rues avoisinantes abondent en boutiques spécialisées dans des domaines tels que le mobilier laqué du XVIIIᵉ siècle, chez **María Gracia Cavestany,** la peinture flamande du XVᵉ siècle chez **Theotokopoulos,** ou les outils rustiques chez **Collector.** Le **Centro de Anticuarios** réunit sous un même toit certains des plus prestigieux antiquaires de la ville, tels Pedro Alarcón et Luis Carabe.

Des vitrines regorgent de vieux livres, de carreaux peints, d'objets liturgiques et de bijoux bordent aussi la calle del Prado, tandis que les amateurs de gravures fréquentent la calle de las Huertas voisine.

Hidalgo, à El Rastro, vend des objets de collection tels que clés et tire-bouchons. Au nord-est du Parque del Retiro (p. 77), **La Trastienda de Alcalá** propose de la brocante à prix raisonnable.

La **Casa Postal** propose cartes postales et affiches près de la plaza de Cibeles.

GALERIE D'ART

Les galeries des alentours de la calle Claudio Coello, comme celle de **Juan Gris** offrent un bon aperçu de l'évolution des nouvelles tendances. Malgré une arrivée plus récente, **Juana de Aizpuru** a rapidement acquis beaucoup d'influence à Madrid. **Fúcares** et **Soledad Lorenzo** sont également connus pour le soutien qu'ils apportent à de jeunes artistes.

Estiarte vend des esquisses de maîtres tels que Picasso, Chillida, Tàpies et Miró. La plupart des galeries ferment le lundi.

ARTISANAT

Près de la plaza de España (p. 53), **Cántaro** abrite un large choix de céramiques. Parmi les nombreuses poteries traditionnelles régionales, certaines appartiennent à des styles dits « éteints » car elles ne sont plus fabriquées. **El Caballo Cojo** en propose aussi dans le vieux Madrid, à côté d'un étonnant assortiment de pièces des années 60 et 70.

Quels que soient leurs motifs, les nappes ou les châles brodés à la main, mais vendus à des prix ridiculement bas, proviennent en général de Chine. En revanche, la **Casa Bonet** en vend d'authentiques. **Borca,** une des meilleures boutiques pour les *mantones* (châles en soie) et le linge de maison, se trouve près de la Puerta del Sol (p. 44).

Les marchands de vannerie s'approvisionnent le plus souvent en Asie, mais **Joaquín Fernández** entretient la tradition. Les guitares de la **Guitarrería F. Manzanero** sont toujours fabriquées à la main.

LIVRES ET DISQUES

La **Casa del Libro,** sur la Gran Vía, garde en stock de nombreux titres étrangers. Vous jouirez aussi d'un choix important à la **Fnac** qui s'est ouverte à proximité. Un peu plus loin du centre, **Booksellers** met l'accent sur

les classiques et reste limité en ce qui concerne les parutions récentes. Les bouquinistes du **Mercado del Libro,** derrière le Ministerio de Agriculture (p. 84), présentent surtout de l'intérêt pour les livres de poche bon marché, et détiennent parfois des éditions rares.

Gaudí, près de Chueca, est un des meilleurs spécialistes en livres d'art, mais vous en trouverez aussi dans les succursales de **Crisol.**

La Fnac et les grands magasins **El Corte Inglés** de la calle de Preciados et du paseo de la Castellana proposent une large sélection de disques de tous genres. Les amateurs de flamenco ne rateront pas **El Flamenco Vive.**

CADEAUX

Un spécialiste comme **Patrimonio Comunal Olivarero,** près de Chueca, vous aidera à faire un choix parmi les huiles d'olive provenant aussi bien de Catalogne que d'Andalousie. Le Club du Gourmet, au quatrième étage d'**El Corte Inglés** de la calle de Serrano, propose également une large gamme d'huiles d'olive et de produits espagnols typiques comme le vinaigre de xérès.

La **Casa Mira** vend toute l'année du *turrón,* le nougat de Noël. Il existe aussi un bon choix de bouchées en forme d'amandes, les *almendras imperiales.*

Horno de San Onofre propose dans le centre une beau choix de gâteaux, **Mariano Madrueño** compte parmi les meilleures caves de la capitale et les succursales du **Museo del Jamón** regorgent de charcuteries en tous genres. Une excellente fromagerie, **La Boulette,** se trouve à l'intérieur du Mercado de la Paz, juste à côté de la calle de Serrano. Le traiteur **Mallorca** permet aussi de manger ses spécialités sur place.

Bijoux, articles de cuir et céramiques voisinent à **El Arco de los Cuchilleros,** l'une des boutiques de souvenirs du meilleur goût. **Así**, situé dans le centre, vend des poupées de toutes sortes et des articles pour la maison.

SOUVENIRS

Situé dans le marché de la Puerta de Toledo, **La Tienda de Madrid** renferme des souvenirs tels que les *barquilleras*, boîtes à biscuits traditionnelles vendues aussi dans les pâtisseries d'**El Corte Inglés** et à **Mallorca** *(voir Cadeaux)*. Le **Sanatorio de Muñecos** vend des poupées en costumes typiques.

Les rues entre la Puerta del Sol et la Plaza Mayor, en particulier la calle Postas, abondent en marchands d'objets religieux, dont **Palomeque** spécialisé dans les reproductions d'œuvres d'art, y compris en cartes postales.

Almoraima, sur la Plaza Mayor, propose une large sélection d'éventails. Les tee-shirts d'**El Tintero**, avec leurs inscriptions en espagnol, sont originaux.

SE DISTRAIRE À MADRID

La vie nocturne madrilène ne s'adresse pas aux couche-tôt. En effet, la sieste ne permet pas uniquement aux Espagnols d'échapper aux heures les plus chaudes de l'après-midi, pour beaucoup d'entre eux elle sert aussi à se préparer à la longue nuit qui les attend. À Madrid, on sort pratiquement tous les soirs, mais les nuits sont les plus animées du jeudi au dimanche. Une soirée typique commence alors à l'heure de l'apéritif dans les cafés, puis se poursuit dans les bars à *tapas* ou au restaurant, en attendant l'ouverture, tardive, des boîtes de nuit. Les réjouissances durent jusqu'au matin, surtout le samedi. Mais pour ceux qui aspirent à des soirées moins intenses, on peut assister à d'excellents spectacles de flamenco et de *zarzuela,* cette forme d'opérette typiquement madrilène. Plusieurs grandes salles proposent aussi tout au long de l'année de l'opéra, des ballets et des concerts classiques, tandis que de nombreux clubs accueillent des groupes de jazz, de rock ou de world-music. Les amateurs de théâtre auront le choix entre des pièces du Siècle d'or et des créations modernes parfois expérimentales.

Artiste de rue au Parque del Retiro

Statue de Philippe IV devant la façade du Teatro Real (p. 58)

RENSEIGNEMENTS PRATIQUES

Il existe à Madrid plusieurs bureaux d'information touristique, dont le personnel parle souvent plusieurs langues et pourra vous renseigner sur les principales manifestations culturelles et fêtes organisées pendant votre séjour. Les visiteurs qui veulent découvrir la ville avec un guide professionnel peuvent s'adresser aux agences spécialisées **A.P.I.T.** et **COSITUR.**

Ceux qui lisent plus facilement l'anglais que l'espagnol s'aideront des programmes de *Lookout,* un magazine destiné à la communauté anglophone de la capitale, et de *In Madrid,* un mensuel gratuit disponible dans de nombreux bars irlandais, des librairies et des magasins de disques, ainsi que dans la plupart des ambassades et au bureau d'information touristique de l'**aéroport Barajas** *(p. 192).*

Disponible en kiosque, l'hebdomadaire *Guía de Ocio* qui paraît le vendredi est le guide de programme le plus complet. Attention, il arrive qu'il soit épuisé dès le dimanche.

Les trois principaux quotidiens de Madrid, *El Mundo, El País* et *ABC,* proposent chacun un supplément hebdomadaire consacré aux loisirs. Ces suppléments sont plutôt axés sur les divertissements, mais couvrent une large palette d'activités de toute sorte et annoncent parfois des manifestations ignorées de *Guía de Ocio.* Les suppléments culturels d'*El Mundo,* d'*El País* et d'*ABC* paraissent tous chaque vendredi.

RÉSERVER SA PLACE

Le plus simple est de téléphoner directement aux salles pour les spectacles les plus importants comme pièces de théâtre, opéras et concerts. Les plus grandes agences, **Caja Madrid** et **Tel-Entradas,** acceptent toutes les cartes Visa et Mastercard et ne prélèvent pas de commission.

SAISONS ET BILLETS

La principale saison de concerts et de théâtre dure de septembre à juin. Pendant les Fiestas de San Isidro en mai *(p. 34)* et le festival d'Automne *(p. 36),* les autorités municipales invitent de grands noms espagnols et internationaux de la musique, du théâtre et de la danse.

Quand la nuit bat son plein au night-club Joy Eslava (p. 176)

Sur le terrain de jeux de la plaza de Oriente

Vous trouverez les programmes dans les bureaux d'information touristique et la plupart des succursales de la banque Caja Madrid.

Les billets pour les grands concerts peuvent être achetés à la **FNAC** et chez **Madrid Rock,** l'agence **TEYCI** propose ceux pour des manifestations comme les corridas ou les matchs de football.

Un autre agence qui vend des tickets pour un grand nombre d'événements, est **El Corte Ingles** (par téléphone ou dans les succursales).

SPECTATEURS HANDICAPÉS

Dans son programme quotidien, *El País* classe de 1 à 4 certaines salles de spectacle, des plus accessibles en fauteuil roulant aux moins adaptées.

Pour se déplacer, chaque ligne de bus possède plusieurs véhicules à plancher surbaissés, repérés par un symbole en forme de fauteuil roulant. **Radioteléfono Taxi** (91 547 82 00) fournit des voitures spéciales : demandez les Eurotaxis. En revanche, le métro n'est pas adapté pour les personnes handicapées.

ATTRACTIONS POUR ENFANTS

Il existe plusieurs aires de jeu dans le centre de Madrid. Si vous voulez que vos enfants jouissent vraiment d'espace, emmenez-les à la Casa de Campo *(p. 114)*. Effectuer le trajet avec le **Teleférico** les amusera. Ce parc renferme le **Zoo-Aquarium,** le **Parque de Atracciones,** un lac où canoter et plusieurs piscines.

Joueur de flamenco au Parque del Retiro

Dans le Madrid des Bourbons, des magiciens, des jongleurs et des clowns distraient les promeneurs au Parque del Retiro *(p. 77)*.

De nombreux théâtres, en particulier la **Sala San Pol,** proposent des spectacles pour jeune public.

Terrasse de café sur la plaza del Dos de Mayo *(p. 103)*

Spectacles traditionnels

Les Madrilènes jouissent tout au long de l'année d'une programmation culturelle de haut niveau, qu'il s'agisse de musique, de théâtre ou de danse, classique et contemporaine. Comme dans d'autres grandes capitales européennes, la ville abrite notamment sa propre compagnie d'opéra, l'orchestre national d'Espagne et l'orchestre symphonique de la RTVE. Elle offre en outre les meilleurs spectacles de *zarzuela* (p. 75) et le flamenco des gitans d'Andalousie. Les corridas s'y déroulent dans les plus grandes arènes du monde. Le festival d'Automne est une importante rencontre internationale des arts de la scène.

MUSIQUE CLASSIQUE

S'il demeure plus connu en tant que siège de l'opéra, le **Teatro Real de Madrid,** récemment rénové, propose aussi de grands concerts de musique classique donnés par des orchestres nationaux et étrangers. L'**Auditorio Nacional de Música** possède deux salles où se produit notamment l'Orquesta Nacional de España qu'accompagne souvent le Coro Nacional de España, le chœur national espagnol.

Une autre formation prestigieuse joue principalement au **Teatro Monumental** : l'Orquesta Sinfónica y Coro de RTVE, l'orchestre symphonique et le chœur de la radio et télévision espagnole.

L'**Auditorio Conde Duque** accueille également divers concerts classiques.

OPÉRA ET ZARZUELA

Bien que le répertoire n'ait pas évolué depuis des décennies, la *zarzuela,* forme d'opérette spécifiquement madrilène, continue d'attirer un public fervent. C'est le **Teatro de la Zarzuela** qui programme les meilleurs spectacles, mais plusieurs autres salles accueillent aussi des *zarzuelas,* en particulier l'été, dont le **Teatro Albéniz** et le **Teatro Príncipe-Palacio de las Variedades** qui vient de rouvrir.

En matière d'opéra, aucun lieu n'égale le **Teatro Real de Madrid,** situé non loin du métro Ópera, où se produisent non seulement la compagnie de Madrid mais aussi des troupes internationales. Le **Teatro Calderón** a également une excellente programmation classique et moderne.

DANSE

Madrid possède plusieurs salles où voir des ballets classiques et modernes. Outre le **Teatro Albéniz,** qui accueille les meilleures compagnies nationales et étrangères, les trois principales sont le **Teatro Madrid,** le **Nuevo Teatro Alcalá** et le **Teatro de la Zarzuela.**

FLAMENCO

Expression des souffrances et des joies des gitans du sud de l'Espagne, le flamenco a pris sa forme classique au XVIIIᵉ siècle en Andalousie, mais d'excellents interprètes résident désormais à Madrid.

La plupart des établissements proposant du flamenco le font dans le cadre d'un dîner-spectacle. Les formations traditionnelles, comme celles qu'accueille le **Café de Chinitas,** comprennent en général au moins une danseuse, mais il arrive également qu'un chanteur se produise seul sur scène en s'accompagnant à la guitare. Un club comme la **Casa Patas** permet d'apprécier la puissance évocatrice de l'âpre *cante flamenco.* Parmi les autres lieux offrant des prestations de qualité figurent l'**Arco de Cuchilleros,** le **Corral de la Morería, Candela** et les **Torres Bermejas.**

THÉÂTRE

Les deux théâtres les plus prestigieux de Madrid sont le **Teatro de la Comedia** et le **Teatro María Guerrero.** Le premier est le siège de la Compañía Nacional de Teatro Clásico qui met en scène des œuvres classiques du répertoire espagnol, le second programme des créations étrangères ainsi que des pièces modernes espagnoles. Parmi les autres grands théâtres figurent le **Teatro Alcázar,** le **Teatro Muñoz Seca** et le **Teatro Reina Victoria.** Les deux derniers accordent une large place à la comédie, à l'instar du **Teatro Lara** et du **Teatro La Latina** spécialisés dans l'humour madrilène. Le **Centro Cultural de la Villa** présente du théâtre populaire.

La ville compte aussi un réseau très actif de salles plus expérimentales telles que la **Cuarta Pared, Ensayo 100** et le **Teatro Afil.** Le **Teatro Calderón,** le **Teatro Lope de Vega** et le **Teatro Nuevo Apolo** accueillent souvent des comédies musicales.

De mi-septembre à mi-octobre, le Festival d'Automne *(p. 36)* donne lieu à un important rassemblement d'acteurs de tous horizons, espagnols comme étrangers, appartenant à des compagnies connues comme à des formations d'avant-garde.

CORRIDAS

La tauromachie *(p. 111)* reste une passion à Madrid, et la ville, avec la **Plaza de Toros de las Ventas,** possède les plus grandes arènes du monde. Des courses de taureaux s'y déroulent tous les dimanches de mai à octobre, et tous les jours pendant les Fiestas de San Isidro *(p. 34)* qui ouvrent la saison.

Lors d'une corrida, trois toreros combattent chacun deux taureaux. Chaque affrontement dure environ un quart d'heure et s'achève toujours par la mort de l'animal. Le prix des places varie en fonction de leur rang dans les gradins et de leur situation à l'ombre ou au soleil.

FOOTBALL

Plusieurs fois vainqueur de la Coupe d'Europe de football, l'équipe la plus connue de Madrid, le **Real Madrid,** a pour temple l'Estadio Bernabéu d'une capacité de 105 000 spectateurs. Sa grande rivale locale est l'**Atlético de Madrid** qui joue à l'Estadio Vicente Calderón, situé au bord du río Manzanares. Il règne souvent une meilleure ambiance dans ce stade plus petit et moins cher. La troisième équipe de Madrid, le **Rayo Vallecano,** passe son temps à monter et à descendre entre première et deuxième division.

CARNET D'ADRESSES

MUSIQUE CLASSIQUE

Auditorio Conde Duque
Calle del Conde Duque 11.
Plan 2 D4.
91 588 58 34.

Auditorio Nacional de Música
Calle del Príncipe de Vergara 146.
91 337 01 34.

Teatro Monumental
Calle de Atocha 65.
Plan 7 A3.
91 429 81 19.

Teatro Real de Madrid
Plaza de Oriente. **Plan** 3 C2
91 516 06 06.
www.teatro-real.com

OPÉRA ET ZARZUELA

Teatro Albéniz
Calle de la Paz 11.
Plan 4 F3.
91 531 83 11.

Teatro Calderón
Calle de Atocha 18.
Plan 4 F3.
91 429 58 90.

Teatro de la Zarzuela
Calle de Jovellanos 4.
Plan 7 B2.
91 524 54 00.

Teatro Príncipe - Palacio de las Variedades
Calle de las Tres Cruces 8.
Plan 4 F1.
91 521 83 81.

Teatro Real de Madrid
(voir musique classique)

DANSE

Nuevo Teatro Alcalá
Calle Jorge Juán 62.
Plan 6 D5.
91 426 42 79.

Teatro Albéniz
(voir opéra et Zarzuela)

Teatro de la Zarzuela
Calle de Jovellanos 4.
Plan 7 B2.
91 524 54 00.

Teatro Madrid
Avenida de la Ilustración.
91 740 52 74.

FLAMENCO

Arco de Cuchilleros
Calle de Cuchilleros 7.
Plan 4 E3.
91 364 02 63.

Café de Chinitas
Calle de Torija 7.
Plan 4 D1.
91 547 15 02.

Candela
Calle del Olivar 2.
Plan 7 A4.
91 467 33 82.

Casa Patas
Calle de Cañizares 10.
Plan 7 A3.
91 369 04 96.

Corral de la Morería
Calle de la Morería 17.
Plan 3 C3.
91 365 84 46.

Torres Bermejas
Calle de Mesonero Romanos 11.
Plan 4 F1.
91 532 33 22.

THÉÂTRE

Centro Cultural de la Villa
Plaza de Colón.
Plan 6 D5.
91 480 03 00.

Cuarta Pared
Calle de Ercilla 17.
91 517 23 17.

Ensayo 100
Calle de Raimundo Lulio 20.
Plan 5 A2.
91 447 94 86.

Teatro Afil
Calle del Pez 10.
Plan 2 F5.
91 521 58 27.

Teatro Alcázar
Calle de Alcalá 20.
Plan 7 A2.
91 532 06 16.

Teatro Calderón
Calle de Atocha 18.
Plan 4 F3.
91 429 58 90.

Teatro de la Comedia
Calle del Príncipe 14.
Plan 7 A3.
91 521 49 31.

Teatro Español
Calle del Príncipe 25.
Plan 7 A3.
91 429 62 97.

Teatro La Latina
Plaza de la Cebada 2.
Plan 4 D4.
91 365 28 35.

Teatro Lara
Calle Corredera Baja de San Pablo 15.
Plan 2 F5.
91 521 05 52.

Teatro Lope de Vega
Gran Vía 57. **Plan** 4 E1.
91 547 20 11.

Teatro María Guerrero
Calle de Tamayo y Baus 4.
Plan 5 C5.
91 319 47 69.

Teatro Muñoz Seca
Plaza del Carmen 1.
Plan 4 F1.
91 523 21 28.

Teatro Nuevo Apolo
Plaza de Tirso de Molina 1.
Plan 4 F3.
91 369 06 37.

Teatro Reina Victoria
Carrera de San Jerónimo 24. **Plan** 7 A2.
91 369 22 88.

CORRIDAS

Plaza de Toros de las Ventas
Calle de Alcalá 237.
91 356 22 00.

FOOTBALL

Atlético de Madrid
Estadio Vicente Calderón, Paseo de la Virgen del Puerto 67.
91 366 47 07.
www.clubatletico demadrid.com

Rayo Vallecano
Estadio Teresa Rivero, Calle Payaso Fofó.
91 478 22 53.
www.rayovallecano.com

Real Madrid
Estadio Santiago Bernabéu, Avenida de Concha Espina.
91 398 43 00.
www.realmadrid.com

Divertissements modernes

À Madrid, une sortie nocturne commence dans les nombreux cafés et bars pour l'apéritif, où les *tapas* constituent un repas. Puis vous prendrez peut-être une dernière *caña* (verre de bière) avant de choisir entre une des immenses salles de cinéma de la Gran Vía et un club accueillant un groupe de rock, de jazz ou de salsa. Il vous permettra de vous mettre en jambes avant de rejoindre une boîte de nuit. Rien ne presse. Beaucoup de jeunes Madrilènes se dirigent vers le métro à 1 h 30 pour attraper la dernière rame, mais leurs aînés ne vont souvent se coucher qu'au petit matin.

CINÉMA

Depuis le succès international, au début des années 90, de *Femmes au bord de la crise de nerfs* de Pedro Almodóvar, le cinéma espagnol connaît une véritable renaissance avec l'apparition d'une nouvelle génération de réalisateurs.

Pour ceux qui maîtrisent un peu l'espagnol, aller voir une de leurs créations dans l'une des vastes salles de la Gran Vía *(p. 48)* telles que le **Capitol**, l'**Amaya** ou le **Princesa** est une expérience à ne pas manquer. Beaucoup de cinémas proposent le week-end des programmes spéciaux qui commencent après minuit.

Il existe aussi de plus en plus d'établissements comme l'**Alphaville**, le **Luna**, l'**Ideal Multicines** et le **Renoir** qui diffusent des films étrangers en version originale sous-titrée. Il s'agit souvent de grosses productions hollywoodiennes. Comme en français, ils se reconnaissent au sigle VO *(versión original)* dans les programmes des journaux et des magazines.

CAFÉS ET BARS

Madrid compte tant de cafés et de bars qu'on pourrait croire que l'offre dépasse la demande, mais une grande part de la vie sociale de la ville se déroule dans ces innombrables lieux de détente, et dans la plupart les conversations sont très animées le soir, en particulier le week-end.

Le vaste **Café Comercial** a conservé une authentique atmosphère fin XIXᵉ siècle, et sa proximité du pôle nocturne de Bilbao-Malasaña en fait un excellent point de rendez-vous. Le **Café del Círculo de Bellas Artes** est une institution culturelle qui permet d'observer la Gran Vía à l'endroit où elle croise la calle de Alcalá, tandis que le **Café de Oriente** offre une vue incomparable du Palacio Real. À côté de brasseries établies de longue date comme la **Cervecería Alemana** et la **Cervecería Santa Ana,** qui toutes deux dominent la plaza de Santa Ana toujours animée. On trouve, dans le quartier de la Latina, deux bars très différents : **El Almendro 13** permet de déguster du sherry au 1ᵉʳ étage et des plats locaux au sous-sol ; **Café del Nuncio** est un café traditionnel doté d'une magnifique terrasse sur un escalier en pierre de Calle Segovia.

Enfin, il y a les *tabernas*, passage essentiel d'une visite à Madrid. **Los Gabrieles** fait partie des plus populaires et **Viva Madrid** attire une clientèle jeune qui vient se mêler à l'intense animation qui règne le soir autour de la plaza de Santa Ana. Plus bohème, essayez la **Casa Carmencita** que rendirent célèbre les artistes et les écrivains qui la fréquentaient dans les années 20. La **Casa Labra,** lieu de naissance du parti socialiste à la fin du XIXᵉ siècle, est un lieu historique mais sert aussi de savoureux *tapas*.

Si la **Casa Alberto**, **La Bola** et la **Taberna Antonio Sanchez** restent fidèles à une tradition séculaire, l'élégante

Taberna Casa Domingo possède une ambiance plus moderne. Alors qu'il est de création récente, la **Taberna del Foro** a réussi à recréer une authentique atmosphère du « vieux Madrid ».

BOÎTES DE NUIT

Si certains restent bon marché, de nombreux night-clubs commencent à demander un prix d'entrée élevé le week-end. Beaucoup sont toutefois gratuits en semaine. Deux adresses connaissent une grande vogue actuellement, le **Kapital** et le **Madrid.** Mais vous pourrez aussi essayer le **Berlin Cabaret** qui rythme la nuit de numéros de cabaret ou le **Ya'sta** qui organise à l'occasion des concerts.

Spacieux et plutôt haut de gamme, le **Pachá** tranche sur ses concurrents de Malasaña, généralement peu coûteux mais exigus. La **Villa Rosa**, dans le vieux Madrid, attire de nombreux touristes. Cet ancien bar a conservé une décoration en mosaïque exceptionnelle.

Propriété du célèbre acteur espagnol Javier Bardém, **El Torero** permet de danser sur du flamenco ou de la musique latino-américaine à l'étage, tandis qu'en bas résonne de la house funky.

Le club **Suristán** joue également de la musique latine. Les boîtes madrilènes restent ouvertes jusqu'à 6 h du matin.

CLUBS DE ROCK, DE JAZZ ET DE WORLD MUSIC

Les amateurs de rock apprécieront la **Sala la Riviera** qui a accueilli de grands groupes internationaux, ainsi que le **Moby Dick** et le **Siroco,** deux bons lieux où découvrir les talents locaux et nationaux. Le **Café Central** permet d'écouter du jazz dans un cadre très élégant. Installé dans une ancienne boutique de poterie, le **Populart** voisin possède une atmosphère décontractée et jouit lui aussi d'une excellente réputation. Les environs recèlent aussi les meilleurs clubs de Madrid où passer la nuit à danser au son d'orchestres latino-américains.

Bien plus vaste, le **Clamores** propose une programmation éclectique allant du jazz et du tango à la variété et au blues.

C'est au **Honky Tonk** que se déroulent certains des meilleurs concerts de rock organisés à Madrid. Ce lieu de spectacle proche du río

Manzanares *(p. 114)* n'est que partiellement couvert et donc surtout rempli en été.

CLUBS GAYS

En plein quartier de Chueca *(p. 94)*, cœur de la scène gay, le **Why Not** est un petit bar qui s'adresse principalement à une clientèle locale et passe de la musique

des années 70 et 80. Malgré son nom, il n'y a guère de cuir au **New Leather,** mais c'est l'un des hauts lieux de la communauté homosexuelle de la ville. Les lesbiennes se retrouvent dans le quartier Alonso-Martínez à l'**Ambient. La Lupe,** qui propose souvent des spectacles de cabaret, attire une clientèle mélangée.

CARNET D'ADRESSES

CINÉMA

Alphaville
Calle de Martín de los Heros 14. **Plan** 1 A1.
📞 91 559 38 36.

Amaya
Gral. Martínéz Campos 9.
Plan 5 C1.
📞 91 448 41 69.

Capitol
Gran Via 41. **Plan** 4 E1.
📞 902 33 32 31.

Ideal Multicines
Calle del Doctor Cortezo 6.
Plan 4 F3.
📞 91 369 25 18.

Luna
Calle de la Luna 2.
Plan 2 E5.
📞 91 522 47 52.
🆆 www.cinentradas.com

Princesa
Princesa 3.
Plan 1 C5.
📞 91 541 41 00.

Renoir
C/ Martin de los Heros 12.
Plan 1 C5.
📞 91 541 41 00.

CAFÉS ET BARS

El Almendro 13
Calle Almendro 13.
Plan 4 D3.
📞 91 365 42 52.

La Bola
C/ Bola 5.
Plan 4 D1.
📞 91 547 69 30.

Café Comercial
Gta. de Bilbao 7.
Plan 2 F3.
📞 91 521 56 55.

Café del Círculo de Bellas Artes
Calle del Marqués de Casa Riera 2. **Plan** 7 B2.
📞 91 531 85 03.

Café del Nuncio
Calle Segovia 9. **Plan** 4 D3.
📞 91 366 08 53.

Café de Oriente
Plaza de Oriente 2.
Plan 3 C2.
📞 91 541 39 74.

Casa Alberto
Calle de las Huertas 18.
Plan 7 A3.
📞 91 429 93 56.

Casa Carmencita
Calle de la Libertad 16.
Plan 7 B1.
📞 91 521 59 66.

Casa Labra
Calle de Tetuán 12.
Plan 4 F2.
📞 91 531 00 81.

Cervecería Alemana
Plaza de Santa Ana 6.
Plan 7 A3.
📞 91 429 70 33.

Cervecería Santa Ana
Plaza de Santa Ana 10.
Plan 7 A3.
📞 91 429 43 56.

Los Gabrieles
Calle de Echegaray 17.
Plan 7 A3.
📞 91 429 62 61.

Taberna Antonio Sanchez
C/ Mesón de Paredes 13.
Plan 4 F5.
📞 91 539 78 26.

Taberna Casa Domingo
Calle de Alcalá 99.
Plan 8 F1.
📞 91 576 01 37.

Taberna del Foro
Calle de San Andrés 38.
Plan 2 F4.
📞 91 445 37 52.

Viva Madrid
Calle de Manuel Fernández y González 7.
Plan 7 A3.
📞 91 429 36 40.

BOÎTES DE NUIT

Berlin Cabaret
Costanilla de San Pedro 11. **Plan** 4 D3.
📞 91 366 20 34.

El Torero
Calle de la Cruz 26.
Plan 4 F3.
📞 91 523 11 29.

Joy Madrid
Calle del Arenal 11.
Plan 4 E2.
📞 91 366 37 33.

Kapital
Calle del Atocha 125.
Plan 7 B4.
📞 91 420 29 06.

Pachá
Calle de Barceló 11.
Plan 5 A4.
📞 91 447 01 28.

Suristán
Calle de la Cruz 7.
Plan 4 F3.
📞 91 532 39 09.

Villa Rosa
Plaza de Santa Ana 15.
Plan 7 A3.
📞 91 521 36 89.

ROCK, JAZZ ET WORLD MUSIC

Café Central
Plaza del Angel 10.
Plan 7 A3.
📞 91 369 41 43.

Clamores
Calle de Alburquerque 14.
Plan 5 A3.
📞 91 445 79 38.

Honky Tonk
Calle de Covarrubias 24.
Plan 5 B3.
📞 91 445 68 86.

Moby Dick
Avenida del Brasil 5.
📞 91 555 76 71.

Populart
Calle de las Huertas 22.
Plan 7 A3.
📞 91 429 84 07.

Sala la Riviera
Paseo de la Virgen del Puerto.
📞 91 365 24 15.

Siroco
Calle de San Dimas 3.
Plan 2 E4.
📞 91 593 30 70.

CLUBS GAY

Ambient
Calle de San Mateo 21.
Plan 5 A4.
(pas de téléphone).

La Lupe
Calle de Torrecilla del Leal 12.
Plan 7 A4.
📞 91 527 50 19.

New Leather
Calle de Pelayo 42.
Plan 5 B5.
📞 91 308 14 62.

Why Not
Calle de San Bartolomé 7.
Plan 7 A1.
📞 91 523 05 81.

ACTIVITÉS DE PLEIN AIR

De splendides espaces naturels s'étendent aux portes de Madrid. En effet, il suffit d'une heure de voiture pour se retrouver au milieu de pics granitiques, de forêts de pins, de lacs glaciaires et de prairies sauvages, un territoire qui offre d'innombrables possibilités de randonnée, d'escalade, de promenade à cheval, de camping et d'activités nautiques ou de sports d'hiver... À moins que vous ne préfériez simplement vous détendre. Au nord et à l'ouest, la sierra de Guadarrama et la sierra de Gredos

En vélo
tout-terrain

forment une chaîne montagneuse longue de 250 km qui s'élève au-dessus des pâturages de la *meseta*. On peut aussi bien y suivre à pied le cours d'un torrent au printemps qu'y skier en hiver, ou profiter du calme pour pique-niquer. Les visiteurs et les Madrilènes disposent en ville de terrains de golf, de courts de tennis et de parcs aquatiques très agréables en été.

L'**office de tourisme de la Comunidad de Madrid** fournit des renseignements détaillés sur toutes ces activités de plein air.

Sur un terrain de golf près d'El Escorial

GOLF ET TENNIS

C'est le **Club de Campo** qui possède à Madrid les meilleurs terrains de sport, et bien que le droit d'entrée soit élevé pour les non-membres la qualité des équipements et la beauté du cadre justifient la

Le tennis offre un bon moyen de
se détendre entre deux visites

dépense pour les visiteurs désireux d'échapper une journée aux musées. Le club permet de pratiquer le golf, le tennis et le squash, et abrite des aires de jeux pour les enfants. Si on peut y réserver des courts de tennis par téléphone, il faut se présenter en personne pour le golf. Les tarifs comme la fréquentation augmentent le week-end.

Un nouveau terrain de golf, **El Olivar de la Hinojosa,** vient d'ouvrir à côté de la route menant à l'aéroport Barajas *(p. 192).* Il accepte les réservations par téléphone. Comme au Club de Campo, les joueurs de passage peuvent y louer du matériel.

Pour faire une partie de tennis, le centre sportif **Canal de Isabel II,** moderne, cumule plusieurs avantages : une situation pratique au

nord du cœur de la ville, d'excellentes installations et un bar-restaurant agréable. Le complexe **Puerta de Hierro,** qui borde le río Manzanares *(p. 114),* renferme aussi des courts de tennis.

RANDONNÉE ET VÉLO

Nul besoin de s'éloigner beaucoup de Madrid pour pratiquer la randonnée. Il n'est même pas nécessaire d'avoir une voiture : à une heure de train, plusieurs itinéraires dans la valle de la Fuenfría partent de Cercedilla. L'un d'eux suit une voie romaine *(calzada romana).* Elle date du Iᵉʳ siècle, et franchissait jadis la montagne pour rejoindre Ségovie. Le tramway qui relie Cercedilla aux stations de ski des environs grimpe jusqu'à Puerto de Navacerrada, début de parcours plus difficiles.

Plus à l'est, le parc régional qui renferme Manzanares el Real *(p. 126)* s'étend jusqu'à la vallée qui grimpe abruptement en direction des sources du río Manzanares. Bassins et torrents la rafraîchissent et elle attire de nombreux pique-niqueurs. Mieux vaut s'y rendre tôt pour plus de tranquillité.

Il n'existe que peu de pistes cyclables en bordure des routes et beaucoup d'Espagnols préfèrent pratiquer le vélo tout-terrain. **Karacol Sport** loue près de la gare d'Atocha *(p. 85)* des bicyclettes que l'on peut emporter en train jusqu'à

Randonneurs observant les oiseaux près d'un lac de montagne

Cercedilla. Pour d'autres destinations, renseignez-vous auprès de RENFE, la société des chemins de fer espagnols *(p. 196)*. Des agences spécialisées comme **Sport Natura** proposent des randonnées pédestres ainsi que des balades à vélo le week-end, dans des régions comme la sierra Pobre.

N'oubliez pas les précautions de base : en été, porter un chapeau, prévoir une protection solaire et disposer d'amples réserves d'eau ; en montagne, toujours s'informer des prévisions météo.

ÉQUITATION

Les sierras et les *cañadas* (anciens chemins suivis par les troupeaux de moutons) des alentours de Madrid se prêtent à merveille aux promenades à cheval. Cette région sauvage a même servi au tournage de westerns.

À l'ouest du centre-ville, le **Club de Campo** permet de louer une monture pour découvrir la vaste Casa de Campo *(p. 114)*. **El Potril** propose aussi des locations, à l'heure ou à la journée. Le **Centro Ecuestre Alameda del Pardo**, situé dans le village d'El Pardo à 5 km au nord-ouest de Madrid propose des randonnées dans les forêts entourant le célèbre Palacio de El Pardo *(p. 134)*.

Sur la route entre Cercedilla et Puerto de Navacerrada, à l'écart de la ligne de tramway, **Picadero los Ciruelos** propose un large choix d'excursions à cheval d'une journée ou plus, à l'instar de **Rutas Equestres Sierra Norte**, dans la sierra Pobre près de Buitrago del Lozoya. Le point de départ, Braojos de la Sierra, est directement accessible en bus depuis Madrid une fois par jour.

Dans la sierra de Gredos, vous pouvez vous adresser à **Turismo Ecuestre Almanzor**, à proximité du Parador Nacional de Gredos, ou, plus loin sur la même route, à **Gredos Rutas a Caballo (GRAC).**

Pendant les périodes de vacances, en particulier à Pâques, mieux vaut réserver longtemps à l'avance. En toute saison, téléphonez pour vous assurer que le centre est bien ouvert, pour éviter de vous déplacer inutilement.

Promenade à cheval dans une sierra du centre de l'Espagne

Ski à Puerto de Navacerrada, station très prisée

LE SKI

Située au nord-est de Madrid dans la sierra de Guadarrama, la plus populaire des stations de sports d'hiver de l'Espagne centrale compte 15 pistes à **Puerto de Navacerrada.** Un télésiège conduit au sommet de la « Bola del Mundo », à 2 200 m. Un peu plus éloignée de la capitale, **Valdesquí** offre sans doute les meilleures conditions d'enneigement et possède 24 pistes. Dans la région de Ségovie, **La Pinilla** est plus calme.

Varappe à Escalada en Patones

Toutes ces stations abritent des loueurs de matériel où se procurer skis, surfs et luges.

En saison, des embouteillages se forment souvent le week-end sur la route de Puerto de Navacerrada. Mais il est possible de prendre le tramway à partir de Cercedilla. L'**ATUDEM** (Asociación Turística de Estaciones de Esquí y Montaña) pourra vous procurer tous les renseignements.

L'ESCALADE

Il existe d'excellentes parois, pour débutants notamment, à La Pedriza de Manzanares, à Patones, dans la sierra Pobre, ainsi qu'à La Cabrera, à l'extrémité orientale de la sierra de Guadarrama. Les aiguilles et les falaises granitiques de la sierra de Gredos présenteront plus d'intérêt pour les grimpeurs chevronnés. L'**Escuela Madrileña de Alta Montaña** vous informera sur les cours et les guides disponibles. Le **Club Ibério de Expediciones** organise des randonnées en 4x4 à l'extérieur de Madrid pour le week-end. Le club se charge du logement et des repas et propose des leçons de conduite de 4x4. La société **Gente Viajera** organise des week-ends d'initiation près de Cuenca. Les participants peuvent s'initier à la descente en rappel dans des gorges, à condition toutefois d'être en bonne condition physique.

LA CHASSE

Vous ne trouverez guère de gibier dans les environs de Madrid, et vous avez plutôt intérêt à aller près de Tolède ou de Ciudad Real, régions beaucoup plus riches en bêtes à plumes comme à poils.

Pour vous éviter les démarches nécessaires à l'obtention d'un permis, contactez **Cacerías Ibéricas.** Ils se chargent des courriers administratifs, de l'organisation de la sortie et de la fourniture du matériel. **Viajes Marsans** propose les mêmes prestations mais sans procurer l'équipement.

LES SPORTS NAUTIQUES

La chaleur qui règne à Madrid en été rend particulièrement précieuse la possibilité de se baigner. Le **Club de Campo** renferme une immense et splendide piscine, malheureusement souvent bondée les jours de canicule. Le centre sportif de **Puerta de Hierro** possède un vaste bassin où l'on peut se tremper jusqu'au cou, ainsi qu'une véritable piscine. C'est toutefois le **Centro de Natación M-86** qui propose au public la plus belle piscine, mais seulement de juin à fin août. Au complexe sportif **Canal de Isabel II,** vous disposerez d'une piscine en plein air, d'une piscine olympique couverte et d'une

Sortie en canoë sur l'un des lacs artificiels des environs de Madrid

Un petit tour en ski nautique

pataugeoire pour les enfants.

Plusieurs lacs artificiels permettent à l'extérieur de la ville de pratiquer la voile, la planche à voile et le canoë.

Sport Natura possède une succursale au bord de l'Embalse del Atazar près d'El Berrueco, et organise des week-ends.

LES PARCS À THÈME

Cinq cents animaux vivent en liberté au **Safari Madrid,** et les visiteurs peuvent y assister tous les jours à des démonstrations de dressage de rapaces. Un parc et une plage sur le río Alberche se trouvent non loin.

À quarante minutes en voiture du centre-ville, **Aquópolis** est le parc aquatique le plus vaste de Madrid. Pour s'y rendre on peut également prendre un des bus gratuits qui partent de la plaza de España. **Aquamadrid** propose à San Fernando de Henares un immense bassin doté d'une cascade et d'une machine à vagues. En été, n'espérez toutefois pas trouver un endroit au bord de l'eau qui ne soit pas surpeuplé.

À la Casa de Campo *(p. 114)*, le **Parque de Atracciones** réunit les attractions les plus modernes et de grands classiques comme les montagnes russes. Il comprend un espace pour les jeunes enfants.

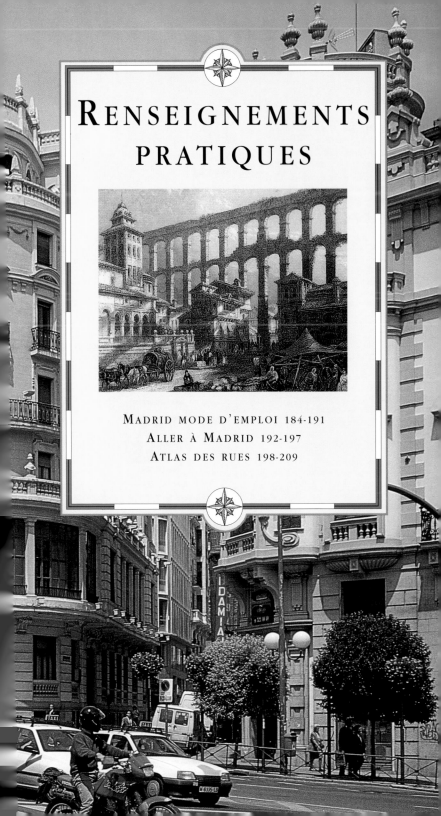

RENSEIGNEMENTS PRATIQUES

MADRID MODE D'EMPLOI

L'Espagne s'est enfin mise à promouvoir le tourisme ailleurs que sur ses côtes, et elle possède désormais un bon réseau de centres d'information : offices de tourisme nationaux à Madrid et offices régionaux dans les villes de moindre importance. Tous facilitent la découverte des activités disponibles et la réservation auprès des hôtels et des restaurants. L'un des

Panneau ancien

plus pratiques de la capitale se trouve calle del Duque de Medinaceli. Beaucoup de commerces ferment en août, le principal mois de vacances en Espagne et celui où départs et arrivées provoquent, comme en France, le plus de bouchons. N'oubliez pas que les fêtes locales entraînent aussi de nombreuses fermetures et que l'Espagne vit au ralenti entre 14 h et 17 h.

LANGUES RÉGIONALES

À côté du castillan *(castellano)*, la principale langue d'Espagne, celle que nous appelons communément l'espagnol et que vous entendrez partout parlée à Madrid, il existe trois grandes langues régionales : le catalan *(català)*, le basque *(euskera)* et le galicien *(gallego)*. Les établissements recevant beaucoup de touristes comptent en général parmi leurs employés au moins une personne parlant anglais et souvent un francophone.

US ET COUTUMES

D'une manière générale, les Madrilènes sont chaleureux, ouverts et surtout très fiers de leur ville. Originaires de toutes les provinces du pays, ils ont apporté avec eux une multitude de traditions culturelles qui contribuent aujourd'hui à l'atmosphère vivante de la cité. Ne soyez

pas surpris de voir des Espagnols saluer des étrangers dans des lieux publics comme les arrêts de bus ou les ascenseurs. Les Madrilènes abordent aisément des gens qu'ils ne connaissent pas et feront tout pour vous aider si vous leur demandez un renseignement.

VISAS ET PASSEPORTS

Pour entrer et séjourner en Espagne sans limitation de durée, les ressortissants de l'Union européenne n'ont besoin que d'une carte d'identité en cours de validité ou d'un passeport périmé depuis moins de cinq ans. Aucun visa n'est exigé des citoyens canadiens et suisses pour un séjour de moins de 90 jours. S'ils veulent le prolonger, ils peuvent s'adresser sur place au *Gobierno Civil*, représentation locale du

gouvernement qui leur demandera de fournir la preuve qu'ils ont un emploi ou les fonds suffisants pour subvenir à leurs besoins.

PRODUITS DÉTAXÉS

Les personnes résidant dans un pays ne faisant pas partie de l'Union européenne peuvent obtenir le remboursement de la taxe à la valeur ajoutée (IVA) sur des articles d'une valeur de plus de 15 000 pesetas, acquis dans des magasins indiquant « détaxe pour touristes ». Toutefois, cette remise ne s'applique pas à la nourriture, les boissons, le tabac, les voitures, les motocyclettes et les médicaments. Au moment de l'achat, le vendeur doit vous remettre un *formulario* à faire tamponner dans les six mois à la douane. Si vous effectuez cette formalité en quittant le pays à l'aéroport Barajas, vous pourrez vous faire immédiatement rembourser par la Banco Exterior.

Détaxe pour touristes

INFORMATION TOURISTIQUE

Les *oficinas de turismo* de Madrid et ceux des principales villes historiques des environs ouvrent en général de 8 h ou 9 h à 19 h ou 20 h du lundi au vendredi, et de 9 h à 13 h le samedi. Ils fournissent des plans de la localité, des listes d'hôtels ou d'autres formes d'hébergement ou encore de restaurants et des informations sur les sites à

L'HEURE DE MADRID

Comme Paris ou Bruxelles, Madrid a une heure d'avance sur l'heure GMT (Greenwich Meridian Time). Le temps est officiellement affiché en Espagne sur 24 heures.

Ville et pays	Avance ou retard sur l'Espagne	Ville et pays	Avance ou retard sur l'Espagne
Athènes (Grèce)	+ 1	Moscou (Russie)	+ 2
Auckland (Nlle-Zélande)	+ 11	New York (E.U.)	– 6
Bangkok (Thaïlande)	+ 6	Paris (France)	0
Berlin (Allemagne)	0	Perth (Australie)	+ 7
Le Cap (Afrique du Sud)	+ 1	Rome (Italie)	0
Chicago (E.U.)	– 7	Sydney (Australie)	+ 9
Dublin (Irlande)	– 1	Tokyo (Japon)	+ 8
Hong Kong (Chine)	+ 7	Toronto (Canada)	– 6
Londres (R.U.)	– 1	Vancouver (Canada)	– 9
Los Angeles (E.U.)	– 9	Washington DC (E.U.)	– 6

◁ **La Gran Vía, un des grands axes de circulation automobile**

découvrir et les activités ouvertes aux visiteurs. Celui de l'**aéroport Barajas** (terminal 1) comprend un comptoir de réservation hôtelière et une antenne de RENFE, les chemins de fer espagnols *(p. 192)*.

HEURES D'OUVERTURE

À l'exception des grands musées d'art, ouverts à l'heure du déjeuner, les sites touristiques ferment pour la plupart entre 14 h et 17 h, ainsi que le dimanche après-midi et le lundi toute la journée. En revanche, certaines églises ne sont ouvertes que pour les offices religieux.

AMÉNAGEMENTS POUR HANDICAPÉS

L'association nationale espagnole pour les handicapés, la **Confederación Coordinadora Estatal de Minusválidos Físicos de España (COCEMFE)**, dirige une agence, Servi-COCEMFE, qui publie des guides sur les équipements adaptés aux handicapés disponibles en

Espagne et qui peut aider au cas par cas à organiser des vacances. Vous pouvez trouver des informations sur le site Internet www.yanous.com et auprès du **Groupement pour l'insertion des personnes handicapées physiques (GIHP)**. Il existe une agence GIHP nationale et des agences régionales (informations sur le site Internet). Dans chaque ville espagnole, les bureaux d'information touristique et les services sociaux fournissent des renseignements sur les aménagements et les problèmes que vous rencontrerez localement, notamment pour vous déplacer. Des documents, en braille tels que le plan du métro de Madrid sont disponibles auprès de l'organisation nationale des aveugles, l'**Organización Nacional de Ciegos (ONCE)**. Il existe en outre des agences de voyages ibériques spécialisées dans les vacances pour handicapés : **Viajes 2000.**

Sigle attribué par la COCEMFE

Étudiantes à Madrid

ÉTUDIANTS

Pour obtenir la carte internationale d'étudiant, vous pouvez vous renseigner en France auprès du **Centre régional des œuvres universitaires et scolaires** (CROUS) et, à Madrid, au **Centro de Información Juvenil (CIJ).** L'agence **Turismo y Viajes Educativos (TIVE)** organise des voyages pour étudiants.

ÉLECTRICITÉ

Le courant est en Espagne de 220 volts, sauf dans quelques vieux immeubles toujours alimentés en 125 volts.

CARNET D'ADRESSES

AMBASSADES

Belgique
Paseo de la Castellana 18.
Plan 6 D4. ℃ 91 577 63 00.

Canada
Calle de Nuñez de Balboa 35. **Plan** 6 F4.
℃ 91 423 32 50.
W www.canada-cs.org

France
Calle de Salustiano Olózaga 9. **Plan** 8 D1.
℃ 91 423 89 00.

Suisse
Calle Caracas 25.
℃ 91 702 20 00.

OFFICES DU TOURISME À MADRID

Offices de tourisme municipaux
Plaza Mayor 3. **Plan** 4 E3.
℃ 91 366 54 77.

Communidad de Madrid
C/ del Duque de Medinaceli 2. **Plan** 7 B3.
℃ 91 429 31 77.

Aéroport Barajas
Terminal 1 (International).
℃ 91 305 86 56.

Estación de Chamartín
℃ 91 315 99 76.

Mercado Puerto de Toledo
Ronda de Toledo 1.
℃ 91 364 18 76.

OFFICES DU TOURISME À L'ÉTRANGER

France
43, rue Decamps, 75016 Paris. ℃ 01 45 03 82 50.
W www.espagne.infotourisme.com

Belgique
Rue Royale 97, Bruxelles 1000.

℃ 02 280 19 26.
W www.tourspain.be

Canada
2 Bloor Street West, 14th Floor, Toronto M4W-W-3E2 (Ontario).
℃ 416 961 31 31.
W tourspaintoronto.on.ca

Suisse
15, rue Ami-Levrier, 2, 1201 Genève.
℃ (22) 731 11 33.

ORGANISATIONS POUR VOYAGEURS HANDICAPÉS

GIHP National
10, rue de Porto Riche, 75014 Paris
℃ 01 43 95 66 36
W www.gihpnational.org

COCEMFE
Calle de Luis Cabrera 63
℃ 91 744 36 00

ONCE
Centro Bibliográfico Cultural - Braille,

Calle de La Coruña 18.
℃ 91 589 42 00.

Viajes 2000
Paseo de la Castellana 228.
℃ 91 323 10 29.

INFORMATIONS POUR ÉTUDIANTS

CIJ
Gran Vía 10.
Plan 7 B1.
℃ 91 720 11 82.
W www.madrid/org/inforjo

CROUS
39, av. Georges-Bernanos, 75005 Paris. **Plan** 7 B1.
℃ 01 40 51 36 00.

TIVE
Calle de Fernando el Católico 88.
Plan 1 B1.
℃ 91 543 74 12.
W www.madrid.org/juventud/tive.htm

Santé et sécurité

À Madrid, comme dans toute grande ville touristique, mieux vaut se prémunir du vol en ne laissant rien de visible dans les voitures et en conservant argent, carte bancaire et documents dans une poche intérieure ou une ceinture portefeuille. Si vous perdez vos papiers, contactez votre ambassade *(p. 185)*. Les petits problèmes de santé trouveront une solution à la pharmacie *(farmacia)*. Il y en a toujours une de garde où l'on saura vous conseiller et même prescrire un traitement.

Enseigne de pharmacie

EN CAS D'URGENCE

Tous les services d'urgence possèdent désormais un numéro d'appel commun : le 112. Selon la nature de votre problème, demandez la police *(policía)*, une ambulance *(ambulancia)* ou les pompiers *(bomberos)*. Vous pouvez aussi vous rendre directement aux *urgencias* d'un hôpital.

Panneau d'un service d'urgence de la Cruz Roja (Croix-Rouge)

PHARMACIES

En cas de problème de santé sans gravité, le plus simple consiste à demander d'abord conseil à un pharmacien *(farméutico)*. Il est habilité à prescrire des médicaments et beaucoup parlent le français et l'anglais. Une croix verte signale les officines. Un panneau en vitrine indique les pharmacies de garde la nuit ou le week-end. Les journaux locaux publient aussi leurs adresses.

SOINS MÉDICAUX

Les ressortissants de l'Union européenne bénéficient de la couverture de la sécurité sociale espagnole, à condition de se munir avant le départ du formulaire E 111 disponible en France auprès de la caisse d'assurance maladie. Une notice précisant vos droits l'accompagne. Pensez à en prendre plusieurs exemplaires, ou à faire

des photocopies, car il faut en remettre un à chaque fois que vous recevez des soins. Toutefois, mieux vaut souscrire avant le départ une assurance médicale prévoyant la prise en charge directe des frais, voire un éventuel rapatriement. Elle vous évitera d'avoir à régler sur place des traitements onéreux ou n'étant que partiellement remboursés. Les bureaux d'information touristique, les hôtels ou votre ambassade pourront vous fournir l'adresse de médecins ou de dentistes parlant français ou, à défaut, anglais.

SÉCURITÉ DES PERSONNES

Bien que la délinquance violente soit rare à Madrid, il convient de prendre quelques précautions de bon sens comme dans toute grande ville.

À l'aéroport et dans une gare, ne quittez pas des yeux vos bagages. Pour éviter les

vols à la tire, gardez les lanières de vos sacs, appareils photo ou caméras passées en bandoulière plutôt que simplement à l'épaule.

Faites une photocopie de vos documents importants et laissez-les à l'hôtel. C'est une précaution qui peut se révéler très utile.

La nuit, évitez les quartiers déserts et peu éclairés, et si vous rentrez très tard, prenez de préférence un taxi.

LA POLICE ESPAGNOLE

L'Espagne possède trois grands corps de police. Le premier, la *Guardia Civil* (garde nationale), maintient principalement l'ordre dans les zones rurales, en particulier sur les routes de campagne et les autoroutes. Ses agents surveillent aussi les édifices publics et participent aux opérations antiterroristes. Ils portent un uniforme vert olive, et ne sortent plus leur célèbre tricorne noir que pour les cérémonies.

La *Policía Nacional,* à l'uniforme bleu, s'occupe principalement de la sécurité nationale, du terrorisme et de la grande délinquance dans les localités de plus de 30 000 habitants. Responsable du contrôle de l'immigration, elle a aussi en charge l'attribution des permis de travail et des attestations de résidence.

Un département spécial, au personnel féminin, a été créé Puerta del Sol pour s'occuper spécifiquement des crimes commis contre des femmes.

La *Policía Municipal* surveille la circulation urbaine. Ce sont ses membres, en particulier, qui infligent en ville les amendes en cas d'infraction au code de la route.

Guardia Civil   Policía Municipal

Voiture de la Policía Nacional, principal corps de police urbaine

Ambulance de la Croix-Rouge

Camion de pompiers

AIDE JURIDIQUE

Certaines assurances couvrent les frais juridiques, s'il y a litige après un accident par exemple. En cas d'arrestation, vous avez le droit d'appeler votre ambassade *(p. 185)*. Elle doit pouvoir vous fournir une liste d'avocats parlant français. Le *colegio de abogados* (barreau) vous indiquera aussi où obtenir une assistance juridique ou vous recommandera un défenseur.

Si vous avez besoin d'un interprète, contactez votre ambassade ou consultez les pages jaunes de l'annuaire *(páginas amarillas)* aux rubriques *traductores* ou *intérpretes*. Seuls les *traductores oficiales* et les *traductores jurados* peuvent traduire les documents légaux ou officiels.

TOILETTES PUBLIQUES

Bien que récemment quelques-unes soient devenues payantes dans certaines rues, les toilettes publiques restent rares à Madrid, et le seul recours consiste souvent à utiliser *los servicios* d'un café, d'un grand magasin ou d'un hôtel. Dans les stations-service, il faut parfois réclamer la clé *(la llave)* des toilettes.

SÉCURITÉ DES BIENS

Une assurance voyage spécifique peut vous protéger financièrement en cas de perte ou de vol de vos biens. Cela n'empêche pas de prendre quelques précautions, comme utiliser le coffre de l'hôtel par exemple. Vous ne devriez pas avoir besoin de transporter d'importantes sommes en liquide, car aucun pays d'Europe ne possède autant de distributeurs de billets que l'Espagne. Ils acceptent toutes les principales cartes. Si vous en détenez plusieurs, ne les gardez toutefois pas ensemble. Les chèques de voyage se révèlent aussi très sûrs dans la mesure où, en cas de perte ou de vol, la présentation du reçu permet d'en obtenir le remboursement sur place. Une pièce d'identité est nécessaire pour les encaisser.

Il faut faire une *denuncia*, une déclaration de perte ou de vol, auprès de la *comisaría* locale pour pouvoir obtenir un remboursement par une assurance. Certaines compagnies exigent même que cette démarche soit effectuée dans les 24 h. S'il s'agit de votre passeport, contactez votre ambassade, elle l'a peut-être récupéré. Sinon, elle se chargera de le remplacer, mais ne fournira pas d'aide financière. Les objets trouvés aboutissent généralement à la poste centrale de la plaza de Cibeles.

DANGERS DE PLEIN AIR

Vents violents et sécheresse provoquent chaque année des incendies en Espagne. Ne jetez donc pas de mégot par la fenêtre de votre voiture et ne laissez pas traîner de bouteilles vides dans la nature.

En forêt, un panneau marqué *coto de caza* signale une réserve de chasse réglementée. *Toro bravo* signifie « taureau de combat » : n'approchez pas. Un *camino particular* est une voie privée.

En montagne, prévoyez un équipement adéquat et prévenez de l'heure à laquelle vous comptez rentrer. Les téléphones mobiles fonctionnent dans une grande partie du pays.

Banques et monnaie

L'Espagne n'impose pas de limite à l'importation de devises dans le pays, mais il faut faire une déclaration pour exporter plus de 6 000 €. Les chèques de voyage sont largement acceptés et les banques, qui offrent en général les meilleurs taux, les bureaux de change et certains magasins et hôtels. Ce sont les banques qui offrent généralement les meilleurs taux. Le plus simple consiste néanmoins à retirer de l'argent avec une carte bancaire aux nombreux distributeurs de billets.

Distributeur automatique (24 h/24)

HORAIRES DES BANQUES

Bien que les grandes agences du centre de Madrid commencent à prolonger leurs horaires d'ouverture, les banques espagnoles ouvrent normalement de 8 h à 14 h du lundi au vendredi et, pour certaines, le samedi jusqu'à 13 h. En août, la plupart ferment complètement le week-end.

CHANGE

La majorité des banques madrilènes ont un bureau de change (*cambio* ou *extranjero*). Il est nécessaire de présenter une pièce d'identité pour toute transaction.

Les principales cartes bancaires permettent de retirer au guichet une somme allant jusqu'à 300 €. Pour des virements en cas d'urgence, il existe le service **Western Union Money Transfer**.

Nombreux dans les quartiers touristiques notamment sur la Gran Vía et autour de la Plaza del Calleo, les bureaux de change signalés par des panneaux « *Caja de Cambio* » ou « *Change* » ne prélèvent pas de commission mais possèdent des taux de change plus élevés que dans la majorité des banques. Ils ont toutefois des horaires d'ouverture plus pratiques puisqu'ils ferment tard le soir. Les caisses d'épargne (*cajas de ahorro*) changent aussi les devises. Elles ouvrent de 8 h 30 à 14 h en semaine et de 16 h 30 à 19 h 45 le jeudi.

CHÈQUES ET CARTES BANCAIRES

Logo de la BBVA, la Banco Bilbao Vizcaya Argentaria

Les chèques de voyage s'achètent auprès de toutes les banques. Tous sont acceptés en Espagne, mais ceux émis par **American Express** et **Travelex** sont toutefois les plus répandus. De plus, si vous encaissez des chèques American Express auprès des bureaux AmEx, il n'y a pas de commission.

Il faut prévenir la banque pour encaisser des chèques d'un montant supérieur à 3 000 €. De même, pour tirer plus de 6 000 € en chèques de voyage, on peut vous demander un certificat d'achat des chèques, conservez-le donc avec vous.

Les cartes bancaires les plus répandues sont les cartes **Visa (Access), Mastercard, Eurocard, American Express** et **Diners Club,** cette dernière restant rare en dehors de la ville. Les banques acceptent les retraits liquide sur présentation de ces cartes (il faut aussi souvent présenter une pièce d'identité). Ces cartes permettent aussi de retirer du liquide dans les distributeurs automatiques de billets, mais la commission de retrait varie selon la banque émettrice de la carte.

Lorsque vous payez un achat avec une carte, on vous demandera de taper votre code confidentiel. Dans les boutiques, il faut souvent présenter en plus une pièce d'identité. Si vous devez laisser votre passeport à l'hôtel, prévoyez donc d'avoir une pièce d'identité.

DISTRIBUTEURS DE BILLETS

Les distributeurs automatiques acceptent presque tous les cartes Visa et Mastercard, ainsi que celles portant les logos Cirrus et Maestro. Ils permettent de retirer de l'argent sur son compte, à condition de détenir une carte valable à l'étranger.

Les instructions sont affichées en anglais, en français, en allemand et en espagnol. Si un distributeur se trouve dans un local fermé, glissez votre carte dans la fente près de la porte pour pouvoir entrer.

L'EURO

Douze pays ont remplacé leur monnaie nationale par une monnaie unique européenne, l'euro : l'Allemagne, l'Autriche, la Belgique, l'Espagne, la Finlande, la France, la Grèce, l'Irlande, le Luxembourg, les pays-Bas, le Portugal et l'Italie. Le Royaume-Uni, le Danemark et la Suède, ne font pour l'instant pas partie de la zone euro. Les pièces et les billets ont été mis en circulation le 1er janvier 2002.

En Espagne, une période de transition a permis d'utiliser les pesetas et les euros simultanément. La peseta a disparu en mars 2002. Toutes les pièces et les billets de la monnaie unique sont utilisables partout dans les pays de la zone euro.

Les billets

Les billets en euros existent en 7 coupures. Leur taille et leur couleur sont différentes selon leur valeur. Le billet de 5 € (de couleur grise) est le plus petit, le billet de 10 € est rouge, le billet de 20 € est bleu, le billet de 50 € est orange, le billet de 100 € est vert, le billet de 200 € est brun-jaune et celui de 500 € est violet.

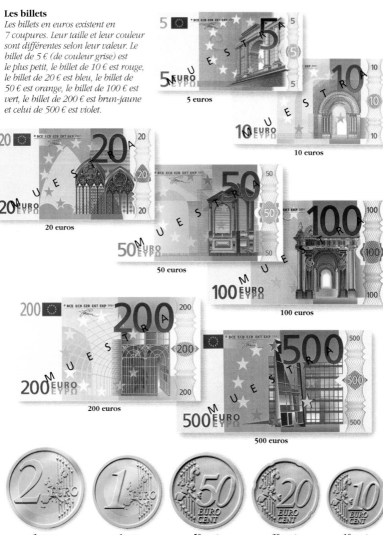

5 euros

10 euros

20 euros

50 euros

100 euros

200 euros

500 euros

2 euros   1 euro   50 cents   20 cents   10 cents

Les pièces

Il existe 8 pièces en euros : 1 euro et 2 euros, 50 cents, 20 cents, 10 cents, 5 cents, 2 cents et 1 cent. Les pièces de 1 et de 2 euros sont dorées et argentées. Les pièces de 5, 2 et 1 cents sont couleur bronze.

5 cents   2 cents   1 cent

Communications et médias

Tabac vendant des timbres

Pour permettre l'ouverture à la concurrence, l'entreprise de télécommunications nationales Telefónica est passée sur réseau numérique en 1995 et son monopole a pris fin en 1998. La plupart des téléphones publics fonctionnent avec des cartes ou des pièces. Les services postaux (correos) sont reconnaissables à leur logo en forme de couronne rouge ou blanche sur fond jaune. On peut envoyer des recommandés et des télégrammes de tous les bureaux de poste et y acheter des timbres, vendus également dans les estancos (bureaux de tabac gérés par l'État). On trouve à Madrid de plus en plus de cybercafés.

Logo de Telefónica

TÉLÉPHONER EN ESPAGNE

Outre les cabines publiques (cabinas), vous trouverez des publiphones dans les bars. Tous acceptent les pièces, mais les cartes vendues par les marchands de journaux et les bureaux de tabac (estancos) se révèlent plus pratiques. Certains téléphones affichent les instructions en plusieurs langues.

On peut aussi téléphoner dans les locutorios, bureaux qui permettent de payer après avoir passé ses appels, sans se soucier d'avoir de la monnaie. Les moins chers sont ceux gérés par Telefónica. Les autres, privés, sont souvent installés dans les magasins. Toutefois, une communication effectuée depuis un locutorio privé ou une cabina revient 35 % plus cher que depuis un domicile. France Telecom propose le service France Direct (carte France Telecom) qui permet de passer des appels depuis n'importe quel poste à touches, le téléphone d'un ami par exemple, et d'être facturé en France. Les appels passés depuis une chambre d'hôtel peuvent revenir très cher. Il n'existe plus d'indicatifs

MODE D'EMPLOI D'UN TÉLÉPHONE À PIÈCES ET À CARTE

1 Décrochez et attendez la tonalité et l'affichage du message : *Inserte monedas o tarjeta.*

2 Insérez des pièces (monedas) ou une carte (tarjeta).

3 Composez le numéro lentement. Mieux vaut faire une petite pause entre chaque chiffre.

4 L'écran affiche le numéro que vous composez et l'argent ou les unités qu'il vous reste. Il indique le moment de rajouter des pièces.

5 Une fois l'appel fini, raccrochez pour faire retomber les pièces qui n'ont pas été utilisées.

Carte téléphonique espagnole

OBTENIR LE BON NUMÉRO

- Pour appeler de l'étranger en Espagne, composer le 34 (code du pays) et le numéro complet. Les premiers chiffres indiquent la province : 93 pour Barcelone, 973, 972 et 977 pour Lleida, Gérone et Tarragone.
- Pour appeler à l'étranger, faites le 00, l'indicatif du pays, puis le numéro du correspondant (sans le premier 0 pour les appels vers la France, ou de celui des indicatifs régionaux pour les autres pays).
- Les indicatifs pour l'étranger sont le 32 pour la Belgique, le 1 pour le Canada, le 33 pour la France et le 41 pour la Suisse.

- Pour obtenir une opératrice ou les renseignements, composez le 11818.
- Le numéro des renseignements internationaux est 11825.
- Pour téléphoner en PCV, faites le 900 99 00 suivi de l'indicatif du pays pour l'UE, du 15 pour le Canada ou du 41 pour la Suisse. Les numéros des autres pays se trouvent au début de l'annuaire (volume A-K) à la rubrique « *Modalidades del Servicio Internacional* ».

régionaux en Espagne depuis 1998. Il faut donc composer le numéro complet, y compris le 9 du début. Pour appeler depuis la France, tapez d'abord 00 pour obtenir l'international puis 34, l'indicatif de l'Espagne.

SERVICES POSTAUX

La poste (Correos) est lente, et même s'il est possible d'envoyer un courrier en express (urgente) ou en recommandé (certificado) les entreprises privées de messagerie assurent un service plus fiable et plus rapide.

Il existe quatre gammes de tarifs postaux en fonction de la destination : l'Union européenne, le reste de l'Europe, les États-Unis et le reste du monde. Les paquets doivent être pesés et affranchis dans les bureaux de poste. Mieux vaut fermer avec de la ficelle, car si c'est le guichetier qui s'en charge, il faut payer un supplément.

Les principaux bureaux de poste ouvrent de 8 h à 21 h du lundi au vendredi et de 9 h à 19 h le samedi. En banlieue ou dans les petites localités, ils ferment souvent dès 14 h en semaine et à 13 h le samedi.

Timbres espagnols

RÉDIGER UNE ADRESSE

Dans les adresses espagnoles, le nom de la voie précède le numéro de l'immeuble que suit celui de l'étage de l'appartement. Les deux premiers chiffres du code postal indiquent la province.

LETTRES ET TÉLÉCOPIES

Le courrier expédié dans une grande poste arrivera en général plus vite que celui glissé dans une boîte aux lettres (buzón). Celles des villes sont jaunes et de grande taille, et diffèrent de celles des bourgs et des villages, plus petites et fixées à des murs.

Les lettres en poste restante doivent porter la mention Lista de Correos et le nom de la ville. Vous les récupérerez, en présentant une pièce d'identité, à la poste centrale. Pour recevoir ou envoyer de l'argent, demandez un giro postal.

Certains locutorios, des hôtels et de nombreux commerces proposent un service de télécopie. Cherchez les enseignes indiquant telefax.

Boîte aux lettres

TÉLÉVISION ET RADIO

Le service public de télévision, Televisión Española, diffuse les deux chaînes TVE1 et TVE2. Plusieurs régions autonomes possèdent aussi leur propre chaîne émettant en langue locale. Celle de Madrid, Telemadrid, est une bonne source d'informations sur les manifestations organisées dans la capitale et aux alentours.

Il existe aussi trois chaînes nationales indépendantes : Antena 3, Tele-5 (Telecinco) et Canal Plus qui, comme en France, fonctionne par abonnement, mais diffuse des programmes en clair.

La plupart des films étrangers du petit écran sont doublés. Dans les magazines, le sigle VO signale ceux qui sont en versión original.

Les hôtels captent par satellite CNN, Eurosport et Cinemanía. La radio de service public, Radio Nacional de España comporte quatre stations : Radio 2 et Radio 3 diffusent de la musique, Radio 1 et Radio 5 sont des stations d'informations.

JOURNAUX ET MAGAZINES

La majorité des kiosques installés près de la Puerta del Sol, de la Gran Vía, de la calle de Alcalá et du paseo de la Castellana vendent des quotidiens et des périodiques étrangers. Des journaux du matin comme Le Figaro et Libération sont disponibles le même jour qu'en France, France-Soir et Le Monde arrivent le lendemain.

Les journaux espagnols les plus lus sont, dans l'ordre, El País, El Mundo et ABC. Marca El Mundo possède plus de chroniques et s'adresse à une clientèle plus jeune que les autres, qui offrent une présentation plus approfondie de l'actualité internationale.

Les principaux magazines de programme comprennent Guía del Ocio qui paraît le vendredi, Metrópoli, supplément gratuit de l'édition du vendredi d'El Mundo, Tentaciones, supplément gratuit du vendredi d'El País et Salir Salir qui paraît le vendredi.

Hors de la capitale, les journaux locaux constituent de précieuses sources d'information sur les manifestations prévues dans les villes et les villages.

Il existe également des périodiques s'adressant aux anglophones de Madrid : Guidepost, magazine d'informations générales et économiques, In Madrid, mensuel gratuit diffusé dans les pubs, les librairies et les magasins de disques, et Lookout. La Chambre française de commerce et d'industrie publie Perspectives.

Quotidiens espagnols

ALLER À MADRID

Madrid se trouve au cœur des réseaux routier et ferroviaire espagnols. Ils ont été grandement améliorés en 1992 pour l'organisation de l'Exposition universelle de Séville et des Jeux olympiques de Barcelone. Des trains à grande vitesse desservent désormais au départ de Madrid des destinations dans

Panneau indiquant l'aéroport

tout le pays. Des autoroutes rayonnent aussi depuis la ville dans toutes les directions. Il existe des liaisons aériennes régulières entre l'aéroport Barajas et beaucoup de capitales européennes ou de grandes villes de province comme Bordeaux et Nice. Barajas est également une des grandes voies d'accès à l'Amérique du Sud.

ARRIVER EN AVION

La compagnie nationale espagnole **Iberia** assure des vols réguliers directs quotidiens avec toutes les capitales d'Europe occidentale (sauf Dublin), et deux ou trois navettes hebdomadaires avec celles d'Europe de l'Est. **Air France** propose des vols directs à partir de Paris mais aussi de certaines villes de province. **Swiss** et **Sabena** assurent des liaisons quotidiennes au départ de Genève et de Bruxelles.

Si les compagnies aériennes régulières offrent toute une gamme de tarifs, il existe aussi de nombreuses compagnies de charters et le mieux est de comparer les prestations et les tarifs, sur Internet notamment.

DE L'AÉROPORT
AU CENTRE-VILLE

Il faut environ 20 min par la route pour rejoindre le cœur de Madrid depuis Barajas. Le bus de l'aéroport part toutes les 12 min du terminal 1 entre 4 h 45 et 1 h 30. Le trajet coûte environ 2,50 euros et la ligne a pour terminus la plaza de Colón. Elle passe par l'avenida de América et la calle de Serrano.

En taxi, la course ne devrait pas vous revenir à plus de 25 euros. Il faut environ 12 minutes en métro pour rejoindre la station Nuevos Ministerios, où de nombreuses compagnies aériennes ont des bureaux d'enregistrement.

TARIFS

La fréquentation des vols à destination de l'Espagne varie en fonction des périodes de l'année et c'est en hiver, hors vacances de Noël et de Pâques, que vous avez des chances d'obtenir les meilleurs prix, en particulier sur des forfaits week-end comprenant le transport, l'hébergement et, parfois, des spectacles ou des visites. N'hésitez pas à comparer les offres, notamment avec celles de compagnies aériennes espagnoles comme **Europa Air** et **Spanair**.

Distributeur de billets

VOLS INTÉRIEURS

Iberia propose un service de navettes *(puente aéreo)* entre Madrid et Barcelone

avec de très nombreux vols quotidiens. Les passagers peuvent acheter leur billet à un distributeur automatique jusqu'à 15 min avant le départ.

Comme Iberia, **Air Nostrum,** Air Europa et Spanair assurent des liaisons avec les capitales régionales. Moins fréquentes que le *puente aéreo*, elles sont aussi un peu moins chères. Il existe un système de remises, comparable au système Apex, qui permet de voler meilleur marché à condition de réserver. Pour obtenir la réduction la plus intéressante, il faut s'y prendre au moins une semaine à l'avance.

ARRIVER EN TRAIN

La compagnie espagnole de chemins de fer, **RENFE** *(Red Nacional de Ferrocarriles Espanôles),* possède deux terminus de grandes lignes à Madrid : **Atocha** *(p. 85)* au sud du centre et **Chamartín** au nord-ouest. C'est à Atocha qu'arrivent les trains en provenance du Portugal et du sud et de l'ouest de l'Espagne, ainsi que les AVE à grande vitesse venant de Séville et Cordoue, Saragosse et Lleida. Les passagers arrivant de France et du nord et de l'est de l'Espagne descendent normalement à Chamartín. Un tunnel relie les deux gares et certains trains s'arrêtent aux deux.

Le nouveau service AVE entre Madrid et Lleida via Guadalajara et Saragosse prévoit d'aller jusqu'à

Un avion d'Iberia, la compagnie nationale espagnole

La gare d'Atocha, l'une des premières structures en fer et en verre

Barcelone et la frontière française pour 2006. Cela permettra l'ouverture d'une ligne à grande vitesse reliant Madrid et Barcelone avec les TGV français et ceux du reste de l'Europe.

Il y a également les TALGO (trains express) qui peuvent circuler à la fois sur des rails pour AVE et des rails européens et des trains moins rapides *(largo recorrido)*. Le service TALGO signifie que l'on peut voyager d'une grande ville à l'autre de façon très rapide.

Des trains-couchettes arrivent de Lisbonne, Paris et d'autres régions d'Espagne. Il est possible de charger à l'avance une voiture qui voyagera dans le train. Les vélos ne peuvent être transportés que dans les compartiments couchettes de ces trains-auto. Ils doivent être démontés et emballés.

ARRIVER EN AUTOCAR

L'autocar offre un moyen économique de voyager, y compris sur de longues distances et, en Espagne, il permet souvent de se déplacer plus vite qu'en train, en particulier depuis les stations balnéaires.

La compagnie **Eurolines** assure des liaisons régulières dans toute l'Europe. Ses autocars sont confortables et les passagers disposent le plus souvent de la climatisation et de dossiers inclinables, mais mieux vaut

Panneaux routiers madrilènes

le vérifier au moment de prendre son billet.

Madrid abrite trois gares routières principales. Située au sud-est, non loin du centre-ville, l'**Estación Sur de Autobuses** dessert tout le pays, tandis que les bus partant du **Terminal Auto-Res** rejoignent Valence, Lisbonne, et l'est et le nord-ouest de l'Espagne. Le **Terminal Continental Auto** se trouve au nord du centre-ville et dessert le nord de la péninsule et Tolède.

L'échangeur entre transports en commun de la calle de Méndez Alvaro permet un accès pratique aux bus urbains, au métro et aux trains régionaux.

ARRIVER EN VOITURE

Les panneaux de signalisation et le code de la route espagnols diffèrent peu des français *(p. 195)*. Les autoroutes à péage sont relativement chères, mais plusieurs grands axes de communication à doubles voies restent gratuits.

Madrid possède deux autoroutes périphériques, la M40 extérieure et la M30 plus proche du centre. Toutes les autoroutes rejoignent la M30. Les sorties sont identifiées par le nom de la rue à laquelle elles donnent accès.

Circuler à Madrid

La marche à pied est le meilleur moyen de découvrir le centre de Madrid où les sites d'intérêt sont concentrés à courte distance les uns des autres. Toutefois, si vos visites vous emmènent plus loin, le métro, avec ses rames propres et rapides, est le plus pratique des transports en commun. Si on dispose de plus de temps, un excellent réseau de bus permet de visiter la ville tout en se déplaçant. Vous pouvez aussi prendre un taxi. Ils sont des milliers à sillonner les rues de Madrid. Si vous projetez de vous rendre dans les sites en dehors du centre, n'oubliez pas que beaucoup de musées et de magasins ferment entre 14 h et 17 h.

Autobus urbain à la couleur caractéristique devant la Puerta de Toledo

MADRID EN BUS

Avantageux, le *Metrobús,* ticket autorisant dix trajets en bus ou en métro, coûte environ 6-7 euros, et s'achète dans les débits de tabac *(estancos),* auprès des marchands de journaux et aux kiosques de l'**EMT** installés sur la plaza de Colón, la plaza de Cibeles, la plaza del Callao, la plaza de Manuel Becerra et la Puerta del Sol. Ces kiosques, à l'instar des bureaux d'information touristique, fournissent des plans et des renseignements détaillés sur les transports publics, y compris les trains régionaux.

Des panneaux installés aux arrêts de bus indiquent le numéro de la ligne et son parcours. En montant à bord, vous pouvez soit acheter votre billet au chauffeur, soit glisser votre *Metrobús* dans le composteur. Un bouton proche des portes de sortie permet de demander l'arrêt. Les mots « *piso bajo* » (« plancher bas ») signalent les véhicules surbaissés au niveau des portes arrières, conçus pour les personnes en fauteuil roulant.

Les lignes les plus pratiques comprennent la 2 qui traverse le centre de Madrid d'est en ouest, la 5 qui relie la Puerta del Sol à la gare de Chamartín en passant par la plaza de Cibeles, et la 27 qui suit, du nord au sud, le paseo de la Castellana de la plaza de Castilla à la glorieta de Embajadores.

Les bus circulent de 6 h du matin à 23 h 30. La nuit, ils passent toutes les demi-heures entre minuit et 3 h, puis toutes les heures jusqu'à 6 h. Vingt bus de nuit *(buhos)* partent dans différentes directions de la plaza de Cibeles.

MADRID EN MÉTRO

Évitant la circulation qui encombre les rues en surface, le métro offre le moyen le plus rapide de se déplacer à Madrid. En outre, nombre des principales stations possèdent des boutiques et des bars, et celle du Retiro abrite même une galerie d'art.

Le réseau se compose de 200 stations reliées par 11 lignes, repérées chacune par une couleur différente, plus la liaison Ópera-Príncipe Pío *(voir plan des transports à la fin du guide).* Un ticket permet d'effectuer un trajet illimité. Toutes les stations vendent des *Metrobús,* forfaits de dix trajets valables aussi pour les bus. Une ligne en construction permettra bientôt de rejoindre l'aéroport Barajas.

Panneau d'une station de métro

MADRID EN TAXI

Il existe environ 15 000 taxis à Madrid. Ils portent tous une bande oblique jaune sur la portière. Quand ils sont libres, ils allument la lanterne verte sur leur toit.

Dans les limites de la ville de Madrid, y compris jusqu'à l'aéroport, les taxis doivent impérativement mettre en route leur compteur. La prise en charge est de 1 euro, et divers suppléments s'appliquent : pour les bagages, pour un chien (sauf un chien d'aveugle), si la destination est l'aéroport ou le Parque Ferial, et enfin si la course part d'une gare entre 11 h et 18 h un samedi, un dimanche ou un jour férié.

Pour commander une voiture, appelez **Radio Taxi** ou **Radioteléfono Taxi** qui propose aussi des véhicules pour handicapés *(p. 173).*

Taxis en attente

Autobus d'une compagnie
de visites organisées

VISITES EN BUS

Les bus à impériale de **Madrid Vision** circulent toute la journée. Les passagers disposent d'écouteurs diffusant un commentaire. Il existe 14 points d'embarquement qui vous permettent de monter ou descendre où vous voulez. Les visites sont possibles toute l'année.

Juliá Travel propose une gamme variée de visites organisées, certaines comprenant une corrida *(p. 111)* ou un spectacle de flamenco en soirée *(p. 174)*.

MADRID EN VOITURE

Le conducteur d'un véhicule doit pouvoir présenter à tout moment son permis de conduire, une pièce d'identité, la carte grise et une attestation d'assurance. Un permis de conduire national suffit pour les ressortissants de l'Union européenne, les habitants d'autres pays doivent se munir d'un permis international.

Conduire à Madrid n'a rien d'une sinécure : les Madrilènes se montrent agressifs au volant, la signalisation se révèle trompeuse ou insuffisante, les stations-service sont rares et il est difficile de se garer. Des embouteillages se forment aux heures de pointe, en particulier sur la M30, le périphérique intérieur. Si jamais vous vous perdez, faites signe à un taxi, criez l'adresse et suivez-le. Il vous en coûtera le prix de la course.

La vitesse est limitée en Espagne à 50 km/h en agglomération, à 100 km/h sur route et à 120 km/h sur autoroute.

Panneau d'interdiction
de s'arrêter

LOUER UNE VOITURE

Pour pouvoir louer une voiture, il faut avoir plus de 21 ans et posséder un permis valide (international pour les étrangers n'appartenant pas à l'Union européenne). Le paiement s'effectue par carte bancaire, en liquide ou en chèques de voyage.

Plusieurs sociétés telles que **Atesa, Avis, Europcar** et **Hertz** possèdent des comptoirs au Terminal 1 de l'aéroport Barajas. Des loueurs sont aussi installés dans les gares d'Atocha et de Chamartín. Il est vivement recommandé de souscrire une assurance complète et, l'été, de demander des voitures climatisées.

Logos de grandes sociétés
de location de voitures

SE GARER

Il est difficile de trouver où se garer à Madrid et, si vous venez en voiture, vous avez intérêt à choisir un hôtel offrant la possibilité de stationner. Il existe toutefois dans le centre des parkings souterrains payants. Les mots « *libre* », en vert, ou « *completo* », en rouge, vous indiqueront s'il reste des places disponibles. Attention au stationnement interdit : récupérer une voiture emportée par la fourrière coûte 180 euros. Dans le centre, des lignes bleues et vertes sur la chaussée délimitent des zones de stationnement. Les lignes vertes indiquent le stationnement résidentiel, bien que les non-résidents soient autorisés également à se garer pour une heure. Les lignes bleues permettent de se garer deux heures. Il faut acheter toutefois les tickets correspondants aux horodateurs de couleur.

MADRID EN VÉLO

Karacol Sport SA loue des bicyclettes près de la gare d'Atocha, mais se déplacer à vélo n'est agréable à Madrid que le dimanche et les jours fériés. Le reste du temps la circulation est trop intense.

Circuler hors de Madrid

Logo des chemins de fer espagnols

Chacun des principaux sites des environs de Madrid peut être visité en une journée. Mais quelques jours d'excursion hors de la capitale vous donneront l'occasion de séjourner dans une ville ou un village au rythme plus paisible, ou encore de découvrir des hébergements typiques à la campagne. C'est la voiture qui vous offrira le plus de liberté, bien que le train relie toutes les villes historiques. L'AVE permet ainsi de rejoindre Séville, Lleida, Valence ou Cordoue en quelques heures. Des agences de voyages proposent des visites organisées de Tolède, El Escorial et Ségovie. Pour un long trajet en bus, assurez-vous que vous prenez la liaison la plus directe.

Trains AVE en gare d'Atocha

CIRCULER EN TRAIN

Cinq types de trains partent de Madrid : *cercanías* (de banlieue), *regional, largo recorrido* (longue distance), TALGO (longue distance express), Alaris (pour Valence) et AVE (liaison à grande vitesse avec Ciudad Real, Puertollano, Cordoue, Séville, Guadalajara, Saragosse, Calatayud et Lleida).

Le *cercanías* C-2 assure des dessertes fréquentes d'Alcalá de Henares et de Guadalajara au départ de Chamartín, Nuevos Ministerios, Recoletos et Atocha. Des *cercanías* partent aussi toutes les demi-heures d'Atocha pour Aranjuez. De mi-avril à mi-juillet et de mi-septembre à mi-octobre, le *Tren de las Fresas* (« train des Fraises »), tiré par une locomotive à vapeur, circule le week-end entre Aranjuez et la gare d'Atocha. Une dégustation de fraises est comprise dans le

prix du billet qu'il faut réserver à l'avance. Pour rejoindre Puerto Navacerrada et les stations de ski, le plus simple consiste à prendre à Atocha le *cercanías* C-8b jusqu'à Cercedilla puis à changer pour le C9. Le C-8a conduit à San Lorenzo de El Escorial. Le C-8b continue après Cercedilla jusqu'à Ségovie qu'on peut aussi rejoindre avec le *regional* qui part d'Atocha, à l'instar du *regional* pour Tolède.

BILLETS

Horaires et billets de chemins de fer sont disponibles aux bureaux de la **RENFE** et dans les gares, ainsi qu'auprès des agences de voyages. Les prix dépendent du type de train, les services TALGO, Alaris et

AVE étant les plus chers.

Les cyclistes peuvent emporter leur vélo dans un train *regional* pendant les week-ends, les jours fériés et à certaines heures creuses de la semaine. Les bicyclettes sont aussi acceptées, démontées et emballées, dans les compartiments couchettes des trains TALGO et *largo recorrido*.

Les tarifs sont plus élevés le week-end et les jours fériés. Les enfants de moins de 11 ans ont droit à une réduction de 40 %, et de 20 % s'ils sont âgés de 12 à 25 ans (à condition de poursuivre des études). Les billets de retour sont valables quinze jours. Certains jours, la RENFE accorde des prix préférentiels sur de longs trajets. **Iberrail** propose d'intéressants forfaits train + hôtel. *Ida* signifie aller simple, *ida y vuelta* aller et retour.

CIRCULER EN VOITURE

Vérifiez avant votre départ les risques que couvre votre assurance en Espagne, notamment si elle prévoit la prise en charge directe des frais de dépannage ou de rapatriement du véhicule.

La loi impose que le véhicule porte à l'arrière un autocollant indiquant son pays d'immatriculation. Il est obligatoire d'avoir à bord un triangle de détresse, des ampoules de rechange et une trousse de premier secours. En hiver, prévoyez également des chaînes en montagne. En été,

Sur une route de montagne dans une sierra espagnole

Station-service d'une chaîne implantée dans tout le pays

n'oubliez pas d'emporter de l'eau si vous vous écartez des sentiers battus, surtout si vous voyagez avec des enfants.

Il existe deux sortes d'autoroutes en Espagne. Les *autopistas* à péage et les *autovías* gratuites. Un « N » signale une route nationale (*carretera nacional*).

Une *autopista,* la N401 pour Tolède, et six *autovías* numérotées de NI à NVI (ou A6) rayonnent de Madrid à partir de deux boulevards périphériques. Le plus proche du centre s'appelle la M30. La M40 dessert l'aéroport.

Le numéro gratuit de l'**Información de Tráfico de Carreteras** permet d'avoir des renseignements sur les conditions de circulation.

FAIRE LE PLEIN

Toutes les stations-service vendent de l'essence (*gasolina*), du gazole (*gasóleo*) et de l'essence sans plomb (*gasolina sin plomo*), mais les plus petites n'acceptent pas toujours les cartes bancaires.

LIMITATIONS DE VITESSE ET AMENDES

Les limitations de vitesse pour les voitures sans remorque sont de 120 km/h sur les *autopistas* (autoroutes à péage), 100 km/h sur les *autovías* (autoroutes gratuites), 90 km/h sur les *carreteras nacionales* (routes nationales) et les *carreteras comarcales* (routes secondaires), et de 50 km/h en agglomération. Les amendes pour excès de vitesse s'élèvent à 6 euros par km/h au-dessus de la vitesse autorisée et sont payables immédiatement. Les tests d'alcoolémie sont de plus en plus répandus.

VISITES ORGANISÉES ET COMPAGNIES DE BUS

La plus grande compagnie madrilène de visites organisées en autocar, **Juliá Travel** (*p. 195*), prend directement les réservations, tandis que **Pullmantour** impose de passer par une agence de voyages. Les excursions proposées par **Mundo Joven** ne sont souvent commentées qu'en espagnol.

Des liaisons en bus permettent de rejoindre de nombreux villes et villages. Au départ de l'**Estación Sur de Autobuses, Autocares Samar** dessert Aranjuez, **Autocares Cevesa** va à San Martín de Valdeiglesias, **La Sepulvedana** à Ségovie et **Floravilla** à Sigüenza (un seul départ à 18 h). **Continental-Auto** assure des navettes régulières avec Tolède.

Continental-Auto (situé à l'angle de la calle María de Molina et de l'avenida de América) dessert aussi Alcalá de Henares, **La Veloz** (plaza de Conde Casal) Chinchón, **Hijos de J. Colmenarejo** (plaza de Castilla) Manzanares el Real, **Larrea SA** (métro Moncloa) Puerto de Navacerrada et **Autocares Herranz** (métro Moncloa) San Lorenzo de El Escorial. **Enatcar** propose un service compétitif vers le littoral.

Autocar d'une compagnie proposant des visites guidées

ATLAS DES RUES

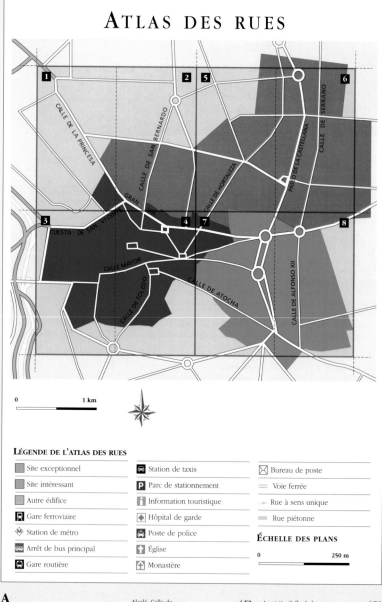

0   1 km

LÉGENDE DE L'ATLAS DES RUES

▮ Site exceptionnel	🚕 Station de taxis
▮ Site intéressant	🅿 Parc de stationnement
▮ Autre édifice	ℹ Information touristique
🚉 Gare ferroviaire	✚ Hôpital de garde
Ⓜ Station de métro	Poste de police
🚌 Arrêt de bus principal	✝ Église
🚍 Gare routière	✚ Monastère

⊠ Bureau de poste	
═ Voie ferrée	
→ Rue à sens unique	
▬ Rue piétonne	

ÉCHELLE DES PLANS

0   250 m

A

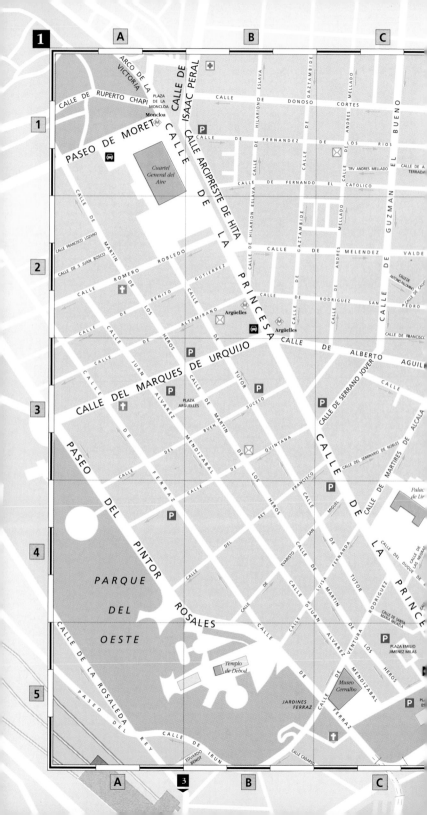

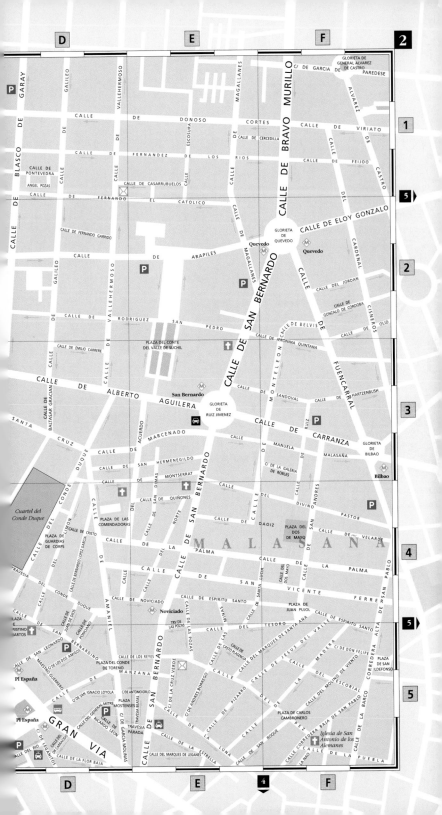

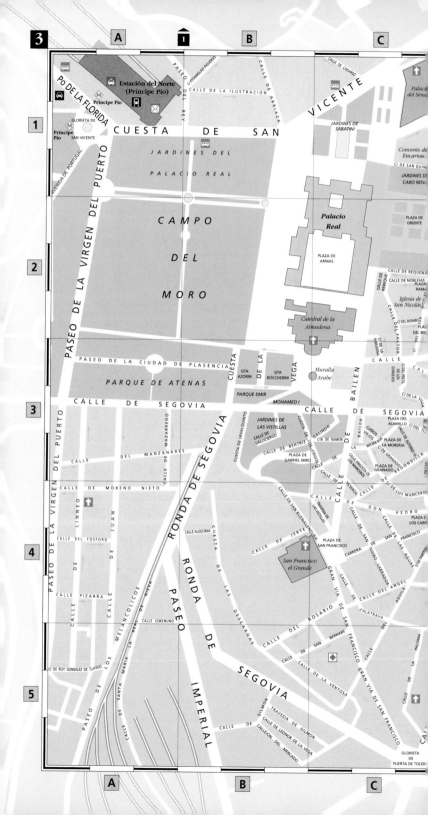

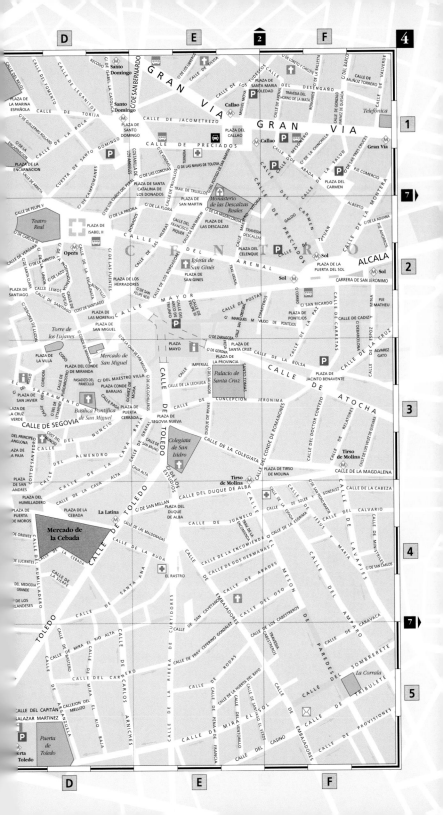

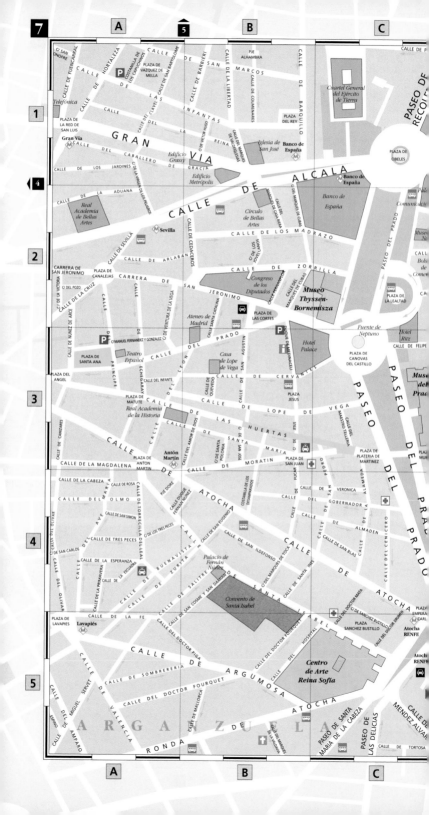

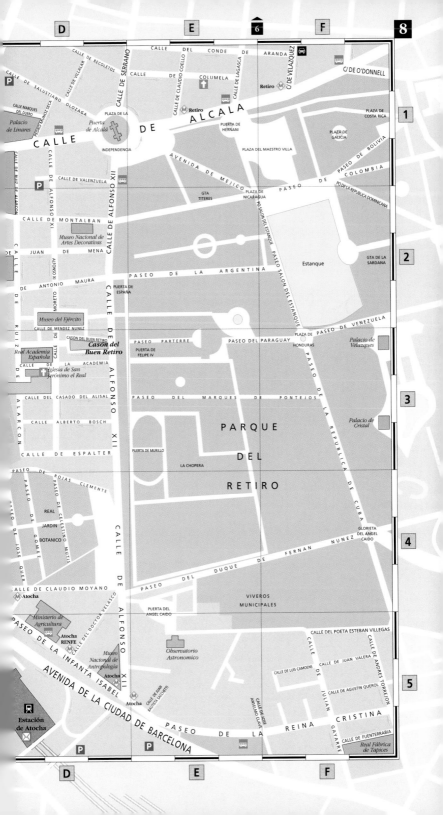

Index

Remerciements

L'éditeur remercie les organismes, les institutions et les particuliers suivants dont la contribution a permis la préparation de cet ouvrage.

AUTEURS

ADAM HOPKINS, voyageur et écrivain infatigable, est notamment l'auteur de *Spanish Journeys : A Portrait of Spain.*

MARK LITTLE, Américain qui a passé son enfance en Espagne, habite aujourd'hui dans le sud du pays. Il fut pendant de nombreuses années le rédacteur en chef du magazine *Lookout (p. 191).*

EDWARD OWEN est depuis de nombreuses années correspondant étranger à Madrid pour des journaux comme *The Times* et *The Express* de Londres et *Time Magazine.*

JAMES RUSSO, journaliste indépendant, travaille entre autres pour l'agence de presse espagnole EFE. Il vit en Espagne depuis les années 80.

KATHY WHITE est une journaliste indépendante qui collabore à *The Christian Science Monitor* et à *Newsweek.* Elle a aussi travaillé pour le service français de la BBC et le bureau des actualités internationales de Channel 4 News.

COLLABORATION ARTISTIQUE ET ÉDITORIALE

Remerciements particuliers à Hilary Bird pour la réalisation de l'index, Juan Fernández pour la vérification de l'ensemble du guide, Joy Fitzsimmons pour la vérification des illustrations, Elly King pour la vérification graphique, Barbara Minton pour le soutien de DK Publishing, Inc., Roberto Rama et Christina Barrallo pour la vérification des informations générales, Mary Sutherland pour la vérification des renseignements pratiques,Tom Prentice, Mari Ramaswamy, Zoë Ross et Lynda Warrington pour l'assistance éditoriale et Stewart Wild pour la correction.

AUTORISATION DE PHOTOGRAPHIER

© Patrimonio Nacional, Madrid : Monasterio de las Descalzas Reales ; El Escorial ; La Granja de San Ildefonso ; Palacio Real ; Palacio Real Aranjuez ; Palacio de Fernán Núñez propriedad de Renfe Sede de la Fundación de los Ferrocarriles Españoles.

L'éditeur remercie tous les musées, cathédrales, églises, hôtels, restaurants, magasins, galeries et autres sites et établissements trop nombreux pour être tous cités.

CRÉDIT PHOTOGRAPHIQUE

h = en haut ; hg = en haut à gauche ; hgc = en haut à gauche au centre ; hc = en haut au centre ; hdc = en haut à droite au centre ; hd = en haut à droite ; cgh = au centre à gauche en haut ; ch = au centre en haut ; cdh = au centre à droite en haut ; cg = au centre à gauche ; c = au centre ; cd = au centre à droite ; cgb = au centre à gauche en bas ; cb = au centre en bas ; cdb = au centre à droite en bas ; bg = en bas à gauche ; b = en bas ; bc = en bas au centre ; bcg = en bas au centre à gauche ; bd = en bas à droite ; (d) = détail.

Les œuvres d'art ont été reproduites avec l'aimable autorisation des organismes suivants :

Guernica Picasso © Succession Picasso/DACS 1999 87bd ; *Lugar de Encument* Chillida © DACS 1999 99c ; *Mosaïque* Miró © ADAGP, PARIS et DACS, Londres 1999 107h, première de couverture c.

L'éditeur exprime sa reconnaissance aux personnes, sociétés et photothèques suivantes qui ont aimablement autorisé la reproduction de leurs photographies :

ACE PHOTO : Bill Wassman 172b ; AISA, Barcelona : 7 (encadré), 14cb, 17b, 21bg, 21bc, *Retrato de Camilo Jose Cela* Alvaro Delgado © DACS 1999

26h, 27h, 56c, 76b, 80h, 82h, 83b, *La Tertulia del Café de Pombo* Jose Gutiérrez Solana © DACS 1999 87h, 104b ; MAX ALEXANDER : 118 ; MUSEO ARQUEOLÓGICO NACIONAL, Madrid : 96, 97.

BRIDGEMAN PICTURE LIBRARY : *L'Adoration des Bergers* le Greco 80ch, *L'Annonciation* Fra Angelico 80cb, *La Maja vestida* Goya 81h, *La Maja desnuda* Goya 81ch, *Les Trois Grâces* Rubens 81cb, *Le Martyre de saint Philippe* Jose Ribera 81b, *L'Intronisation de saint Dominique de Silos* Bermejo 82c, *Enfants sur la plage* Sorolla © DACS 1999 83h.

JOE CORNISH : 128c ; COVER : Quim Llenas 27b ; Matias Nieto 37c.

EL DESEO : 104hd.

AGENCIA EFE, Madrid : 35b, 36b.

COMISSION EUROPÉENNE 189 ; MARY EVANS PICTURE LIBRARY : 14b, 117 (encadré), 143 (encadré), 183 (encadré).

FUNDACIÓN LÁZARO GALDIANO : 25h, 100/101.

HULTON GETTY : 139b ; GODO FOTOS : 131b.

ROBERT HARDING PICTURE LIBRARY : James Strachan 53hd, 115h ; P. Robinson 40.

IMAGES COLOUR LIBRARY : A.G.E. Fotostock 23hd, 111cdh ; Horizon 111c ; INDEX, Barcelona : 13b, 14c, 16b, 18b, 20ch, 20cbg, 21hg, 21hc, 21bd, 26c, 26b, 27c ; NICK INMAN : 187c, 193h.

ANTHONY KING : 76h.

ARXIU MAS, Barcelona : 10b.

NATURPRESS, Madrid : 178b ; J.L. González Grande 179b ; A. Ibanñez & Fco González 180c ; Diana Kvaternik 23bc ; W. Kvaternik-R. Olivas 2/3, 36c, 178c, 180h, 181h ; Luis Olivas 34b ; Petro Retamar 180b ; Carlos Vegas 35c ; Jaime Villanueva 1, 19c, 23ch, 34c, 113h, 178h ;

MUSEO NAVAL, Madrid : 65bd.

ORONOZ, Madrid : 13h, 14h, 15h, 15c, 15b, 17c, 19h, 20hg, 20hd, 20cd, 24h, 24c, 24b, 47b, 56h, 56b, 57h, 57c, 57b, 67b, 75ch, 75b, 82b, 83c, *Portrait II* Miró © ADAGP, PARIS et DACS, Londres 1999 86h, *Femme en bleu* Picasso © Succession Picasso/DACS 1999 86ch, 102b, 103b, 111cgh, 124, 125.

MUSEO DEL PRADO, Madrid : 80b.

PRISMA, Barcelona : 12, 16h, 16c, 18h, 18c, 21hd, 21cgb, 60b.

CENTRO DE ARTE REINA SOFÍA, Madrid : *Retrato de Josette* Juan Gris © ADAGP, PARIS et DACS, Londres 1999 25b, *Paysage à Cadaqués* Dalí © Salvador Dalí – Fondation Gala – Salvador Dalí/DACS 1999 86c, 86b, *Toki-Egin (Homanaje a San-Juan de la Cruz)* 1952 Eduardo Chillida © DACS 2002 bg ; *Guitarra ante el Mar* Juan Gris © ADAGP, PARIS et DACS, Londres 1999 88h, *El Profeta* Pablo Gargallo © ADAGP, PARIS et DACS, Londres 1999 88c, *Minotauromachie* Picasso © Succession Picasso/DACS 1999 88b, *Muchacha en la Ventana* Dalí © Salvador Dalí – Fondation Gala – Salvador Dalí/DACS 1999 89h, *Toute la ville en parle* Eduardo Arroyo © DACS 1999 89b.

6 TOROS 6 magazine : 111cd.

MUSEO THYSSEN-BORNEMISZA, Madrid : 23cd, 70h, *Arlequin au miroir* Picasso © Succession Picasso/DACS 1999 70c, 70bg, *Portrait du Baron Thyssen-Bornemisza* © Lucian Freud 70bd, 71h, 71ch, 71c, *Paysage d'automne en Oldenburg* Karl Schmidt-Rottluff © DACS 1999 71b, 72, 73.

M. ANGELES SANCHEZ : 35h, 105b ; Juan Carlos Martínez Zafra 52b ; ARCHIVO DEL SENADO : Oronoz 53b ; SCIENCE PHOTO LIBRARY : Geospace 8 ; STOCKPHOTOS : Marcelo Brodsky 34h ; TONY STONE : 164b.

PETER WILSON : 38 ; WORLD PICTURES : 165c.

COUVERTURE : photos de commande à l'exception de PRISMA : 1re de couverture h.

PREMIÈRE PAGE DE GARDE : photos de commande à l'exception de MAX ALEXANDER hd.

Toutes les autres images © Dorling Kimberley. Consultez www.dkimages.com

Lexique

EN CAS D'URGENCE

Français	Espagnol	Phonétique
Au secours !	¡Socorro!	so-**ko**-ro
Arrêtez !	¡Pare!	pa-ré
Appelez un médecin !	¡Llame a un médico!	ya-mé a **oun** mé-di-ko
Appelez une ambulance !	¡Llame a una ambulancia!	ya-mé a **ouna** ahm-bou-**lahn**-ssi-a
Appelez la police !	¡Llame a la policía!	ya-mé a la po-li-**ssi**-a
Appelez les pompiers !	¡Llame a los bomberos!	ya-mé a los bohm-**bé**-ros
Où est le téléphone le plus proche ?	¿Dónde está el teléfono más próximo?	dohn-dé és-ta él té-**lé**-fo-no mas prox-i-mo
Où est l'hôpital le plus proche ?	¿Dónde está el hospital más próximo?	dohn-dé és-ta él os-pi-**tal** mas prox-i-mo

L'ESSENTIEL

Français	Espagnol	Phonétique
Oui	Sí	si
Non	No	no
S'il vous plaît	Por favor	por fa-**vor**
Merci	Gracias	**gra**-ssi-as
Excusez-moi	Perdone	pér-**do**-né
Bonjour	Hola	o-la
Au revoir	Adiós	a-di-**os**
Bonne nuit	Buenas noches	boué-nas **no**-chés
Matin	La mañana	la ma-**nya**-na
Après-midi	La tarde	la **tar**-dé
Soir	La tarde	la **tar**-dé
Hier	Ayer	a-**yér**
Aujourd'hui	Hoy	oil
Demain	Mañana	ma-**nya**-na
Ici	Aquí	a-**ki**
Là	Allí	a-**yi**
Quoi ?	¿Qué?	ké
Quand ?	¿Cuándo?	**kouahn**-do
Pourquoi ?	¿Por qué?	por-**ké**
Où ?	¿Dónde?	**dohn**-dé

QUELQUES PHRASES UTILES

Français	Espagnol	Phonétique
Comment allez-vous ?	¿Cómo está usted?	**ko**-mo és-**ta** ous-**téd**
Très bien, merci.	Muy bien, gracias.	moui bi-**én gra**-ssi-as
Ravi de faire votre connaissance.	Encantado de conocerle.	én-kan-**ta**-do dé ko-no-**ssér**-lé
À bientôt.	Hasta pronto.	as-ta **prohn**-to
C'est parfait.	Está bien.	és-ta bi-**én**
Où est/sont… ?	¿Dónde está/están…?	**dohn**-dé és-**ta**/és-**tahn**
À quelle distance se trouve… ?	¿Cuántos metros/ kilómetros hay de aquí a…?	**kouahn**-tos mé-tros/ki-**lo**-mé-tros **ail** dé a-**ki** a
Comment aller à… ?	¿Por dónde se va a…?	por **dohn**-dé sé **ba** a
Parlez-vous français ?	¿Habla frances?	a-bla frahn-**ces**
Je ne comprends pas	No comprendo	no kohm-**prén**-do
Pouvez-vous parler plus lentement s'il vous plaît ?	¿Puede hablar más despacio por favor?	pwé-dé a-**blar** mas dés-pa-ssi-o por fa-**vor**
Excusez-moi.	Lo siento.	lo si-**én**-to

QUELQUES MOTS UTILES

Français	Espagnol	Phonétique
grand	grande	**grahn**-dé
petit	pequeño	pé-**ké**-nyo
chaud	caliente	ka-li-**én**-té
froid	frío	**fri**-o
bon	bueno	**boué**-no
mauvais	malo	**ma**-lo
assez	bastante	bas-**tahn**-té
bien	bien	bi-**én**
ouvert	abierto	a-bi-**ér**-to
fermé	cerrado	ssér-**ra**-do
gauche	izquierda	iss-qui-**ér**-da
droite	derecha	dé-**ré**-cha
tout droit	todo recto	to-do **rék**-to
près	cerca	**ssér**-ka
loin	lejos	**lé**-hos
en haut	arriba	a-**ri**-ba
en bas	abajo	a-**ba**-ho
tôt	temprano	tém-**pra**-no

Français	Espagnol	Phonétique
tard	tarde	tar-dé
entrée	entrada	én-**tra**-da
sortie	salida	sa-**li**-da
toilettes	lavabos, servicios	la-**va**-bos sér-**bi**-ssi-os
plus	más	mas
moins	menos	**mé**-nos

LES ACHATS

Français	Espagnol	Phonétique
Combien cela coûte-t-il ?	¿Cuánto cuesta esto?	**kouahn**-to **koués**-ta **és**-to
Je voudrais…	Me gustaría…	mé gous-ta-**ri**-a
Avez-vous ?	¿Tienen?	ti-**yé**-nén
Je ne fais que regarder.	Sólo estoy mirando, gracias.	**so**-lo és-**toil** mi-**rahn**-do **gra**-ssi-as
Acceptez-vous les cartes de crédit ?	¿Aceptan tarjetas de crédito?	a-**ssép**-tahn tar-**hé**-tas dé **kré**-di-to
À quelle heure ouvrez-vous ?	¿A qué hora abren?	a **ké** o-ra **a**-brén
À quelle heure fermez-vous ?	¿A qué hora cierran?	a ké o-ra ssi-**ér**-rahn
ceci.	Éste	**és**-té
cela.	Ése	é-sé
cher	caro	**kar**-o
bon marché	barato	ba-**ra**-to
la taille (vêtement)	talla	**ta**-ya
la pointure	número	**nou**-mér-o
blanc	blanco	**blahn**-ko
noir	negro	**né**-gro
rouge	rojo	**ro**-ho
jaune	amarillo	a-ma-**ri**-yo
vert	verde	**bér**-dé
bleu	azul	a-**ssoul**
l'antiquaire	la tienda de antigüedades	la ti-**én**-da dé ahn-ti-goué-**da**-dés
la boulangerie	la panadería	la pa-na-dé-**ri**-a
la banque	el banco	él **bahn**-ko
la librairie	la librería	la li-bré-**ri**-a
la boucherie	la carnicería	la kar-ni-ssé-**ri**-a
la pâtisserie	la pastelería	la pas-té-lé-**ri**-a
la pharmacie	la farmacia	la far-**ma**-ssi-a
la poissonnerie	la pescadería	la pés-ka-dé-**ri**-a
le marchand de légumes	la frutería	la frou-té-**ri**-a
l'épicerie	la tienda de comestibles	la ti-**yén**-da dé ko-més-**ti**-blés
le coiffeur	la peluquería	la pé-lou-ké--**ri**-a
le marché	el mercado	él mér-**ka**-do
le marchand de journaux	el kiosko de prensa	él ki-os-ko dé **prén**-sa
la poste	la oficina de correos	la o-fi-**ssi**-na dé kor-**ré**-os
le marchand de chaussons	la zapatería	la ssa-pa-té-**ri**-a
le supermarché	el supermercado	él sou-pér-mér-**ka**-do
le débit de tabac	el estanco	él és-**tahn**-ko
l'agence de voyages	la agencia de viajes	la a-**hén**-ssi-a dé bi-a-hés

LES VISITES

Français	Espagnol	Phonétique
le musée	el museo de arte	él mou-**sé**-o dé **ar**-té
la cathédrale	la catedral	la ka-té-**dral**
l'église	la iglesia	la i-**glé**-si-a
	la basílica	la ba-**si**-li-ka
le jardin	el jardín	él har-**dihn**
la bibliothèque	la biblioteca	la bi-bli-o-**té**-ka
le musée	el museo	él mou-**sé**-o
l'office de tourisme	la oficina de turismo	la o-fi-**ssi** na dé tou-**ris**-mo
l'hôtel de ville	el ayuntamiento	eél a-youn-ta-mi-**én**-to
fermé les jours fériés	cerrado por vacaciones	ssér-**ra**-do por ba-ka-ssi-**o**-nés
l'arrêt de bus	la estación de autobuses	a és-ta-ssi--**ohn** dé aouto-**bou**-sés
la gare	la estación de trenes	la és-ta-ssi-**ohn** dé tré-nés

À L'HÔTEL

Avez-vous	**¿Tiene**	ti-**é**-nén
une chambre	**una**	**ou**-na
libre ?	**habitación**	a-bi-ta-ssi-**ohn**-li-bré
	libre?	
une chambre pour	**habitación**	a-bi-ta-ssi-
deux personnes	**doble**	**ohn do**-blé
avec un grand	**con cama de**	kohn **ka**-ma dé
lit	**matrimonio**	ma-tri-**mo**-ni-o
une chambre	**habitación**	a-bi-ta-ssi-
à deux lits	**con dos camas**	**ohn** kohn dos mas
ka-		
une chambre	**habitación**	a-bi-ta-ssi-**ohn**
pour une personne	**individual**	in-di-vi-dou-**al**
une chambre	**habitación**	a-bi-ta-ssi-**ohn**
avec bains	**con baño**	kohn **ba**-nyo
douche	**ducha**	**dou**-cha
le portier	**el botones**	él bo-**to**-nés
la clef	**la llave**	la **ya**-vé
J'ai réservé	**Tengo una**	tén-go **ou**-na
une chambre.	**habitación**	a-bi-ta-ssi- **ohn**-ré-sér-**ba**-da
	reservada.	

AU RESTAURANT

Avez-vous	**¿Tiene**	ti-**é**-né
une table	**mesa**	**mé**-sa
pour... ?	**para...?**	pah-**rah**
Je voudrais	**Quiero**	ki-**é**-ro
réserver	**reservar**	ré-**sér**-bar
une table.	**una mesa.**	**ou**-na **mé**-sa
L'addition	**La cuenta**	la **kwén**-ta
s'il vous plaît.	**por favor.**	por fa-**vor**
Je suis	**Soy**	soy bé-hé-ta-
végétarien/ne.	**vegetariano/a.**	ri-**a**-no/na
serveuse	**camarera/**	ka-ma-**ré**-ra
serveur	**camarero**	ka-ma-**ré**-ro
la carte	**la carta**	a **kar**-ta
menu	**menú del**	mé-**nou** dél
à prix fixe	**día**	**di**-a
la carte des vins	**la carta de**	la **kar**-ta dé
	vinos	**bi**-nos
un verre	**un vaso**	oun **ba**-so
une bouteille	**una botella**	ou-na bo-**té**-ya
un couteau	**un cuchillo**	oun kou-**chi**-yo
une fourchette	**un tenedor**	oun té-né-**dor**
une cuillère	**una cuchara**	ou-na kou-**cha**-ra chah-rah
le petit déjeuner	**el desayuno**	él dé-sa-**you**-no
le déjeuner	**la comida/**	la ko-**mi**-da/
	el almuerzo	él al-**mouér**-sso
le dîner	**la cena**	la **ssé**-na
le plat principal	**el primer plato**	él pri-**mér pla**-to
l'entrée	**los entremeses**	los én-tré-**mé**-sés
le plat du jour	**el plato del día**	él **pla**-to dél **di**-a
le café	**el café**	él ka-**fé**
saignant	**poco hecho**	po-ko **é**-cho
à point	**medio hecho**	**mé**-di-o **é**-cho
bien cuit	**muy hecho**	moui **é**-cho

LIRE LE MENU

al horno	al **or**-no	cuit au four
asado	a-**sa**-do	rôti
el aceite	a-**ssi**-é-té	l'huile
las aceitunas	a-ssé-**toun**-as	les olives
el agua mineral	**a**-goua mi-né-**ral**	l'eau minérale
sin gas/con gas	sin gas/kohn gas	plate/pétillante
el ajo	**a**-ho	l'ail
el arroz	ar-**ross**	le riz
el azúcar	a-**ssou**-kar	le sucre
la carne	**kar**-né	la viande
la cebolla	ssé-**bo**-ya	l'oignon
el cerdo	**sserh**-do	le porc
la cerveza	ssér-**bé**-ssa	la bière
el chocolate	cho-ko-**la**-té	le chocolat
el chorizo	cho-**ri**-sso	le chorizo
el cordero	kor-**dé**-ro	l'agneau
el fiambre	fi-**ahm**-bré	la viande froide
frito	**fri**-to	frit
la fruta	**frou**-ta	le fruit
los frutos secos	**frou**-tos **sé**-kos	les fruits secs
las gambas	**gahm**-bas	les crevettes
el helado	é-**la**-do	la crème glacée
el huevo	ou-**é**-vo	l'œuf
el jamón serrano	ha-**mohn** sér-**ra**-no	le jambon cru
el jerez	hé-**réz**	le xérès

la langosta	lahn-**gos**-ta	la langouste
la leche	**lé**-ché	le lait
el limón	li-**mohn**	le citron
la limonada	li-mo-**na**-da	la limonade
la mantequilla	mahn-té-**ki**-yale	le beurre
la manzana	mahn-**ssa**-na	la pomme
los mariscos	ma-**ris**-kos	les fruits de mer
la menestra	mé-**nés**-tra	la soupe de légumes
la naranja	na-**rahn**-ha	l'orange
el pan	pahn	le pain
el pastel	pas-**tél**	le gâteau
las patatas	pa-**ta**-tas	les pommes de terre
el pescado	pés-**ka**-do	le poisson
la pimienta	pi-mi-**yén**-ta	le poivre
el plátano	**pla**-ta-no	la banane
el pollo	**po**-yo	le poulet
el postre	pos-**tré**	le dessert
el queso	**ké**-so	le fromage
la sal	sal	le sel
las salchichas	sal-**chi**-chas	les saucisses
la salsa	**sal**-sa	la sauce
seco	**sé**-ko	sec
el solomillo	so-lo-**mi**-yo	le rumsteack
la sopa	**so**-pa	la soupe
la tarta	**tar**-ta	la tarte
el té	té	le thé
la ternera	tér-**né**-ra	le bœuf
las tostadas	tos-**ta**-das	les toasts
el vinagre	bi-**na**-gré	le vinaigre
el vino blanco	**bi**-no **blahn**-ko	le vin blanc
el vino rosado	**bi**-no ro-**sa**-do	le vin rosé
el vino tinto	**bi**-no **tihn**-to	le vin rouge

LES NOMBRES

0	**cero**	**ssé**-ro
1	**uno**	**ou**-no
2	**dos**	dos
3	**tres**	trés
4	**cuatro**	**koua**-tro
5	**cinco**	**ssihn**-ko
6	**seis**	seils
7	**siete**	**si**-é-té
8	**ocho**	**o**-cho
9	**nueve**	**noué**-vé
10	**diez**	di-**éss**
11	**once**	**ohn**-ssé
12	**doce**	**do**-ssé
13	**trece**	**tré**-ssé
14	**catorce**	ka-**tor**-ssé
15	**quince**	**kihn**-ssé
16	**dieciséis**	di-é-ssi-**sé-is**
17	**diecisiete**	di-é-ssi-si-**é**-té
18	**dieciocho**	di-é-ssi-**o**-cho
19	**diecinueve**	di-é-ssi-**noué**-vé
20	**veinte**	**bé**-ihn-té
21	**veintiuno**	bé-ihn-ti-**ou**-no
22	**veintidós**	bé-ihn-ti-**dos**
30	**treinta**	**tré**-ihn-ta
31	**treinta y uno**	tré-ihn-ta i **ou**-no
40	**cuarenta**	koua-**rén**-ta
50	**cincuenta**	ssin-**kouén**-ta
60	**sesenta**	sé-**sén**-ta
70	**setenta**	sé-**tén**-ta
80	**ochenta**	o-**chén**-ta
90	**noventa**	no-**vén**-ta
100	**cien**	ssi-**én**
101	**ciento uno**	ssi-**én**-to **ou**-no
102	**ciento dos**	ssi-**én**-to **dos**
200	**doscientos**	dos-ssi-**én**-tos
500	**quinientos**	ki-ni-**én**-tos
700	**setecientos**	sé-té-ssi-**én**-tos
900	**novecientos**	no-vé-ssi-**én**-tos
1 000	**mil**	mil
1 001	**mil uno**	**mil ou**-no

LE JOUR ET L'HEURE

une minute	**un minuto**	oun mi-**nou**-to
une heure	**una hora**	**ou**-na o-ra
une demi-heure	**media hora**	**mé**-di-a **o**-ra
lundi	**lunes**	**lou**-nés
mardi	**martes**	**mar**-tés
mercredi	**miércoles**	mi-**ér**-ko-lés
jeudi	**jueves**	hou-**wé**-vés
vendredi	**viernes**	bi-**ér**-nés
samedi	**sábado**	**sa**-ba-do
dimanche	**domingo**	do-**mihn**-go